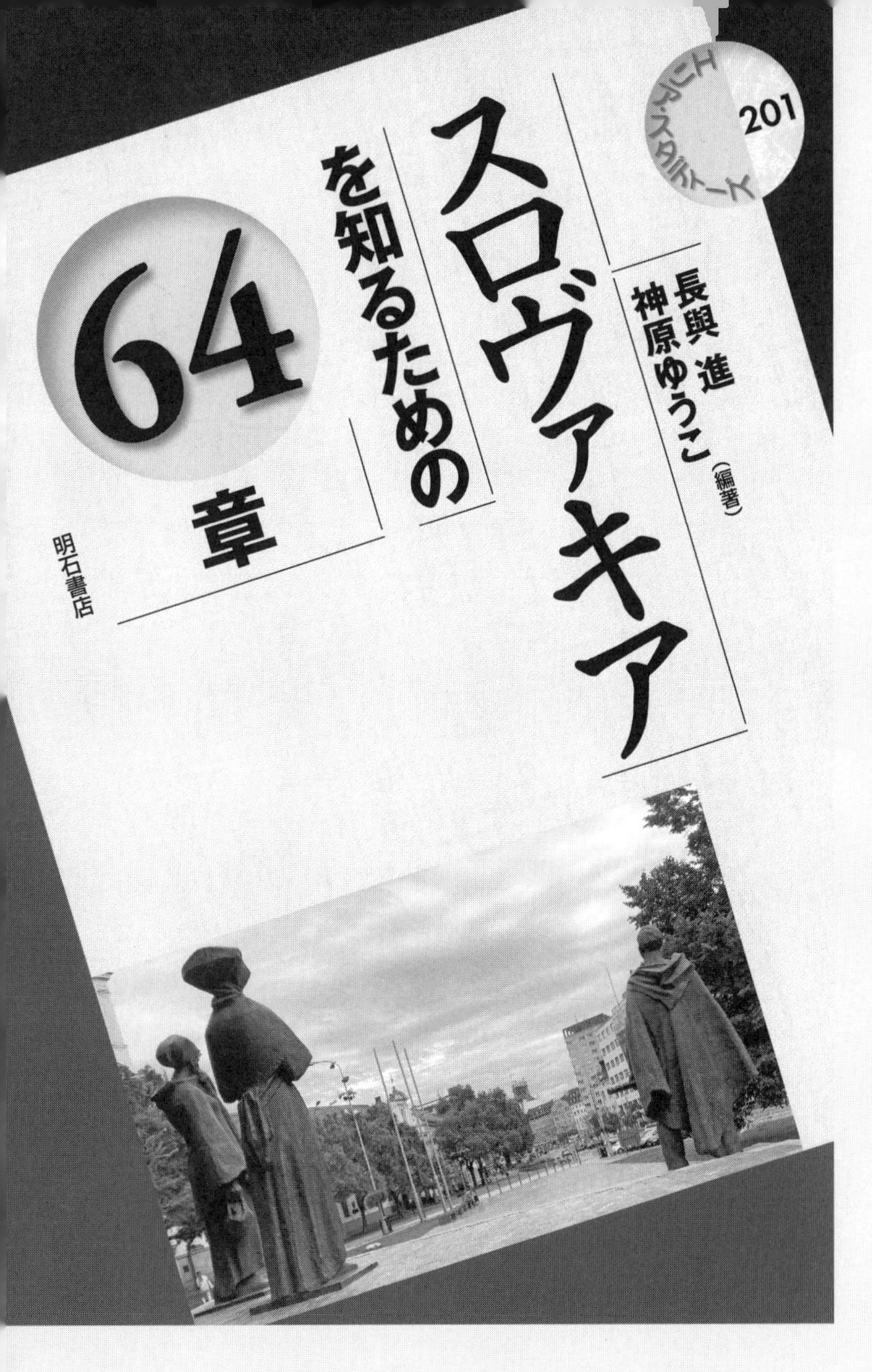
エリア・スタディーズ
201
スロヴァキアを知るための
64章
長與 進
神原ゆうこ
（編著）
明石書店

はじめに

いまからおよそ20年前の2003年、本書の前身にあたる『チェコとスロヴァキアを知るための56章』が出版された。スロヴァキアという国は、1993年にチェコスロヴァキアの連邦解体を経て、すでに成立していたのだが、当時はチェコとスロヴァキアで1冊という判断がなされた。しかし、2022年に改訂版の話が持ち上がった際は、連邦解体から30年を経て、『スロヴァキアを知るための64章』として独立した1冊となることが決まった（詳しくは「おわりに」参照）。

チェコとスロヴァキアは1918年から1992年までひとつの国であった（1939年から1945年を除く）。しかし、本書の第1部で触れられているように、20世紀以前のスロヴァキアの地理的領域は、歴史的にはハンガリー王国の版図内にあった。スロヴァキア人としての民族意識の覚醒の時期は、スロヴァキアの歴史のひとつのハイライトであるため、本書でも多くの章で言及されている。その一方で、この国の民族的・宗教的な多様性は、チェコ諸邦とは異なる歴史の歩みの結果でもある。この『スロヴァキアを知るための64章』は、そのようなスロヴァキアの歴史と現在を、より深く掘り下げることができたのではないかと思う。

スロヴァキアは人口およそ545万人（2021年現在）で兵庫県とほぼ同じであり、面積は約5万平方キロメートルと、九州よりやや広いが、北海道ほどは大きくない国土を持つ。国土の北部と中央部に山地を擁する一方で、南部は農業に適した平地が広がり、国土の変化にも富む。北はポーランド、西はオーストリアとチェコ、南はハンガリー、東はウクライナと国境を接し、地域によって生活の様子も随分変わる。

首都のブラチスラヴァ（第35章参照）は国の西南端にあり、ウィーンから車で1時間程度の距離である。しばしば驚かれるが、日本からブラチスラヴァに行くのであれば、ウィーンの国際空港を利用するほうが便利である。第2の都市コシツェはブラチスラヴァから500キロメートルほど離れた東の端に位置する。コシツェからさらに東に100キロメートルくらい進むと、ウクライナとの国境である（第31章参照）。ブラチスラヴァからコシツェまで、特急列車は北側の山沿いに進み、途中にスロヴァキア国歌のモチーフとなった、急峻なタトリの山々を望むことができる（第58章参照）。幹線鉄道からは外れるが、スロヴァキアの山々の間には、19世紀のスロヴァキアのナショナリズム運動の拠点となったマルティン（第8章参照）や、第二次世界大戦末期に民族蜂起の舞台となったバンスカー・ビストリツァ（第17章参照）など、小都市が点在している。

山岳地域は、スロヴァキアの民俗文化とも関わりが深い。多くのフォークロア・フェスティバルが山に囲まれた村や小都市で開催され（第57章参照）、「ナショナル・ヒーロー」の義賊ヤーノシークも北部の村の出身である（第52章参照）。一方で、南部の平原は、スロヴァキアを代表するワインの産地に近い（第47章、第48章参照）。また、エスニック・マイノリティであるハンガリー（マジャール）系の人々も多く居住する（第36章参照）。本書は、このようなスロヴァキアの多様な側面に焦点を当てるように努めた。

スロヴァキアの20世紀以降の歴史には、いくつか難しい問いがある。ひとつは「なぜチェコスロヴァキアは解体したのか」、そして「スロヴァキアにとってチェコスロヴァキアは何だったか」である。この2つの問いについては、チェコとスロヴァキアの第一線の歴史家に寄稿していただいた（第23章、第24章参照）。第二次世界大戦勃発直前に成立した「独立スロヴァキア国」の評価も悩ましい問題である（第15章、第16章参照）。社会主義体制や体制転換の評価も、簡単に答えの出る問題ではない。詳細はいくつかの関連した章をお読みいただきたい。スロヴァキアを主たる対象として研究に携わっている筆者も、この国に関心を持ったきっかけは、チェコスロヴァキアの連邦解体と、スロヴァキアにおける社会主義体制後の社会変動であった。

本書『スロヴァキアを知るための64章』のいくつかの章は『チェコとスロヴァキアを知るための56章』を下敷きにした修正版であるが、多くの章が書き下ろされている。特に、スロヴァキアの音楽や現代の造形芸術は、旧版でほとんど触れることができなかったので、広く各方面に執筆協力を依頼した。1990年代まで、スロヴァキアに留学する日本人は非常に限られていたと聞く。しかし、2000年代に筆者が留学した時には、歴史学や音楽や造形芸術関係の日本人留学生たちに出会うことができた。留学を機に、本格的にスロヴァキアに関する研究を始めた筆者は、スロヴァキアで本書の執筆者の多くと知り合った。今回の出版過程ではじめて知己を得た執筆者もいるが、スロヴァキアを通してつながった縁と執筆への協力に改めて感謝したい。留学終了後も、村落や地方都市の現地調査のために定期的にスロヴァキアを訪ね、社会の様子の変化を観察してきたが、旧版から20年を経て、変化するスロヴァキアの様子と近年のスロヴァキアの魅力を新たにお伝えすることができたのではないかと思う。

なお、本書は多数の執筆者からの寄稿によって成立しているが、用語については可能なかぎり統一を試みた。しかし、統一ができなかったケースもいくつかある。このことについての詳細は、「固有名詞の表記と訳語について」を参照されたい。

２０２３年８月

神原ゆうこ

固有名詞などの表記と訳語について

(1) スロヴァキア語の固有名詞（地名と人名）の表記は、原発音に近いものを選んだ。そのため、既存のガイドブックやウェブ上の地図などのカタカナ表記と異なる場合がある（例：Prešov プレショフでなく、プレショウ、Devín デヴィーンでなく、ジェヴィーン、Bardejov バルデヨフでなく、バルジェヨウ、など）。

(2) 語末の ň, š, ž などの表記は各執筆者の選択を尊重して、あえて統一しなかった（例：Kriváň クリヴァーン、Matúš Čák マトゥーシ・チャーク）。

(3) 固有名詞の表記に v が含まれる場合は「ヴ」と表記した（例：Slovensko スロヴァキア、Bratislava ブラチスラヴァ)。

(4) スロヴァキアの山脈のタトラは、タトリとも表記される。単数の固有名詞 Tatraが使われる場合は「タトラ」と表記するが(例:タトラ山上に稲妻光り)、地理学的名称としては、通常複数形で Tatry と表記されるので「タトリ」とした。

(5) 「民族(の)」とも、「国民(の)」とも訳すことができるnárod, národný については、執筆者の選択を尊重して、あえて統一しなかった(例:Slovenské národné povstanie スロヴァキア民族蜂起/スロヴァキア国民蜂起)。

(6) 「チェコスロヴァキア」と「チェコ=スロヴァキア」はコラム6の記載のとおり、執筆者の選択に委ねている。ただし分割して記載する場合は、「チェコ=スロヴァキア」と「=」を使う表記に統一した。「オーストリア=ハンガリー」の場合も同様である。「オーストリア=ハンガリー帝国/君主国」の表記は、執筆者の選択に委ねた。「ハプスブルク帝国/君主国」も同様である。

(7) ブラチスラヴァにある Univerzita Komenského は、コメンスキー(スラヴ語名)大学ともコメニウス(ラテン語名)大学とも訳される。本書では執筆者の選択を尊重して、どちらかに統一することはしなかった。

(8) スロヴァキアの隣国の「ハンガリー」はハンガリー語で Magyarország であり、そこに住むハンガリー系の人々を指すハンガリー語の magyar は、日本語で「ハンガリー人/ハンガリー(人)の」と訳される。しかしスロヴァキア語では、uhorský, Uhor, Uhorsko(ハンガリーの、ハンガリー人、ハンガリー)と、maďarský, Maďar, Maďarsko(マジャールの、マジャール人、マジャール国)の2通りの表記があり、前者は１９１８年に解体したオーストリア＝ハンガリーを構成した多民族国家をさす語として、後者はエスニックな意味と、１９１８年以降の国家をさす言葉として、厳密に使い分けられている。本書では執筆者の選択を尊重して、どちらかに統一することはしなかった。

(9) ハンガリーの首都は「ブダペスト」と呼ばれることが多いが、ハンガリー（マジャール）語の原発音に近い「ブダペシュト」と表記する。

(10) それ以外の、日本語ですでに定着している一般的な固有名詞については、慣例に従った（例：マリア＝テレジア、マルティヌー）。

(11) 「民族／民俗音楽」「民族／民俗舞踊」「民族／民俗衣装」については、執筆者の選択を尊重して、あえて統一しなかった。

(12) ハンガリー（マジャール）語の人名は、執筆者の判断により、苗字＋名前の順に記載した場合もある。（例：バルトーク・ベーラ／ベーラ・バルトーク）

スロヴァキアを知るための64章

はじめに／3
スロヴァキアについての概略／17
地図　スロヴァキアと周辺国／18

I　スロヴァキアという国のなりたち

第1章　スロヴァキア人、スロヴェニア人、スラヴ人 ── 似ている名称／22
第2章　似ているけれども違う、違うけれども似ている ── チェコ語とスロヴァキア語の不思議な関係／27
【コラム1】　スロヴァキア人の名前の話／31
第3章　キュリロスとメトディオス ── 「スラヴ人最初の国家」モラヴィアが遺したもの／34
第4章　スロヴァキア出身の冒険児モーリツ・ベニョフスキー ── 鎖国日本の平安をざわめかせた異国船／38
第5章　「スロヴァキア人」が見た開国の幻想 ── ベッテルハイムと琉球王朝／43
第6章　スロヴァキア国民社会の形成 ── 選択された名称／48
第7章　リュドヴィート・シトゥール ── スロヴァキア文章語の制定者／52
第8章　民族文化団体マチツァ・スロヴェンスカーとは何か

CONTENTS

——文教都市マルティンの歴史的位置づけ／56

第9章　スロヴァキアにとってのハプスブルク——「牢獄」か「揺り籠」か？／61

第10章　アンドレイ・フリンカ——「スロヴァキア民族の父」？／65

第11章　スロヴァキアの国家シンボル（国章と国旗）について
——3つの山の上にそびえる二重十字架に込められた意味／69

【コラム2】　スロヴァキアのシンボル／74

第12章　新天地をめざした人々——スロヴァキアから北米大陸への移民／77

Ⅱ　チェコスロヴァキアの誕生、解体、復興、ふたたび解体

第13章　第一次世界大戦とチェコ人／スロヴァキア人——国外での活動から生まれた共和国／82

【コラム3】　第一次世界大戦がスロヴァキアとスロヴァキア人に与えた影響／86

第14章　ミラン・ラスチスラウ・シチェファーニク——20世紀スロヴァキア史でもっとも著名な人物／88

【コラム4】　シチェファーニクの日本訪問（1918年／大正7年秋）／93

第15章　独立スロヴァキア国——ナチス・ドイツの衛星国か、スロヴァキア初の「国民国家」か？／95

第16章　ヨゼフ・ティソ——ナショナリストの英雄か、教権ファシストか？／99

第17章　スロヴァキア国民蜂起の記憶——歴史認識のリトマス試験紙／103

第18章　1945年から60年までの時期のスロヴァキア——共産党政権の成立とその影響／107

第19章　改革は挫折したが……――「プラハの春」から1989年まで／112
第20章　アレクサンデル・ドゥプチェク
――「プラハの春」の立役者から「スロヴァキアの国政政治家」へ／117
第21章　グスターウ・フサーク――戦後のスロヴァキア政治と「正常化体制」のシンボル／122
第22章　ビロード革命と連邦解体――スロヴァキアを襲った2つの歴史の大波／126
【コラム5】　1990年の国名変更プロセス／130
第23章　スロヴァキアにとってチェコスロヴァキアとは何だったのか？
――民族の発展と民主的政治文化形成のための空間／132
【コラム6】「チェコスロヴァキア」か「チェコ＝スロヴァキア」か／136
第24章　チェコスロヴァキア解体（1989～1992年）――平和的分割の背景とその理由／138
第25章　地方における体制転換――「静かな村落」の人々の実態／142
第26章　スロヴァキア政治――人気と腐敗とEU指向と／146
【コラム7】　ヴラジミール・メチアルとは何者だったのか？／150
第27章　体制転換後のスロヴァキアの地方自治――中央集権か地方分権かをめぐって／153
第28章　スロヴァキア経済の30年――社会主義経済下の後進地域から「欧州のデトロイト」へ／157
【コラム8】　スロヴァキアの鉄道／162
第29章　スロヴァキアの社会福祉――政権交代による度重なる「揺り戻し」／165
第30章　スロヴァキアから／への労働移動――自由な移動が変えた生活／169

第31章　シェンゲン国境の狭間で――スロヴァキア・ウクライナ国境を越える人とモノ／173
第32章　ロシアのウクライナ侵攻に対するスロヴァキアの対応――隣国に対する最大限の支援／178
【コラム9】　コロナ禍のもとでのスロヴァキア／182

Ⅲ　スロヴァキア社会の諸相

第33章　「スロヴァキア人」とは誰か？――2021年国勢調査を手掛かりとして／186
【コラム10】　スロヴァーク／スロヴェンカの「非対称」の謎／191
第34章　スロヴァキアの宗教――宗派分布の成り立ちと「信心深さ」／193
第35章　スロヴァキア人のほろ苦い首都――多民族都市のあとかたに生きるブラチスラヴァ／198
第36章　スロヴァキアのハンガリー系マイノリティ――その歴史・文化・生活／203
【コラム11】　スロヴァキア南部の民族混住地域に生きる人々／207
第37章　スロヴァキアにおけるロマの人々――共生への長い道のり／210
第38章　スロヴァキアのユダヤ人――包摂と排除の歴史／214
第39章　スロヴァキアのルシーン／ウクライナ系マイノリティ
――同一コミュニティの引き裂かれたアイデンティティ／219
第40章　カルパチア・ドイツ人――スロヴァキア諸都市の栄華と追放の歴史／224
第41章　近隣諸国のスロヴァキア系コミュニティ――マイノリティとして生活するスロヴァキア系の人々／229

第42章　スロヴァキアにおけるジェンダー問題──活躍する女性政治家の陰で／233
第43章　スロヴァキアにおける日本研究の発展──その現状と課題／237
第44章　日本在住のスロヴァキア人──国際結婚、留学やライフスタイルのために来日する人々／242

Ⅳ　暮らしの風景

第45章　地方生活の密やかな愉しみ──四季の風物詩／248
【コラム12】　東スロヴァキアの魅力／252
第46章　スロヴァキアの家庭の味──慎ましいけれど幸福感の源／255
第47章　ワインと首都のマリアージュ
──ブラチスラヴァ首都圏の小カルパチアに根付くワイン造りの伝統／260
第48章　国境をまたぐことになったワイン産地──スロヴァキアのトカイ・ワイン／265
第49章　ヴァラフと呼ばれた羊飼い──典型的なスロヴァキア人イメージとなった人々／270
【コラム13】　スロヴァキアの針金細工師／275
第50章　コマールノのトート人──「山の民」？「森の民」？　それとも「川の民」？／278
第51章　私の故郷ヤソヴァー──スロヴァキア南西部の小さな村／282

V 文学・芸術・文化遺産

第52章 伝説の義賊ユライ・ヤーノシーク ―― スロヴァキア民衆文化の一大モチーフ／288
第53章 スロヴァキア語文学の茨の道 ―― 複数言語による一国文学は可能なのか？／292
【コラム14】 ボヘミアン作家ティドゥ=ヨゼフ・ガシパルの剣呑な選択／296
第54章 ヴラジミール・ミナーチ ―― スロヴァキア・ナショナリズムの「パンドラの箱」を開けた作家／299
【コラム15】 語るヒト「ホモ・ナラトル」、作家ドミニク・タタルカ／304
第55章 スロヴァキアと「縁」のある音楽家たち
―― ベートーヴェンの「月光」はスロヴァキアで書かれた／307
第56章 スロヴァキア民謡に影響を受けた音楽家たち
―― 素材の持ち味を活かして極上の料理に仕立てる名シェフたちの登場／312
第57章 伝統文化継承と民族交流 ―― 歌と踊りのフォークロア・フェスティバル／317
第58章 スロヴァキア国歌をめぐる選択肢 ―― 「タトラ山上に稲妻光り」が選ばれた理由／322
第59章 スロヴァキアの現代音楽 ―― エウゲン・スホニュほか／326
第60章 スロヴァキアの映画とアニメーション ―― のどかな風土と揺れ動く歴史を「編集」する／331
【コラム16】 切手で見るスロヴァキア絵画／336
第61章 ブラチスラヴァ世界絵本原画展（コンクール） ―― 設立の経緯と現在の課題／339
【コラム17】 民話絵本作りの旅／344

【コラム18】 ブラチスラヴァ美術大学の思い出／347
第62章 スロヴァキアのユネスコ世界遺産 ―― ヨーロッパの中のスロヴァキアとしての一面も／350
第63章 スロヴァキアの教会 ―― 大聖堂から木造教会まで／355
第64章 スロヴァキアの城 ―― 境界地域の痕跡／359
【コラム19】 スロヴァキアのアイスホッケー／364
【コラム20】 スロヴァキアのサッカー／367

スロヴァキアをもっと知るための参考文献／370
『スロヴァキアを知るための64章』参考資料／378
おわりに／379

【スロヴァキアについての概略】

正式国名—スロヴァキア共和国　Slovenská republika (SR)

面積—4万9035平方キロメートル

人口—544万9270人（2021年の国勢調査による）

人口密度—111人／1平方キロメートルあたり

首都—ブラチスラヴァ（人口—47万5503人、2021年）

国家語—スロヴァキア語

通貨—ユーロ（2009年以降）

国家体制—大統領を頭とする共和国

統治形態—議会制民主主義

国家シンボル—国旗、国章、国璽、国歌

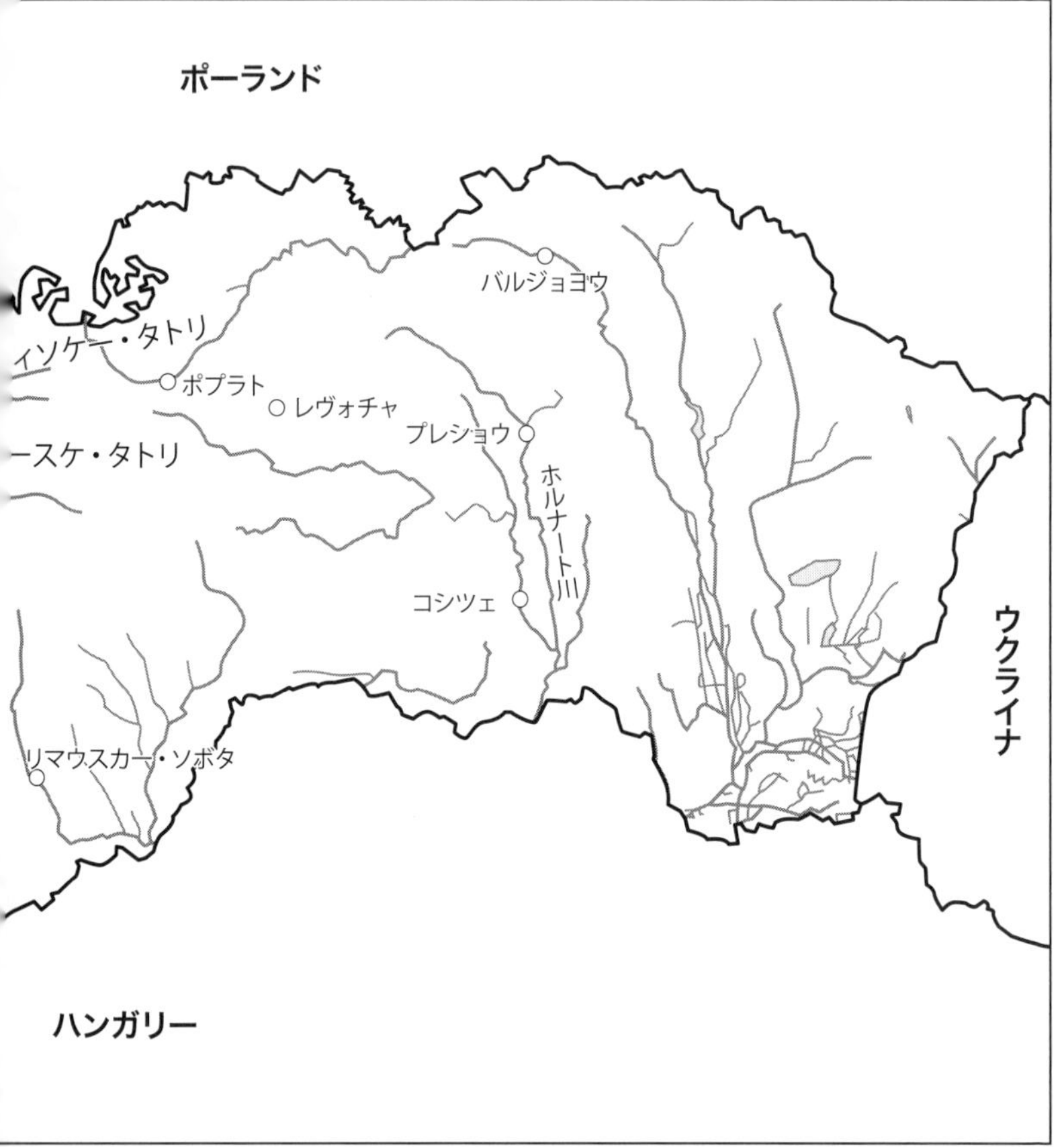
ポーランド
バルジョヨウ
ィソケー・タトリ
ポプラト
レヴォチャ
プレショウ
ースケ・タトリ
ホルナート川
コシツェ
ウクライナ
リマウスカー・ソボタ
ハンガリー

◉地図　スロヴァキアと周辺諸国

チェコ共和国
ジリナ
マラー・ファトラ
ヴァーフ川
マルティン
ルジョムベロ
トレンチーン
ヴェリカー・ファトラ
バンスカー・ビストリツァ
ピエレ・カルパティ
ズヴォレン
モラヴァ川
トルナヴァ
バンスカー・シチアウニツァ
ペジノク
フロンミ
ニトラ
ブラチスラヴァ
オーストリア
ドナウ川
ドゥナイスカー・ストレダ
ノヴェー・ザームキ
コマールノ

I

スロヴァキア
という国のなりたち

1

スロヴァキア人、スロヴェニア人、スラヴ人

★似ている名称★

1993年にチェコ＝スロヴァキアの解体により独立した「スロヴァキア」、1991年にユーゴスラヴィアから独立を宣言した「スロヴェニア」、どこか似た名称だと感じたことはないだろうか。別の類例を挙げるなら、クロアチアの一地方の「スラヴォニア」。もっと紛らわしいのは、スロヴァキア語で「スロヴァキアの」という形容詞は slovenský、スロヴェニア語で「スロヴェニアの」という形容詞も slovenski であり、ほぼ同じなのである。しかも、これらの語はいずれも「スラヴ」という言葉も想起させる。

そもそもスロヴァキア人は、ポーランド人、ドイツの上下ラウジッツに居住する少数民族のソルブ人とともに「西スラヴ族」に属し、さらに、「東スラヴ族」（ロシア人、ベラルーシ人、ウクライナ人）、「南スラヴ族」（セルビア人、クロアチア人、スロヴェニア人、マケドニア人、モンテネグロ人、ブルガリア人）とともに「スラヴ族」を構成している。言語上は、スロヴァキア人はスラヴ語派・西スラヴ語族の中のスロヴァキア語を話す。他方のスロヴェニア人は、スラヴ語派・南スラヴ語族の中のスロヴェニア語を話す。同じスラヴ語の間柄で似た単語も多いが、完全に意思疎通

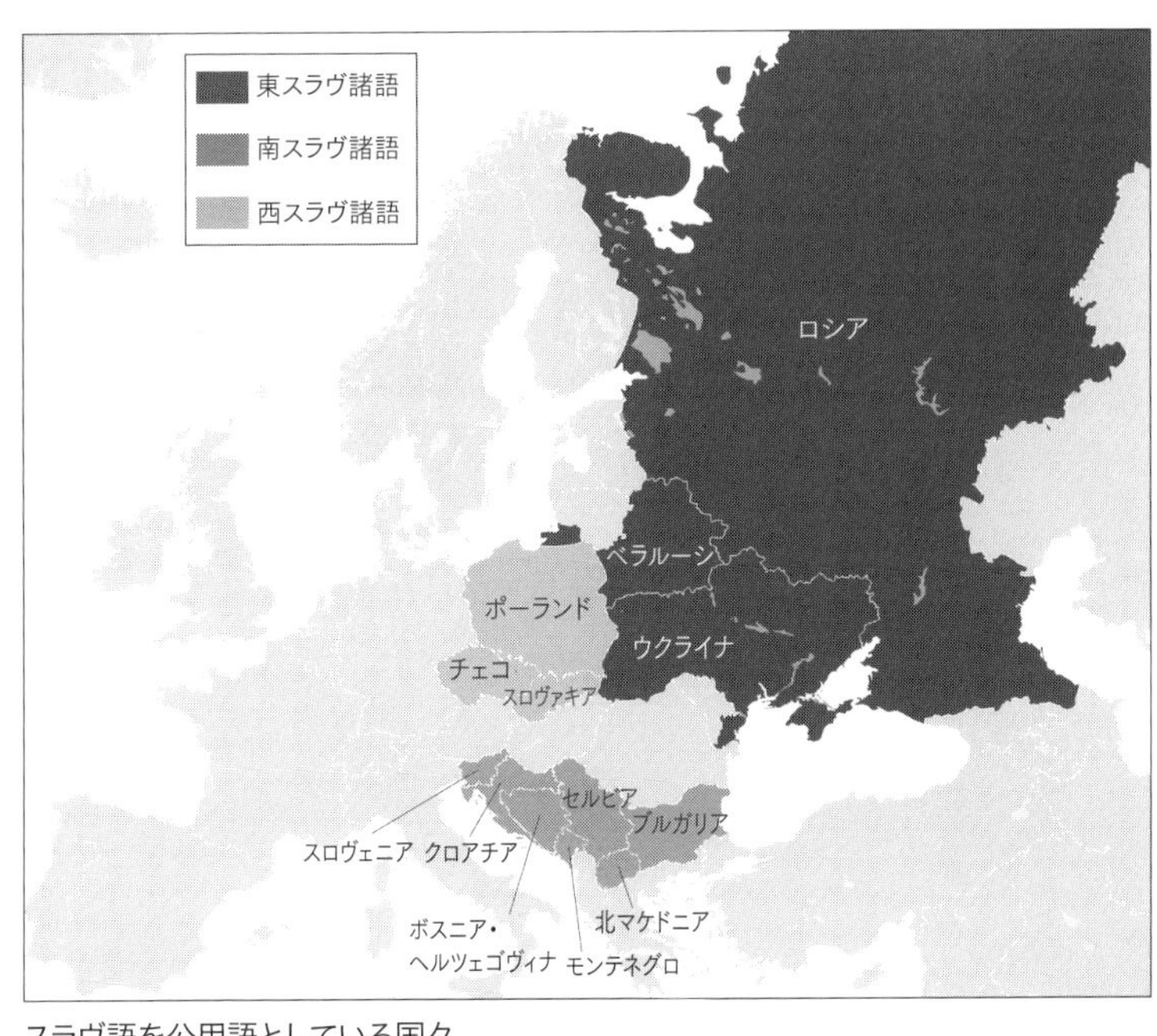

スラヴ語を公用語としている国々

ができるわけではない。スロヴァキア語にとってのチェコ語や、スロヴェニア語にとってのクロアチア語とは異なるのである。では、なぜ名称が似ているのだろう。

現在の諸スラヴ人の祖先と考えられる「古スラヴ族」は、紀元前2世紀頃、現在のウクライナとポーランドをぬって流れるドニエプル川とブク川に挟まれた広大な地帯から、東・西・南へと徐々に拡散しはじめた。この過程で、古スラヴ族は東スラヴ族・西スラヴ族・南スラヴ族へと分かれていった。西スラヴ族のうち、現在のスロヴァキア人の祖先にあたるスラヴ人たちは、カルパチア山脈を越え、またはドナウ川沿いにカルパチア盆地にすすみ、5世紀末から6世紀初頭に、のちに北部ハンガリーと呼ばれる現在のスロヴァキア領域の一帯に定住しはじめた。まさに「民族大移動」の時代であった。この地域一帯の先住民であったゲルマン族は、すでに4世紀に、ヴィスワ川からエルベ川までの地域をあとにし、より西方に移動していた。ゲルマン族が去ったこの広大な地域に、西スラヴ族が分散・定住したことによって、それまで共通言語を保っていた西スラヴ族は、今日のポーランド語・チェコ語・スロヴァキア語につながる諸方言を話すようになったと考えられる（チェコ語・スロヴァキア語が明確に差異化したのは、10世紀初頭のモラヴィア国の崩壊後とみる歴史家は多い）。一方、南スラヴ族は6世紀頃に、西スラヴ族から黒海沿岸と東アルプス方面の東西2方向に分岐するかたちで、現在のバルカン半島付近に広く移住することになった。スロヴェニア人の祖先にあたるスラヴ人は東アルプス方面に向かい、やがて今日のスロヴェニア語につながる方言を話すようになったといわれる。

さて、最新の中世史研究では、上記と異なるような初期中世の部族の姿が数多く示されるようになった。P・ギアリーは、古代末期から中世初期にかけての部族が同一の言語と生活様式を有していたという事例はほとんど確認できないという。たとえば、4世紀にフン族、5世紀にスラヴ人がヨーロッパに到来した際、こうした新たな「蛮族」に対してローマ人は、かつてローマ帝国に侵入した勇猛な「旧蛮族」にあたるゲルマン族にちなみ、フランク人、ランゴバルト人などを名乗り、強固な防衛意識を培ったという。つまり、初期中世の部族の名称は「器」のようなものである。現代の民族に至る連続性の象徴のように理解されているが、「蛮族」の中身はローマ人のこともあったし、逆に「蛮族」がローマ人を名乗ることさえあった。「器」の大きさも常に可変的だったという。

近年のスラヴ学においても、「スラヴ人」を原初的な存在として描くことは再検討の対象となっている。F・カールタは、6世紀のビザンツの歴史家によって、「スラブ人」の語を想起させる

Sklabēnoi/Sclaveniが「蛮族」や「従属民」という蔑称で使用されていた事実に着目する。そして、この人々がこれを現在に近いスラヴ人という民族名として名乗る初期の事例を、12世紀の『ロシア原初年代記』と考える。北部ハンガリーでは、ラヨシュ1世発給のジリナの特権（１３８1年）に「スラヴ人」（Slavi）という表記を確認することができる。

さて、このスラヴ人という名称は１７８０年代に大きく変化した。チェコやクロアチアのスラヴ人が所属国家や地域の名を自らの名乗りに変えていくナショナリズムの時代が到来したのである。これはラテン語の表記論争として現れた。たとえば、チェコのスラヴ人（Slavi Bohemiae）は本来貴族層を指したチェコ人（Bohemi）を、そして、クロアチアのスラヴ人（Slavi Croatiae）はクロアチア人（Croati）を名乗りはじめたのである。これに対して、現在のスロヴァキア人やスロヴェニア人は独自の政治領域をもたなかった。そこで、北部ハンガリーの知識人たちは所属国家にちなみハンガリー人（Hungari）、または、古代ローマ帝国の属州名をとってパンノニア人（Panoni）の名を模索するが定着しなかった。その後選択されたのが、「古スラヴ族後裔説」に基づく「スラヴ人」（Slavi）という名乗りである。つまり、１７８０年代にはスラヴ人一般と北部ハンガリーのスラヴ人とが同じ呼称となる時期がしばらく続いたのである。現在のスロヴェニア人の祖先も同様にスラヴ人を名乗らざるをえなかった。

このような状況の中、北部ハンガリーのカトリック司祭Ａ・ベルノラークは１７８７年に、スラヴ人一般と北部ハンガリーのスラヴ人とを区分けするために、Slaviから派生したSlavonici（単数形Slavonicus）の語を使ったが、クロアチアの一州を形成するスラヴォニア人がこの名は自らの名称であると反論した。この事態を重く見たベルノラークは、１７９０年にSlavoniciの使用を断念し、「スラヴ人」にはSlavi、北部ハンガリーのスラヴ人には今日使われる「スロヴァキア人」Slovaciの語を当てた。同じ頃、スロヴェニア人にはSloveniの語が使用されはじめ、並行して各スラヴ語でも名称が整備された。スロヴァキア語ではスロヴァキア人はSlováciでスラヴ人はSlovania、スロヴェニア語ではスロヴェニア人はSlovenciでスラヴ人はSlovaniと表記されたのである。

このように、「スロヴァキア」「スロヴェニア」の語が似ているのは、両者が歴史的に独自の政治領域をもたなかったことに起因する。直接的には、両者が「スラヴ」から派生した語をそれぞれの名称として選択したことが大きい。こうして、18世紀の表記論争を経て、それぞれ似つつも微妙に異なる名称が定着することになったのである。

（中澤達哉）

2

似ているけれども違う、違うけれども似ている

★チェコ語とスロヴァキア語の不思議な関係★

「チェコ語とスロヴァキア語はどの程度違うのですか」

「標準語で話しあえば、問題なく理解しあえる関係です」

「それでは方言差のようなものなのですね」

「いいえ、独立した2つの言語とみなされています」

チェコ語とスロヴァキア語の関係をめぐって交わされる会話は、このようにいささか歯切れが悪い。


両語がよく似ているのは系統的に見て、ポーランド語などとともにスラヴ語派の西のグループに属しているからである。このグループに属する言語のあいだの関係は、兄弟にたとえることができるが、なかでもチェコ語とスロヴァキア語はとりわけ似ているので、双子の兄弟と言ってもいいかもしれない。一卵性双生児とみなされて、単一の「チェコスロヴァキア語」を目指す試みが導入された時期（両大戦間期）もあったが、1945年以降は独立した2つの言語と捉える見方が確立している。つまり二卵性双生児ということに話が落ちついたわけである。

スロヴァキアの言語学者の説によると、チェコ語（の標準語）とスロヴァキア語（の標準語）のあいだの違いがいちばん目立つのは文字と音声の面で、語彙上の差異はそれよりも小さく、

文法上の隔たりはさらに少ないという。

試みに両語のアルファベットを比較してみると、チェコ語が42文字、スロヴァキア語が46文字からなっているが（表1を参照）、チェコ語にあってスロヴァキア語にない文字は、ě ř ů の3文字、逆にスロヴァキア語にあってチェコ語にない文字は、ä dz dž ĺ ľ ô ŕ の7文字である。とはいえ音声の面から見ると、チェコ語の音声でスロヴァキア人にとって問題なのは、ř の発音だけだ（ちなみにこの音は、どの外国人にとっても正しく発音することは難しい）。一方スロヴァキア語の音声でチェコ人に馴染みのないものは、ĺ ľ ô ŕ だが、彼らにとってこれらの音を発音するのは、さほど難しいことではない。長い母音と短い母音の区別があること、アクセントが第1音節に固定していることも、（ポーランド語などと比較して）チェコ語とスロヴァキア語が共有している特徴である。

両語の目立った相違点として指摘できるのは、チェコ語の発音が書かれた形に合わせているのに対して、スロヴァキア語は話された形の方に強く影響されていること（スロヴァキア語の方が無声子音が有声化する度合いが大きい）、スロヴァキア語には「リズム短縮の規則」があって、一語のなかでは原則として長い音節を連続させないが、チェコ語にはそうした規則がないことである。語彙の面では、1月、2月などの月の名称や、一部のスポーツ名に見られるように、チェコ語では固有語を使用する場合があるのに対して、スロヴァキア語では外来語の形を採用している。両語の文法（形態論）を比較してみると、チェコ語の方が名詞変化と動詞変化において不規則や例外が多く、複雑な構造を保っていることがわかる。

ただし、こうした相違点があるので、チェコ語とスロヴァキア語は独立した2つの言語とみなさ

表1　チェコ語とスロヴァキア語のアルファベットの比較
〔　〕内は近似の日本語の音。相手の言葉にない文字には下線をほどこした。

●チェコ語のアルファベット(42文字)

a〔ア〕	á〔アー〕	b〔ブ〕	c〔ツ〕	č〔チ〕	d〔ド〕	ď〔ヂ〕
e〔エ〕	é〔エー〕	ě〔ィエ〕	f〔フ〕	g〔グ〕	h〔フ〕	ch〔フ〕
i〔イ〕	í〔イー〕	j〔ィ〕	k〔ク〕	l〔ル〕	m〔ム〕	n〔ン〕
ň〔ニ〕	o〔オ〕	ó〔オー〕	p〔プ〕	q〔クヴ〕	r〔ル〕	ř〔ジ〕
s〔ス〕	š〔シ〕	t〔ト〕	ť〔チ〕	u〔ウ〕	ú〔ウー〕	ů〔ウー〕
v〔ヴ〕	w〔ヴ〕	x〔クス/グズ〕	y〔イ〕	ý〔イー〕	z〔ズ〕	ž〔ジ〕

●スロヴァキア語のアルファベット(46文字)

a〔ア〕	á〔アー〕	ä〔エ〕	b〔ブ〕	c〔ツ〕	č〔チ〕	d〔ド〕
ď〔ヂ〕	dz〔ズ〕	dž〔ジ〕	e〔エ〕	é〔エー〕	f〔フ〕	g〔グ〕
h〔フ〕	ch〔フ〕	i〔イ〕	í〔イー〕	j〔ィ〕	k〔ク〕	l〔ル〕
ĺ〔ルー〕	ľ〔リ〕	m〔ム〕	n〔ン〕	ň〔ニ〕	o〔オ〕	ó〔オー〕
ô〔ゥオ〕	p〔プ〕	q〔クヴ〕	r〔ル〕	ŕ〔ルー〕	s〔ス〕	š〔シ〕
t〔ト〕	ť〔チ〕	u〔ウ〕	ú〔ウー〕	v〔ヴ〕	w〔ヴ〕	x〔クス/グズ〕
y〔イ〕	ý〔イー〕	z〔ズ〕	ž〔ジ〕			

れる、と考えるのは正しくないだろう（こうした相違は同一語の方言間でも存在しうる）。両語を別個の言語として標準語（文章語）を設定すると、これだけの相違点が指摘できる、と考えるべきである。同系統の言語のあいだでは、方言と独立した言語を区別する言語学上の客観的な基準は存在しない。方言にとどまるのか、それとも独立した言語を形成するかは、歴史的・政治的・文化的環境によって決定される事柄である。

その際に、独立した言語を形成する重要な条件となるのは、統一された規範を備えた文章語が制定されて、それが広く社会に受け入れられていることだろう。ハンガリー王国内のスロヴァキア人地域では中世以来、書き言葉としてチェコ語（聖書チェコ語）が用いられていたが、18世紀末から独自の文章語を設定する動きがはじまり、１８４０〜１８５０年代に民族運動家リュドヴィート・シトゥールが定めた文章語に基づいて、今日の標準語が確立された。

チェコスロヴァキアで連邦制度が施行されていた時期（1969～1992年）、チェコ地域ではチェコ語が、スロヴァキア地域ではスロヴァキア語が公用語であったが、両語は相手方の地域でも、公用語に準ずる扱いを受けていた。法律や政令を掲載した法令集は、チェコ語版とスロヴァキア語版の2種類が刊行されていて、内容はまったく同一だったが、連邦レベルの法律はチェコ語版ではチェコ語、スロヴァキア語版ではスロヴァキア語で表記されていた。ラジオやテレビの全国レベルのニュースや番組では、チェコ語とスロヴァキア語が入り交じって使われていた。このように連邦時代には、たがいの言語に触れる機会が意図的に提供されていたわけである。その結果人々が、どちらの言語を聞いているのか意識さえしない状況が、たしかに創り出されていた。

こうした行政主導のバイリンガリズム（二言語併行使用）の試みは、1992年末の連邦解体とともに途絶えてしまった。チェコとスロヴァキアが別個の共和国になったからといって、たがいの言語を排斥するような動きはいずれの側にも認められないとはいえ、近年スロヴァキア語に接する機会が乏しくなったチェコの若い世代のあいだでは、スロヴァキア語の理解度が以前とくらべて低下していると言われている。一方スロヴァキアではあいかわらず、チェコ語の書籍が販売されて読まれ、チェコ語のニュースが視聴されている。状況はいささか「非対称」なかたちになったが、スロヴァキア側ではバイリンガリズムが自然なかたちで維持されている、と言っていいかもしれない。

（長與進）

スロヴァキア人の名前の話

コラム1　長與進

スロヴァキア人の人名は、ヨーロッパのキリスト教文化圏に属するほとんどの民族がそうであるように、名前＋苗字から構成されている。名前（ファースト・ネーム）は、わが国のように両親の自由な選択に委ねられているわけではなく、既存の名前の中から選ばれるのがふつうである。

スロヴァキア内務省のデータベース（2020年）によると、男性の名前のトップ10は、ペテル、ヤーン、ヨゼフ、マルティン、ミハル、ミロスラウ、ミラン、トマーシ、シチェファン、マレクの順である。このなかではミロスラウだけがスラヴ起源の名前で、あとは旧約聖書か新約聖書にちなんだものだ。

1位のペテルという名前を持つ男性の総数は16万人、その次のヤーンが15万人、3位のヨゼフもやはり15万人である。スロヴァキア人男性の総数は267万人（2021年現在）なので、彼らのうちの17％が、ペテルかヤーンかヨゼフという計算になる。前述のトップ10の名前を持つ人の数を合計すると、男性全体の36％に及ぶ。

女性の場合も事情はほぼ変わらない。トップ10は、マーリア、アンナ、ズザナ、カタリーナ、ヤナ、エヴァ、ヘレナ、モニカ、ルツィア、マルティナ。スロヴァキア人女性の総数は278万人なので、女性の12％がマーリア（19万人）かアンナ（13万人）、トップ10を合計すると、女性全体の32％を占める。

ちなみにペテルの愛称形（親しみをこめて呼ぶかたち）はペチョ、ペチコ、ヤーンはヤノ、ヤンコ、ヤニーク、ヨゼフはヨジョ、ヨシコ、

表1　男性の名前トップ10

1.	Peter (Peťo, Peťko)
2.	Ján (Jano, Janko, Janík)
3.	Jozef (Jožo, Jožko, Jožinko)
4.	Martin
5.	Michal
6.	Miroslav
7.	Milan
8.	Tomáš
9.	Štefan
10.	Marek

表2　女性の名前トップ10

1.	Mária (Marienka, Mara, Marka, Majka)
2.	Anna (Anička, Anča)
3.	Zuzana
4.	Katarína
5.	Jana
6.	Eva
7.	Helena
8.	Monika
9.	Lucia
10.	Martina

ヨジンコなどとなる（そのために、日本人のヨシコさんが自己紹介すると、戸惑いと驚きの混じったほほえましい場面が展開する）。マーリアの愛称形はマリエンカ、マラ、マルカ、マイカ、アンナはアニチカ、アンチャである。

名前の選択にも、はやりすたりが見られる。30年ほど前の資料では、男性ではヤーンとヨゼフが合計して63万人もいたが、現在では半数に落ち込んでいる。マーリアとアンナも68万人から32万人に半減している。社会主義時代にはイヴァン、ヴラジミール（ロシア語ではウラジーミル）、タニャ、ソニャなど、ロシア語起源の名前を持つ人も多かった。

一方、苗字（ファミリー・ネーム）のほうは、名前よりはるかにヴァリエーションが多く、内務省のデータベースには、全部で23万の苗字が登録されているという。苗字のトップ10は、コヴァーチ、ホルヴァート、トート、ヴァルガ、ナジ、バラーシ、バロク、モルナール、ポラーク、ルカーチで、これらの苗字を持つ人の合計は、スロヴァキアの総人口の7％弱にあたる。

民族名や職業名に由来するものが多いが、ホルヴァート（クロアチア人）、トート（スロヴァキア人）、ヴァルガ（靴屋）、ナジ（大きい）、モルナール（粉屋）など、マジャール語系のものが目立つ。スロヴァキア人がハンガリー王国という歴史的な枠組みの中で、一千年にわたってマジャール人と隣接して暮らしてきたからであろう。言うまでもないが、マジャール語系の苗字を持っているからといって、マジャール人ということにはならず、逆にスラヴ語系の苗字を持つマジャール人も多い。苗字の「相互乗り入れ」は、中欧地域ではごくありふれた現象である。

ちなみにスロヴァキア語では（チェコ語も同じだが）、女性の苗字はふつう「オヴァー」という語尾をつけて派生されるので、たとえば「コヴァーチ」氏の奥さんや娘さんの苗字は、「コヴァーチョヴァー」さんになる。

3

キュリロスとメトディオス

―― ★「スラヴ人最初の国家」モラヴィアが遺したもの★ ――

830年頃、現在のスロヴァキア南西部にプリビナと名乗る首長が登場した。ドナウ川流域の平原をはるか彼方まで見渡せるニトラの城が、その拠点のひとつであった。一種の部族連合を率いていたらしいということ以外、その政権の実態は明らかではない。これにやや先立って、現在のチェコ国内を流れるモラヴァ川流域にはモラヴィアという国が誕生しており、プリビナの支配領域は、まもなくこれに吸収された。追放されたプリビナは、フランク王国と提携しつつ現在のハンガリー西部のバラトン湖周辺に拠点を移した。その勢力は息子コツェルによって引き継がれ、870年代まで維持されたと考えられている。

現在のチェコとスロヴァキアにまたがる形で勢力を築いたモラヴィアは、スラヴ人が築いた最初の国家といわれる。ヨーロッパのほぼ中央に位置し、ドナウ川を越えて南北に延びる交易路を掌握することで繁栄していたのであろう。モラヴァ川流域のミクルチツェなどには大規模な集落の跡も見つかっている し、プリビナから奪ったニトラも東部の重要な拠点であった。東フランク王国に対する従属と反抗を繰り返していたモラヴィアは、870年代に入るとスヴェトプルク（スヴァトプルク）公のもとで現在のポーランド南部からハンガリー北西部まで勢力を拡大させた。しかし894年にスヴェトプルクが死ぬと、君主一族の内紛によって急速に衰え始める。そしてこれとほぼ同時にマジャール人が東方から進出し、ドナウ川中流域をほぼ掌握したため、モラヴィアは最終的に崩壊、消滅したらしい。907年にプレザラウスプルクでマジャール軍がバイエルン軍に大勝したという記録が残るが、これはおそらく後のプレスブルク、スロヴァキア語でいうブラチスラヴァを指すのであろう。

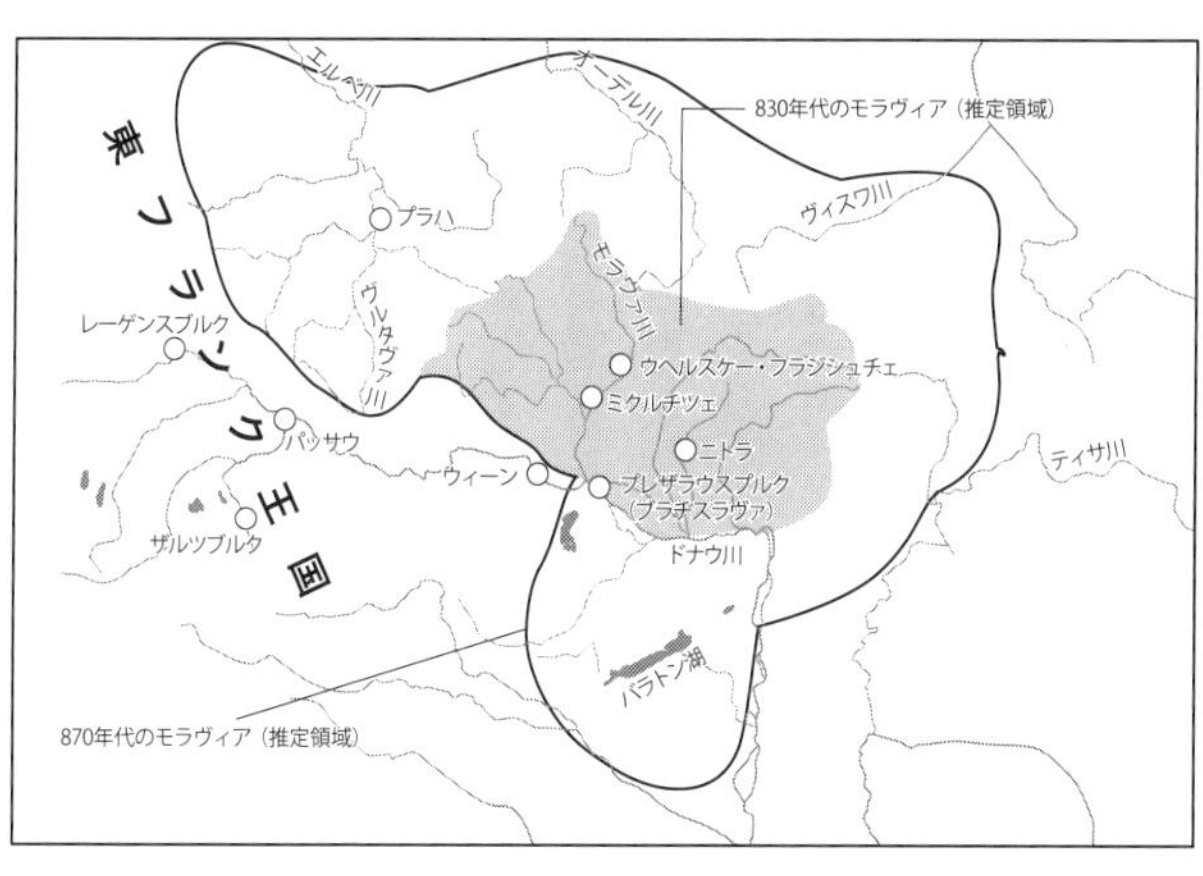

モラヴィアの支配領域（推定）。今日のスロヴァキア西部からチェコ東部のモラヴィア地方南部にかけて広がっていた

国家としてのモラヴィアは短命に終わったが、宗教と文化の方面で、この国の名は歴史に深く刻み込まれることになった。モラヴィア公ラスチスラフ（ロスチスラフ）がビザンツ皇帝に対して、スラヴ人の言語に堪能で、キリスト教の正しい信仰を教えてくれる教師を派遣してほしいと要請したのが、その発端である。これは、ビザンツ教会との結びつきを求めたというよりも、新興国であるモラヴィアの教会組織を整え、キリスト教国家としての自立を図るのがねらいであった。皇帝はキュリロス（死の直前に修道士として授かった名であり、本来の名はコンスタンティノス）とメトディオスにこの任務を委ねた。この2人は兄弟であり、弟のキュリロスはコンスタンティノープルの学院の哲学教授、兄のメトディオスは主に官僚として活躍していた。2人はギリシャ人だが、出身地のテッ

サロニキ付近にはスラヴ語を話す住民も多かったため、その言葉にもよく通じていた。

2人はおそらく863年にモラヴィアに向かったが、キュリロスはこれに先立って、スラヴ人の言語を表記するための文字を考案した。これは現在グラゴール文字と呼ばれており、後にこれをもとに新たに考案されたのが、現在ロシア語などで用いられているキリル文字である。2人はモラヴィアでの教育活動のために福音書の一部を翻訳するなどして、スラヴ語を初めて文章語として確立させた。これは現在、古代スラヴ語と呼ばれている。

しかし以前からモラヴィアで布教を進めていた東フランク王国出身の聖職者たちは、2人の行動を自分たちの活動領域への侵犯とみなした。そして特に、2人がスラヴ語で典礼を行っていることを非難し、神を讃える言葉はヘブライ語、ギリシャ語、ラテン語以外に認められないと主張した。2人は867年にローマへ向かい、教皇ハドリアヌス2世からスラヴ語の典礼を正式に許可された。キュリロスはローマで死去したが、メトディオスはパンノニア（かつてのローマ帝国の属州で、ほぼ今日のハンガリー南西部にあたる）の司教という地位を得てモラヴィアに戻り、多くの困難に出会いながらも教会組織の確立に尽力した。コツェルもまたメトディオスを積極的に支援した。

しかし885年にメトディオスが死去すると、その弟子たちはスヴェトプルクによって追放され、最終的にこの地域一帯は東フランク王国の教会の勢力下に組み込まれた。教会スラヴ語による典礼や著作活動はモラヴィアでは結局定着しなかったわけだが、後にブルガリアで採用され、さらにバルカン半島各地やキエフ公国へ、そしてロシアへと引き継がれて豊かな教会文化を生み出していった。

しかし近代に入ると、2人は偉大な宗教指導者にとどまらない、全く違った役割を担わされることになった。現在のチェコのモラヴィア地方東部にあるヴェレフラトは、２人の本拠地のひとつとみなされて多くの巡礼を集めるようになり、１８６３年には２人のモラヴィア到着一千年を記念する盛大な祝典が挙行された。それ自体は宗教儀式であったが、これがハプスブルク君主国に住むスラヴ系住民の民族意識高揚に大いに貢献していることは明らかであった。そして教皇庁も、正教徒を含めたスラヴ系の人々に働きかけるには２人の伝承が有効であると判断し、教皇レオ13世は１８８０年に回勅「グランデ・ムーヌス（偉大なる責務）」において、２人がスラヴ人にキリスト教を広めた功績を強調した。こうして２人は「スラヴ人の使徒」と呼ばれるようになり、スラヴ系諸民族の交流と一体性を訴える人々による賞賛を浴びることになった。また、ビザンツ出身でありながらローマ教皇庁の支援を受けた２人は、東西の教会の連携を象徴する人物としてもふさわしかった。

１９１８年に成立したチェコスロヴァキアでは、９世紀の国家モラヴィアはチェコ人とスロヴァキア人が共同で作り上げた国として解釈され、新興国チェコスロヴァキアの正統性の根拠とされた。当然ながらキュリロスとメトディオスもそうした伝承の主要な登場人物となり、コツェルとメトディオスの協力関係にも注目が集まった。一般にチェコではフス派やプロテスタントが民族の伝統として強調されたのに対し、スロヴァキアではカトリック志向が強く、その分、２人の伝承を一層受け入れやすかったという事情もある。

こうした「近代的」キュリロスとメトディオスのイメージは、本来の２人の姿からは遠く隔たっているに違いない。しかしこのように多様な解釈を許容するほど、２人の遺した足跡が大きかったというのもまた確かである。

（薩摩秀登）

4

スロヴァキア出身の冒険児 モーリッツ・ベニョフスキー

★鎖国日本の平安をざわめかせた異国船★

寛政元年（1789年）、江戸幕府の命により蝦夷地調査に赴いた最上徳内は、ウルップ島で知り合ったロシア人からアウスと名乗る「左遷の官人」に関する風説を聞き取って、『蝦夷国風俗人情之沙汰』（1790年）に記している。それによれば、アウスはヲロシア（ロシア）とポリシア（ポーランド）の合戦においてポリシアの大将だったが、捕らえられてカムチャッカに流された。しかし、官船を奪い70余人を乗せて千島列島を南下し、ウルップ島の北隣に位置するシモシリ島（シムシル島）に停泊後、日本海域を航海して四国阿波国に上陸したという。そこで米や薪水を与えられ、さらに東洋の海を過ぎインド南洋、アフリカ州を経てフランスに至り、本国ドイツランド（ドイツ）に帰りついたと最上は紹介している。続けて、明和8年（1771年）に常陸（ひたち）から上総（かずさ）の海を漂泊して、阿波国までたどり着いたという異国船に関する伝聞にも触れ、最上はこれがアウスであろうと推定した。そして、かつて長崎出島のオランダ商館に異国船の船長から送られたと聞き及ぶ、阿波国国守の恩義に謝する書簡にあった署名の人物、Baron Moritz Aladar van Bengoro（蘭語通詞による和解文書では「ばろんもりつあらあだるはんべんごろう」）

こそがアウスであったに違いないと書いている。

最上の記述にはアウスが軍の大将であったとか、ドイツが本国であるとかの誤りが見られるものの、１７９１年刊行の林子平『海国兵談』に、「べんごろう」はムスカウビヤ（ロシア）から派遣された豪傑であり、日本の港の水深を計って回った、とあるのに比べ、当時としてはかなり正確な事実把握だったように思われる。１７６８年から１７７２年にかけて行われたポーランド貴族らバール連盟軍とロシア帝国の戦争について触れた、日本で最初期の文献でもあるだろう。それでも、まだこの時代には、アウスが現在の西スロヴァキアにあるヴルボヴェー市出身の貴族、モーリツ・アウグスト・ベニョフスキー（１７４６〜１７８６年）とは誰も知る術はなかった。ヨーロッパ各国語に訳されて評判を呼ぶことになる彼の『モーリツ・アウグスト・ベニョフスキー伯爵の回想と旅』が、フランス語手稿から英語への翻訳で出版されたのは、最上の著述と同年の１７９０年のことである。

アウスとは、出生時の名前モーリツに付け加えて、ベニョフスキーがローマ帝国皇帝にちなんで後年に名乗るようになったアウグストの転訛だろう。「あらあだる」もまた本人が付け足した名前であり、フン族の王アッティラ大王の勇猛を継ぐ者（伝承では「アラダル」は大王の子息の名前）という含みがあったと伝わる。頭の「ばろん」は男爵を意味し、伯爵位を得る以前の署名に用いていた。「はんべんごろう」は、日本人通詞の誤読によるものではなく、高地ドイツ語で書かれた彼の書簡をオランダ商館員ベクシュタインがオランダ語に翻訳した際に、署名の文字を読み違えたとされる。しかし、「はん」はオランダ語の van ファン「〜出身の」と取れるが、ベニョフスキーと「べんごろう」ではローマ文字の長さと形に隔たりがある。フランスやロシアに残る文書には、父祖伝来の領地があった西スロヴァキ

江戸期日本を訪れたベニョフスキー（中央の立っている人物）
出典：近藤重蔵『辺要分界図考』1808年版

アのベニョウを用い、「ベニョー出身の」を意味する de Benyŏ ド・ベニョーという署名がしばしば見受けられる。したがって、オランダ人翻訳者が Benyŏ を Bengoro と誤読した可能性も考えられる。

幕末へと傾斜する時期、ベニョフスキーの書簡は当時の知識階級に海防論議を巻き起こした。書簡は全部で7通確認できるが、騒ぎのもととなったのは1771年7月20日付ウシマイ（奄美大島のこと）からオランダ商館に宛てた一通である。それは、ロシアのガレオン船一艘とフリゲート艦二艘が、ロシア政府の命令により日本沿岸を視察し、すでに千島列島に要塞を築いて武器弾薬を貯え、蝦夷松前藩とその南方に広がる島々を攻撃する準備があると示唆していた。先の林子平や仙台藩藩医で『赤蝦夷風説考』（1781〜1783年）を著した工藤平助は、この書簡について長崎の通詞から情報を得て、赤蝦夷＝ロシアの脅威と海防を唱えるようになった。1798年から数回にわたり蝦夷地調査に赴いた幕臣近藤重蔵の『辺要分界図考』（1804年初版刊行）においても、「ロシア人はんべんごろう」の阿波来航と北辺防衛の必要性が述べられている。ただし、そのような侵攻計画があったことを示す文書はロシア側に存在しておらず、意図は不明ながらベニョフスキーによる作り話だったと考えられている。

ベニョフスキーによる前述の回想記は、ほら話や針小棒大な箇所が多いとして長く批判を浴びてきた。しかし、近年では日本や、日本からの帰途に寄港して、やがて同地の王を僭称することになるマダガスカル島に関する記述に、一定の信憑性があるとわかってきた。日本では、土佐山内家の『歴代公記』をはじめ明治以降に公開された江戸旧藩の資料があり、回想記と照らし合わされるようになった。例えば、土佐藩では明和8年6月8日（旧暦）、城下から20里の佐喜浜（さきはま）沖に現れた国籍不明の異国船に出向き、水等を与えて返礼品を貰った旨の文書が残っている。乗組員は上陸せず、船はすぐに立ち去ったという。また阿波では日和佐浦（ひわさうち）に来航した異国船に対して同年同月11日、鉄砲頭尾崎某ら藩士が派遣され同21日に帰還したという記載が『阿波年表秘録』にあり、その間に藩士と乗組員の交流があったこともうかがわせる。これらは、ベニョフスキーの書くところとほぼ一致している。その後に寄港したウスマイ（あるいはウスマイ・リゴン）については、『大島代官記』が同年6月（日付はなし）に阿蘭陀（オランダ）船が漂流して同島の伊須浦（いすうら）に大勢が上陸、山の木を切り小屋を設営して暮らし、7月1日に出帆した出来事にふれている。一方、ベニョフスキー回想記には嵐にあって船が座礁し、その修理のためにウスマイに上陸して滞在したとある。回想記中の島娘とのロマンスや滞在中に島民から受けた歓待の逸話は眉唾にせよ、代官記にある阿蘭陀船とされた船が、おそらくベニョフスキー一行のものであったことは間違いないだろう。

ベニョフスキーは、ヨーロッパ帰還後も再びマダガスカルに赴いたり、アメリカ独立革命に従軍したりと、世界を股にかけた冒険的な生涯を送った。スロヴァキア、ポーランド、ハンガリーではそれぞれ国民的英雄として扱われている。１７７８年にマリア＝テレジアから伯爵位を、ルイ16世から将軍位を賜った本人は、ハンガリー王国のポーランド貴族と称していた。彼が学んだ西スロヴァキアのスヴェティー・ユルの町にあるギムナジウムの名簿には、「スラヴの大貴族」Prae Nobilis Slavus と記されている。現在では、彼の母親であるロザーリア・レーバイ男爵夫人の遺言書が、「スロヴァキア語化したチェコ語」といわれる表記法で書かれていること、またベニョフスキーが回想記で言及したポーランド貴族の叔父が存在しないことなどから、おそらくスロヴァキア系であったと見られている。

（木村英明）

5

「スロヴァキア人」が見た開国の幻想

★ベッテルハイムと琉球王朝★

鎖国体制下の日本および琉球では、欧米からの来航を原則禁止としていた。しかし19世紀半ばから、オランダ商館関係者以外に、レザーノフ、ベニョフスキー、バジル・ホールなど、他国の軍艦や商船などの来航が増えるようになった。来航者の中には、ほとんど名前が知られていない、現在のスロヴァキアを出身とする者もいた。１８４６年から１８５４年まで琉球に８年以上滞在したバーナード〔ベルナルド〕・ジャン・ベッテルハイム（１８１１〜１８７０年）である。ただし、チェコスロヴァキアが誕生したのは、ベッテルハイムの没後半世紀近くを経てからであり、「スロヴァキア人」と呼ぶにはカッコが必要だろう。

ベッテルハイムの肖像画
出典：那覇市歴史博物館提供

ベッテルハイムは、１８１１年６月にブラチスラヴァ（ハプスブルク帝国のプレスブルク）でユダヤ系の家族に生まれた。ハプスブルク帝国のユダヤ人社会は、少人数

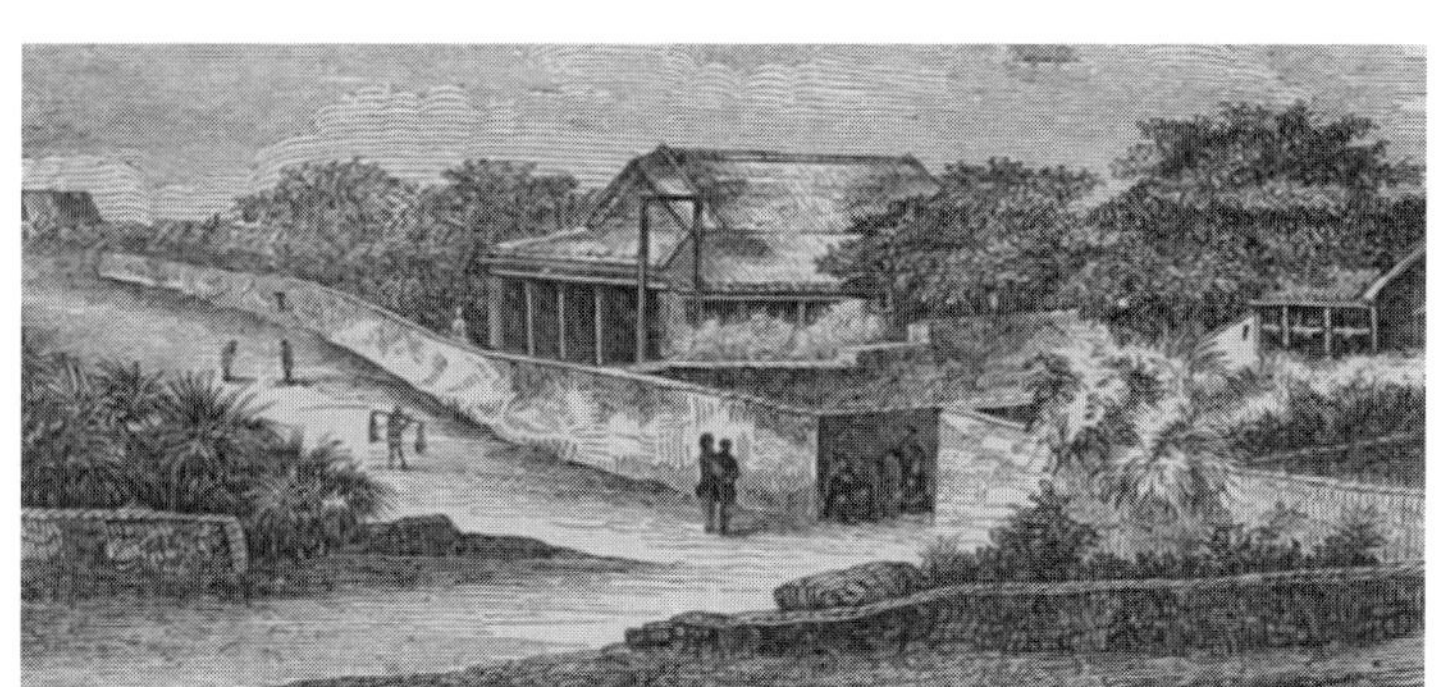
ベッテルハイム家が8年間滞在していた護国寺
出典：『ペリー遠征記』1856年、第1巻161頁

ではあったが、ローマ帝国の時代から中欧の都市に点在し、近代まで、中東地域や周辺諸国から商業・金融・手工業などの目的で流入していた。ベッテルハイム家は、ブラチスラヴァの名家であり、ベルナルドは神童と呼ばれていた。9歳ですでに3か国語以上の言葉を理解したという。ハンガリーのデブレツェン、オラデア（現ルーマニア）で学び、イタリアの名門校パドヴァ大学に進学して、1836年9月に25歳の若さで医学博士号を授与された。

ベッテルハイムはタルムードの急進的解釈を批判した後、英国の宣教師に声を掛けられ、キリスト教に改宗した。1843年にエリザベス・マリー・バーウィックと結婚し、英国の国籍を取得する。英国では、1843年に設立された琉球海軍伝道会で医師兼伝道師を探しており、医師であり、伝道師の仕事に関心と素養を持っていたベッテルハイムは、理想的な存在だった。彼と家族を乗せたスターリング号は1846年5月1日に那覇に到着した。ベッテルハイムには上陸の許可はなかったが、小舟を雇い家族を連れて島に上陸することに成功した。

ベッテルハイム研究の第一人者、照屋善彦（『英宣教医ベッテルハイム』人文書院、２００４年）は、彼の琉球滞在を３つの時期に分けている。第1期は１８４６年から翌47年までである。ベッテルハイムの琉球語はみるみる上達し、首里の役人を驚かせた。上陸してから半年、首里、那覇、泊などの街で人々に呼びかけ、説教をはじめる。その説教は次第に群衆を惹きつけ、役人が彼の周りを警戒するようになった。また、この頃のベッテルハイムは医師の知識や医療行為を広めようとし、琉球ではおもにこの理由で彼の名が知られていく。

１８４７年の秋が大きな転機となり、これを境目に第2期に入る。10月27日、亡くなった尚育王の告別式があり、参加しようとしたベッテルハイムは、２人のフランス人宣教師とともに群衆の怒りを買い暴行を受けた。当局は以前から宣教師らに対して危機感を募らせていたが、この事件を発端に、琉球王国政府（以下、王府）による監視体制が大幅に強化される。街の人々はベッテルハイムに近づくことができなくなり、彼が街路を通ると、扉や窓を閉めた。目付けの監視も厳しくなり、一家の外出が妨害され、彼は、夫人とともに琉球語の教科書、辞書、琉訳聖書の作成に没頭していった。

第３期は、３年後の１８５０年の秋に訪れた。英国のパーマストン外相は琉球での英宣教師の苦難を聞いて、ベッテルハイムの滞在条件の向上を王府に要求するため、戦艦レイナード号を琉球に向かわせた。艦長は王府に、ベッテルハイムに対する待遇の改善や活動の保障を求めた。以降、王府の処置は少しずつ改善に向かうが、信者の獲得には結びつかなかった。中国でキリスト教徒による太平天国の乱が広まり、王府の警戒心が再び高まったからである。他方、当時の琉球は天然痘や腸チフスなど感染症が流行し、ベッテルハイムの診療所はそれらの治療に貢献した。宣教師は天然痘の知識を医師たちに伝授し、琉球でワクチンを広めるのにつとめ、彼の医療行為は一定程度歓迎された。皮肉にも、西洋式治療法の多くの客は王府の役人だった。

この第3期における転機は1853〜1854年のペリー艦隊の来航だった。ペリーはベッテルハイムの存在について知っており、王府との交渉において、立ち合いや通訳を頼んだこともある。日本や琉球に条約締結を突き付けたペリーだが、ベッテルハイムはペリーに、王府の役人に対して強い態度をとるよう勧めていた。ペリーの度重なる来航の際、英国の琉球海軍伝道会が代わりの宣教師を沖縄に送った。これでベッテルハイム一家は琉球から離れることとなるが、8年にわたる布教活動にもかかわらず、改宗者を獲得することができなかった。一家は英国に戻ることを断念し、香港から米国に向かった。米国では数年後の1861年に南北戦争が勃発し、彼は再び軍医となり、その後はイリノイ州やミズーリ州で余生を送ることとなった。

那覇にあるベッテルハイムの記念碑
出典：2019年、筆者撮影

ベッテルハイムは琉球語への『聖書』の翻訳、『琉球語と日本語の文法の要綱』(琉球語教科書)、大部の『英琉辞書』の執筆など、言語学や宗教学を含め、様々な専門的な知識と語学力を生かして、目覚ましい成果を残している。

ベッテルハイムは王府の役人を日常的に非難していた。研究者の間ではこのようなベッテルハイムの行動についての評価が２つに分かれている。一方は、「太陽の沈まぬ帝国」英国からの植民者の前衛として、本人の性格や態度に問題があり、ベッテルハイムの失敗の理由を彼のオリエンタリズムに見出している（ジョージ・H・カー）。もう一方は、ベッテルハイムの緻密な布教・医療・記録・執筆活動を重視し、バランスの針をプラスの評価に押し戻している（照屋、エールル・R・ブール、A・P・ジェンキンス）。

だが従来の研究はベッテルハイムを英国人という範疇でとらえており、彼の文化的背景やアイデンティティには十分な目配りをしてこなかった。当時の中欧では、チェコ人やポーランド人も含めれば、スラヴ諸民族はハンガリー人やドイツ人、ロシア人の支配を受け、琉球人の「両属体制」（日本と中国の双方に服属）に類似した立場にあった。そしてユダヤの人々はさらに何重にもなる支配のもとで生きていた。彼の出身地のスロヴァキア、ハンガリー、ユダヤ社会の背景にもさらに目を向けていくべきであろう。

（ラドミール・コンペル）

6

スロヴァキア国民社会の形成

★選択された名称★

18世紀のヨーロッパでは、「自由・平等・同胞愛」というフランス革命の理想やナショナリズムの原理が生まれ、伝統的な社会は著しく揺らいだ。ハプスブルク帝国の一翼をなすハンガリー王国北部（現スロヴァキア共和国）のスラヴ系の知識人層にも、その傾向が現れた。彼等の子孫は現在、「スロヴァキア人」という言語・文化的な基準に基づき、スロヴァキア共和国を構成する主要な集団となっているが、18世紀当時、「スロヴァキア人」は自治領域をもたないばかりか、集団としての存在すら、自他ともにはっきりと認識されていなかった。だが、啓蒙思想とナショナリズムを受け入れた知識人たちは、1780年前後から、歴史や言語の研究を皮切りに、自らを表現するなんらかの「名乗り」を模索していくようになった。

近隣のポーランドやチェコのスラヴ人は、19世紀初頭の時点ですでに、領域の名称を自らの名乗りに代え、「ポーランド人」「チェコ人」と名乗っていた。これに対して、北部ハンガリーのスラヴ人の名称には、大きく分けて5つないし6つの選択肢が浮上してきた。まず「ハンガリー人」、さらに、ローマ帝国の属州にちなむ「パンノニア人」という名乗り方が提案されたが、他との競合や宗派対立のため、どれもうまく定着しなかった。こうした中で1780年、カトリック司祭のJ・パパーニェクは、北部ハンガリーのスラヴ人を「古スラヴ族の直接的な子孫」と判断し、これに単独で「スラヴ人」という呼び名を与えた。この後しばらく、「北部ハンガリーのスラヴ人」と「スラヴ人」一般とが同じ言葉で表される時期が続く。この呼び名は、古スラヴ族の発祥地を北部ハンガリーとする説さえ生みだすほどの影響力をもった。

これに対して、1787年から90年代にかけて構想された名称が、今日知られる「スロヴァキア人」である。カトリック司祭のA・ベルノラークは、皇帝ヨーゼフ2世が1784年にプレスブルク（現ブラチスラヴァ）に設立した司祭養成セミナーで言語学と啓蒙思想を学んだ。その結果、「北部ハンガリーのスラヴ語」をスラヴ諸語のなかで独自の位置を占める「スロヴァキア語」と定義し、これを根拠に「スロヴァキア人」の存在を主張した。初の文章語は、トルナヴァ近辺の西部スロヴァキア方言をもとに87年に制定された。同時に彼は、文法書の執筆や大辞典の編纂もすすめ、スロヴァキア語を言語学的基盤のうえに置くことに成功した。92年には、この文章語の普及を目的とした文化団体「スロヴァキア学術協会」を設立した。俗語のための正書法を制定することで誕生したこの新たな言語空間は、まさに近代的な国民社会の様相を呈したのである。

他方で、「チェコスロヴァキア人」という名乗り方も現れた。これは、プロテスタントの牧師や知識人たちによって使用された概念である。これを促進したのが、1803年にプレスブルクの福音派リツェウムに設置されたチェコスラヴ協会の活動だった。同協会は、ボヘミア王冠領と北部ハンガリーのスラヴ人の伝統的文章語の聖書チェコ語をもとに同スラヴ人の言語・文学上の連携を目指した。こうしたプロテスタントの活動は、19世紀初頭のナポレオン戦争による国民意識の覚醒、次いで、歴史の特殊性と言語の個別性を主張したドイツ・ロマン主義の伝播に後押しされ、1820年代から30年代にかけて最盛期を迎えた。その中心的な役割を担ったのが、J・コラールとP・J・シャファーリクだった。福音派牧師のコラールは1824年に、カトリックが主張した「スロヴァキア人の単独存在性」の思想を否定し、スラヴ相互交流主義の観点から「チェコスロヴァキア人」の一体性を唱えたのである。彼は文章語として聖書チェコ語を選択した。その他のプロテスタント知識人も、当時飛躍的に出版量を増大させていた新聞や雑誌などのメディアを通じて、チェコスロヴァキア人の言語空間とその国民社会を構築しようと努めた。現在あるようなスロヴァキア国民社会は、当時、帰属社会を選ぶ際の一選択肢にすぎなかったのである。なによりも、マジャール化(ハンガリー王国の全民族をマジャール化し、単一国民国家を形成しようとする政策)が法制化されていた19世紀には、マジャール国民社会に帰属するという選択肢も当然存在していた。北部ハンガリーのスラヴ系貴族の中には、「マジャール人」と名乗ることを望み、実際にマジャール国民社会への帰属を選択する者もいた。今日のハンガリーで英雄とされているコシュート・ラヨシュはスロヴァキア系の出自であったと言われる。

以上の選択肢の中から、「スロヴァキア人」という名乗りとスロヴァキア国民社会への帰属が説得力をもちはじめるようになったのが、19世紀半ばだった。その中心的な役割を担った福音派知識人のリュドヴィート・シトゥールは、ベルノラークが構想した言語集団としての「スロヴァキア人」を政治集団に高めようとする国民形成運動を展開した。彼は1843年に、中部スロヴァキア方言に基づき現代スロヴァキア語の礎となる文章語を制定し、ベルノラークが制定した文章語や聖書チェコ語を

１８４８年革命期の四月法令の伝達の模様（P・M・ボフーニ画、１８４８―４９年）
出典：D. Kováč (ed.), ***Kronika Slovenska***, I, Bratislava, 1998, s. 466.

使用していた知識人たちにも、それを定着させた。45年には、『スロヴァキア国民新聞』の出版を開始し、翌46年には、全国民的な文化政治団体「タトリーン」の設立によって、カトリックと福音派の対立を解消した。

１８４８年革命はこの段階で勃発した。このときシトゥールは、以前よりも一歩踏みだし、ハンガリー王国議会や『スロヴァキア国民の請願書』、さらにはプラハ・スラヴ会議を通じて、ハンガリー王国内での自治やハプスブルク帝国内での連邦案を主張した。48年末から49年にかけての時期には、ウィーン政府も帝国の一領邦としての「スロヴァキア」の設置を検討した。結局、革命期の要求はいずれも実現されなかったが、１８６３年には書籍の出版、国民祭典の組織化、学術研究や文化活動を援助する総合文化団体「マチツァ・スロヴェンスカー」、１８９３年には「スロヴァキア博物館協会」が設立され、一般市民をも含む国民運動が展開されていくことになる。

その後、「スロヴァキア人」が歩んだ20世紀の道のりは、様々な体制をとる様々な国家の枠内でスロヴァキア国民社会を実現していく絶え間ない過程となった。１９９３年の独立を経た今日、「スロヴァキア人」という名称は以前よりも確固たるものになった。しかし、本来、この名乗り方は、「パンノニア人」「チェコスロヴァキア人」などの名乗り方と並行して18世紀に構想され、19世紀になってようやく認知を受けた「選択された名称」に他ならなかった。

（中澤達哉）

7

リュドヴィート・シトゥール

★スロヴァキア文章語の制定者★

18世紀のスロヴァキア史には、「スロヴァキアのソクラテス」と呼ばれる人物がいた。マリア＝テレジア側近の宮廷官で法学者のアダム・フランチシェク・コラールである。北部ハンガリー（現スロヴァキア）のトレンチーン県（現ジリナ県）出身の農民であったが、その才覚を見出され、身分を超えた異例の厚遇を受けたのである。宮廷図書館長を経て、マリア＝テレジアの教育・教会改革を一手に任された。

このコラールに勝るとも劣らない19世紀の重要人物が福音派知識人のリュドヴィート・シトゥールである。初期ロマン主義期の代表的人物で、ドイツであれば、フィヒテとヘルダーとヘーゲルをひとりで体現したような逸材である。多くの若い学生がシトゥールの元に集まり、1848年革命期には指導者として政治行動をとったことでも知られる。革命の挫折後に若くしてこの世を去ったことから（没年41歳）、悲劇の英雄として以後の国民史に長く記憶される人物ともなった。つまり、マジャール化に代表されるスロヴァキア人の「不遇」の19世紀史と、晩年のシトゥールが味わった「悲劇」とが、国民史のうえで共鳴しあったのである。

シトゥールの事績を振り返ってみよう。その思想と活動は以下の3期にわけることができる。①ハンガリー・スラヴ主義期（1830～1848年革命前半期）、②オーストリア・スラヴ主義期（1848年革命後半期）、③親露主義・汎スラヴ主義期（1848年革命挫折～1850年代）である。

1815年10月28日、シトゥールはハンガリー王国北部（現スロヴァキア）のウフロヴェツの福音派教師の家庭に誕生した。1827年からの2年間、ジェール（現ハンガリー）のギムナジウムで学び、スラヴ民族に対する関心をもつようになった。その後の経歴は目覚ましい。1834年にはポジョニ（現ブラチスラヴァ）の福音派リツェウムを優秀な成績で修了し、翌35年には同リツェウム内のチェコスラヴ協会副会長に就任した。さらに翌36年には、弱冠21歳の若さで同リツェウムのチェコスラヴ言語文学科講師に着任した。より若い世代の間に「シトゥール派」が形成される環境が整ったのである。

シトゥールが頭角を現した1830年代のハンガリーは、まさしく危機の真っ只中にあった。コレラの感染拡大によるパンデミックを契機に、1832年、東北部のゼンプリーン県で大規模な農民一揆が勃発した。領主が井戸の飲み水に毒を入れたという噂が拡大したことで起こった騒擾（そうじょう）だった。疫病が、資本主義期に残存する封建領主＝農民関係の矛盾を浮き彫りにしたのである。それにもかかわらず、中規模以上の封建領主が多数を占める議会は、身を切る改革になかなか踏み込めなかった。1832～1836年のハンガリー議会では、立法において、ラテン語に代えてマジャール語の使用が法制化されただけであった。封建制改革が進まないのにもかかわらず、他言語だけは強制されるという状況に対して、シトゥールを中心とするチェコスラヴ協会は批判を展開した。この事態を重く見た政府は、ハンガリーのすべての学生団体を解散するという挙に出た。危険を感じたシトゥールは1838年にドイツに逃れ、2年間、ハレ大学に留学した。

帰国後のシトゥールは、封建制とマジャール語強制を原理的に否定する歴史・政治理論の構築に勤しみ、また、これを実践に移す政治運動に従事することになった。18世紀以来、北部ハンガリーのカトリックは西部方言に基づく文章語を、福音派はシトゥールを含め聖書チェコ語を使用していた。さらに前者はスロヴァキア人意識を、後者はチェコスラヴ人ないしチェコスロヴァキア人意識を有していた。この宗派対立を憂慮したシトゥールは1843年、カトリックに譲歩し、スロヴァキア語とスロヴァキア人意識の選択に踏み切った。しかし、その際、カトリックの文章語をそのまま使用するのではなく、北部ハンガリーで定着可能な中部方言に基づき新しい文章語を制定した。今日のスロヴァキア文章語の源流となったのが、この「シトゥール語」であった。

しかし、当時の政治の要請はまったく異なっていた。1844年、ハンガリー議会は行政・立法・司法の三権および教会・教育上の公用語としてマジャール語を導入する言語法を可決した。シトゥールはすぐさまこれに反発した。45年にシトゥール語で書かれた『スロヴァキア国民新聞』が発刊され、48年まで週3回、約400〜800部を292号まで発行した。45年から46年にかけての同紙上では、言語法を批判する「民族自然権」(スロヴァキア人の人格権、生存権、言語権、教育文化権、居住権)が表明された。この原理が当時の中・東欧スラヴ世界に与えた影響は大きかった。

さて、1848年に勃発したハンガリー革命はシトゥールの人生を一変させた。彼は1847年から王国自由都市ズヴォレン代表としてハンガリー議会下院に登院していたが、会期中の48年3月15日にペシュトで革命が起こった。マジャール語を解するシトゥールはマジャール人となる選択肢もあったはずだった。しかし彼はスロヴァキア人の綱領を策定し、これをコシュートら革命政府に承認させる道を選んだ。5月11日に発表された『スロヴァキア国民の請願書』は、スロヴァキア人が正当な国民としてハンガリー王冠（国家）を構成することなど、同国の歴史的権利を後ろ盾に民族自然権の実現を求めた（ハンガリー・スラヴ主義）。これが却下されると、同年6月2日のプラハ・スラヴ会議以降、「スラヴ人自治連合共同体」や「スロヴァキア大公国」の建国を求め、オーストリア皇帝権にすべての問題解決を託すようになった（オーストリア・スラヴ主義）。その過程でシトゥールはスロヴァキア人からなる志願兵を募り、オーストリア皇帝軍の側に立ってコシュートらハンガリー義勇軍と激しく交戦した。

革命後、シトゥールの要求は実現することなく、むしろ危険人物として警察監視下に置かれることになった。1851年に執筆された『スラヴ民族と未来の世界』は、オーストリア・スラヴ主義の主張をすべて撤回し、全スラヴ民族のロシア帝国への合併を主張した（親露主義・汎スラヴ主義）ほか、正教への改宗をも求めていた。不運にも狩り場での事故が原因となり、失意のまま1856年に41歳の若さでこの世を去った。シトゥールが作り上げた民族自然権の実現は、20世紀に持ち越されたのである。

（中澤達哉）

リュドヴィート・シトゥール（J・B・クレメンス画、1872年）
出典：Jozef Božetech Klemens

8

民族文化団体 マチツァ・スロヴェンスカーとは何か

★文教都市マルティンの歴史的位置づけ★

スロヴァキア中部の山間部に位置するマルティンは、豊かな自然に囲まれた、落ち着いた佇まいの小都市である。ただ、町自体には一見したところ目立った特徴はなく、ブラチスラヴァやコシツェ、バンスカー・シチアウニツァのように中世都市として繁栄した歴史を持つわけでも、観光地としてその名が知られているわけでもない。それにもかかわらずこの町は、スロヴァキア近現代史の叙述において、特別な位置づけを与えられている。その理由は、19世紀半ばから20世紀初頭にかけて、スロヴァキアがハプスブルク帝国を構成するハンガリー王国の一部であった時代に、ここがスロヴァキア・ナショナリズム運動の重要な拠点であり、また本章で扱う民族文化団体マチツァ・スロヴェンスカーが設立された場所でもあったからである。現在でも、マルティンには同団体の本部や国立図書館、民俗学博物館などの文化施設が数多く存在しており、一種の文教都市としての役割を担い続けている。では、一地方都市にすぎないマルティンがそうした特殊な地位を獲得するうえで、中心的な役割を果たしたマチツァ・スロヴェンスカーとは、いかなる存在なのだろうか。

18世紀末に知識人による文化運動として始まったスロヴァキア・ナショナリズム運動は、やがてスロヴァキア語を話す人々を「スロヴァキア民族」というひとつの集合体とみなし、これがハンガリー王国内部で自治権を獲得するという目標を掲げるに至った。この動きは1848年革命においてひとつの頂点に達したが、最終的に革命は挫折し、運動の目標であった自治の獲得も実現せずに終わった。革命後のハプスブルク帝国に敷かれた中央集権体制が1860年に緩和されると、ナショナリズム運動の指導者たちは活動を再開し、1861年6月にマルティン（当時の名称はトゥルチアンスキ・スヴェティー・マルティン）において「スロヴァキア民族集会」を開催した。マルティンはハンガリー王国の地方行政単位の一つであるトゥリエツ県の中心都市であったが、その人口は19世紀末の時点で4000人程度であり、町の規模はさほど大きくなかった。ただ、カトリック信徒が多数派であったスロヴァキアでは例外的にルター派信徒が多く、町の住民の半数近くを占めていた。当時のスロヴァキア・ナショナリズム運動の指導者にはルター派の知識人が多かったが、マルティンにも運動の支持者が少なからず存在したと考えられる。ここがスロヴァキア民族集会の開催地となったのも、町の幹部会による呼びかけの結果であった。

民族集会では、「スロヴァキア民族」による領域自治（オコリエ）構想を含む覚書をハンガリー王国議会に提出することが決定された。しかしこのような自治要求は、ハンガリー王国の政治的一体性を損なうものとして、王国議会によって拒否された。そしてこれ以後、スロヴァキア・ナショナリズム運動の重心は、非政治的な文化活動を通じて広範な住民層への浸透を目指す方向に傾いていく。この目的に奉仕する団体として、民族集会での決議に基づき1863年8月に設立されたのが、マチツァ・

スロヴェンスカーである。マチツァ（マティツァ・マチツェ）とは、ハプスブルク帝国内のスラヴ系文化団体に共通する名称である。その最初のものは、ハンガリー王国南部のヴォイヴォディナに居住するセルビア系住民によって、1826年にペシュトに設立されたマティツァ・スルプスカであった。続いて、チェコ系のマチツェ・チェスカー（プラハ）およびクロアチア系のマティツァ・イリルスカ（ザグレブ）が相次いで設立され、それらはマチツァ・スロヴェンスカーの先行モデルとなった。

マチツァ・スロヴェンスカーの本部はマルティンに置かれ、初代議長にはバンスカー・ビストリツァのカトリック司教Š・モイゼスが就任した。会員数は千数百名であったが、そこで最大多数を占めたのは、スロヴァキア系知識人の主力を成していたカトリックおよびルター派の聖職者であった。そのほかに比較的多かったのは、商工業者、教師、官吏、医師や弁護士などの中産市民層であり、一方で農民や地主貴族の会員はごく少数であった。マチツァ・スロヴェンスカーの規約を最終的に裁可した皇帝フランツ・ヨーゼフ1世は、その設立にさいして1000ズラティーの寄付を行った。マチツァ側の記録によれば、寄付にたいする謝意を伝えるために派遣された代表団にたいし、皇帝は「余は、忠良なるスロヴァキア民族が、我がハンガリー王国と帝国全土との国法上の緊密な結合のもとで、その活力と熱意を自ら示すことを望む。またその限りで、余は忠良なるスロヴァキア民族を我が庇護のもとに置く所存である」と述べたとされる。

こうして発足したマチツァ・スロヴェンスカーの活動方針には、当時のナショナリズム運動が備えていた2つの方向性を、同時に見出すことができる。第一にそれは精神・文化的領域における取り組みであり、「スロヴァキア民族」が持つとされる固有の歴史や文化の独自性を、古物や文献の調査・

マルティンにあるマチツァ・スロヴェンスカーの最初の建物（19世紀末の写真）

蒐集を通じて証明し、その価値を広く知らしめようとするものであった。そこには、ハンガリー王国の支配下で弱められてきたとされる「民族」意識を、こうした活動を通じて再び呼び覚まそうとする、ナショナリズム運動の指導者たちの意図が働いていた。そして第二に、社会・経済的領域における取り組みとして、スロヴァキア語話者の大部分を占める農民層を対象とした教育・啓蒙活動の促進が挙げられる。農民層の窮乏化を阻止し、自立的な農業経営を確立するというのがその目的であったが、その基礎をなしていたのは、「自治の担い手たる諸個人は、各々が自己の決定に責任を負う自立した存在でなければならない」とする近代市民主義的な発想であったといえる。

１８６７年にハプスブルク帝国に二重制が導入され、オーストリア側にたいするハンガリー王国の政治的自立性が強化されると、スロヴァキア・ナショナリズム運動にたいする王国政府の圧力が強まっていった。そして1875年11月、マチツァ・スロヴェンスカーにたいする活動停止命令が内務大臣によって下され、その資産は政府によって接収された。したがって、その活動期間は12年と比較的短く、大きな成果を上げることもないままに終わったのである。ただしマルティンでは、その後もスロヴァキア国民党、女性団体ジヴェナ、スロヴァキア博物館協会などの諸団体が活動を継続し、ナショナリズム運動を主導する知識人たちの拠点であり続けた。そしてマチツァ・スロヴェンスカーは、チェコスロヴァキア成立後の1919年に再建される。ただし社会主義体制期には、専門的な学術活動の中心はブラチスラヴァのスロヴァキア科学アカデミーに移り、マチツァ・スロヴェンスカーの学術機関としての重要性は相対的に低下した。現在では、ナショナリズム的傾向の強い啓蒙文化団体として、その活動を継続している。

（井出匠）

9

スロヴァキアにとってのハプスブルク

★「牢獄」か「揺り籠」か？★

日本には『スロヴァキア史』という本はまだないが（『チェコスロヴァキア史』ならある）、仮にあったとして、それを手に取ってみたとしよう。目次をみて、きっと驚くかもしれない。スロヴァキア史なのに、「スロヴァキア」（スロヴェンスコ）という国名や「スロヴァキア人」（スロヴァーク／スロヴァーツィ）という語がなかなかでてこないからである。中世の大部分はハンガリー王国（1000～1918年）の一部として、「北部ハンガリー」や「上部ハンガリー」という地域の名で登場する。ハプスブルク家がハンガリー王位を独占する近世以降になると、ハプスブルク帝国（1526～1918年）、またはオーストリア＝ハンガリー帝国（1867～1918年）の一部として、同じく「北部ハンガリー」や「上部ハンガリー」という名で登場する。実は、スロヴァキアの名が頻出しはじめるのは、よくて19世紀半ば、実際には20世紀になってからなのである。1918年のオーストリア＝ハンガリー帝国からのチェコスロヴァキアの独立以降、「スロヴァキア」の語がようやく流通しはじめるのである。

フランスやイギリスと比べれば、国名が流通してからほぼ100年というのは短い。アメリカでさえ、建国から200年以上経っている。では、①そもそも現在のスロヴァキアがその歴史のほとんどを過ごしてきたハンガリー王国やハプスブルク帝国とは、いったい何であったのだろうか。②逆になぜ1918年にチェコスロヴァキアとして独立したのか。この2点を中心に考えてみよう。

東欧史・ロシア史の伝統的な歴史記述に「諸民族の牢獄」論がある。それによれば、ハプスブルク帝国は「諸民族の牢獄」であった。つまり、古来、帝国内で抑圧されていた諸民族が、近代になって民族意識に目覚め、この牢獄からの独立を求める民族解放運動を始めた結果、帝国は民族運動の力に負けて崩壊に至ったのだという。この歴史観は、第一次世界大戦末期のイギリスにおいては敵国のオーストリア＝ハンガリー帝国を内部から切り崩すための便宜ともなり、A・J・P・テイラーなど著名な歴史学者も「諸民族の牢獄」論を主張した。大戦期には同じ意図で、ロシア帝国やオスマン帝国にも「諸民族の牢獄」論が適用され、各帝国内の民族運動と帝国の崩壊がこの文脈で理解されることが多々あった。第二次世界大戦後の社会主義期には公式イデオロギーとなった。

これに対して、現在の中・東欧の歴史学界では、P・ジャドソンを中心に、ハンガリー王国を含むハプスブルク帝国がもった多様な側面が解明されるようになった。それによれば、諸民族の形成と帝国統治システムの近代化とは（対立するのではなく）双方向の依存関係にあった。帝国と諸民族は共存関係にあったがゆえに、諸民族は誕生し存続することができたのであり、帝国はむしろ「諸民族の揺り籠」であったのだという。むろんこの見解は帝国の存在を全面的に肯定するというより、帝国と諸民族の共犯関係のほうにむしろ関心を払っていることに注意しなければならない。

以上の最新の学説を踏まえたとき、上記①の問いはいっそう切実な意味を持つ。その問題関心を

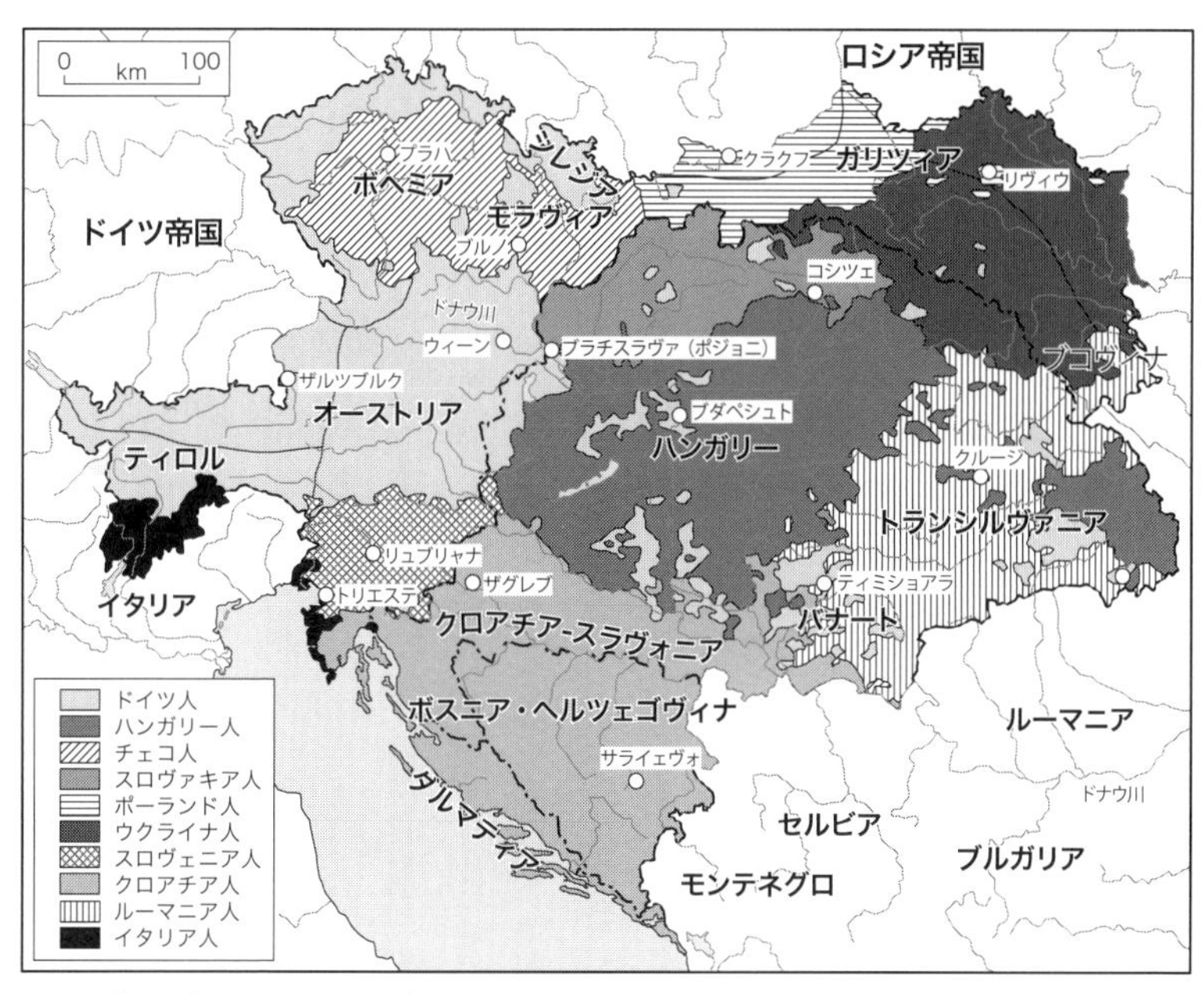

ハプスブルク帝国の民族分布（1910年）

もって、スロヴァキアの伝統的な歴史記述を改めて検証すると、やはり「諸民族の牢獄」論に近い。たとえば、社会主義期のマルクス主義の記述では、ハンガリー王国は前近代の封建制という桎梏の中にスロヴァキア人を留めるものであり、農奴身分とスロヴァキア人とが同一視される傾向がある。そして、19世紀の資本制の時代に至って、マジャール系貴族が主導する封建制支配とマジャール化政策によって、農民たるスロヴァキア人は被支配民族として、二重の搾取のもとに置かれることになったという。牢獄の度合いは近代において絶頂に達したことになる。このようにして、オーストリア＝ハンガリー帝国からの独立への道筋が民族解放と階級解放を合わせたかたちで語られてきたのである。

　しかし史料を検証すると、たとえば１８４８年革命初期には、スロヴァキア人を正当なハンガリー国民としてハンガリー国家（王冠）の中に位置づけようとするハンガリー王冠尊重思想が理論化されていた。また、同革命の後期には、ハプスブルク帝国下で諸スラヴ人が大同団結する「スラヴ人自治連合共同体」の結成、さらに、スロヴァキア人が単独でハプスブルク皇帝権下に入って自治権を獲得する「スロヴァキア大公国」の建国も画策されていた。1862年にはフランツ・ヨーゼフ1世が、スロヴァキア人の民族的文化の維持と促進を目的とする団体「マチツァ・スロヴェンスカー」の結成を承認した。また、第一次世界大戦期には、ロマノフ家あるいはブルボン家などの適任者が「チェコスロヴァキア王国」の国王に即位する案も策定されるほどであった。これに対して、スロヴァキア人がチェコ人とともに民族自決権を行使して帝国から独立する意志を鮮明にするのは、帝国の敗北が決定的となった1918年10月30日のマルティン宣言においてであった。

以上から冒頭の2つの問いに回答したい。①間違いなく帝国の政策とスロヴァキア人の形成には相互依存関係が存在したといえる。マジャール人と対抗関係にあった帝国が反マジャールの文脈でスロヴァキア人を必要とする一方で、スロヴァキア人は国民形成を手助けしてくれる存在として帝国をみていたからである。②第一次世界大戦末期までスロヴァキア人は帝国に留まるつもりであった。しかし、帝国の敗北が明らかになると、当時のスロヴァキア国民党知識人は帝国に見切りを付け、ようやく新たな可能性を検討しはじめた。10月28日に帝国が統治契約の解除を宣言したあと、同30日にとうとう民族自決権を行使した。その際、単独行使は現実的ではなく、チェコ人との共同国家建設が帝国維持に代わる次善策となった。とはいえ、帝国崩壊後も「ハプスブルク神話」といわれるような政治現象がしばしば散見され、帝国の遺産が重要な意味を持ち続けたのである。

（中澤達哉）

10

アンドレイ・フリンカ

★「スロヴァキア民族の父」？★

20世紀初頭から両大戦間期にかけて活動したカトリック聖職者の政治家、アンドレイ・フリンカ（1864～1938年）は、スロヴァキアの現代史において、際立った存在感を放っている人物である。このことは、彼が「スロヴァキア民族が国家形成民族となるために行った顕著な貢献」を公的に顕彰するための法律（2007年成立）の存在や、2009年のユーロ導入以前に使用されていた1000コルナ紙幣にその肖像が使用されていた事実に、端的に示されている。特に保守的ないしナショナリズム的な傾向を有する人々は、スロヴァキアが独立国家となるための基礎を据えた偉大なる「民族の父」として、彼を称える向きが強い。その一方で、よりリベラルな立場をとる歴史研究者などは、こうした見方に批判的である。なぜならば、ナチス・ドイツの保護下で独立国となったスロヴァキアで一党支配体制を築き、第二次世界大戦中のユダヤ人迫害にも積極的に加担したスロヴァキア人民党は、もともとフリンカを指導者とし、長きにわたりその影響下にあった政党だったからである。このように、フリンカの歴史的評価をめぐっては現在でも少なからぬ見解の相違があり、それゆえ前述の法律についても賛否が分かれることとなった。本章では、今なおその評価がスロヴァキア史学における主要な論点のひとつとなっている人物として、フリンカの足跡をたどってみたい。

アンドレイ・フリンカは１８６４年に、スロヴァキア（当時はハンガリー王国の一部であった）中部の都市ルジョムベロクに付属する、チェルノヴァーという集落で生まれた。家は貧しかったが優秀であった彼は、費用をかけずに中等教育を受け、社会的上昇を果たすための唯一の手段として、カトリック聖職者になる道を選んだ。いくつかの小規模な教区の司祭を務めたのち、１９０５年に出身地であるルジョムベロクの教区司祭に就任した。折しもハンガリー王国では、聖職者は様々な社会活動によって民衆の窮乏化を防ぎ、その生活向上に積極的に取り組むべきであるとする社会的カトリシズムが広がりつつあった。その影響を受けたフリンカは、教区内に消費協同組合や信用組合を設立するなどの社会活動に熱心に取り組み、カリスマ的な指導力によって人望を集めた。その一方で、彼には強硬な反ユダヤ主義論者としての側面もあった。これは、当時の社会的カトリシズムに傾倒する聖職者に多く見られた傾向であった。

他方でフリンカは、ハンガリー王国における言語的マイノリティであるスロヴァキア人の「民族的」権利を要求する、いわゆるスロヴァキア・ナショナリズム運動に早くから傾倒していた。その有力活動家としての彼の名が広く知られるきっかけとなったのは、１９０７年に発生した「チェルノヴァーの悲劇」と呼ばれる事件である。フリンカは当時、自身の出生地であるチェルノヴァーに新たな教会を建設するための募金活動を主導し、その完成に貢献した。教会の使用開始にさいして必要とされる聖別式は10月27日に実施されることとなったが、当のフリンカは、その政治活動を嫌った司教によって聖職権を一時的に停止されたため、これに出席することが不可能となった。このことに憤激したチェルノヴァーの住民たちが、聖別式の当日にフリンカの代理として派遣された司祭一行の来訪を阻止しようとして道をふさいだところ、憲兵隊が発砲して15名の死者を出す惨事となった。この事件は、フリンカ自身やスロヴァキアおよびチェコのナショナリズム系新聞、さらには英国のジャーナリストであるロバート・シートン＝ワトソンやノルウェーのノーベル賞作家ビョルンスティエルネ・ビョルンソンによって、ハンガリー王国におけるマイノリティ抑圧の象徴的事件として宣伝され、国際的に知られるところとなった。フリンカ自身も、１９０６年４月の国会選挙の前後に住民を扇動した罪で有罪判決を受け、ハンガリー南部のセゲドの刑務所に2年余り収監された。こうした経緯により、ナショナリズム運動の側では、「被抑圧民族の不屈の闘士」としての彼の名声が大いに高まることとなった。

しかしその後、スロヴァキア・ナショナリズム運動の内部では、フリンカら聖職者を中心とするカトリック勢力と、チェコの思想家T・G・マサリクの影響を受けたミラン・ホジャやヴァヴロ・シロバールなどの進歩主義派との対立が、しだいに深まっていった。そこでフリンカは、１９１３年にカトリック系のナショナリズム政党であるスロヴァキア人民党を独自に立ち上げ、その指導者となった。第一次世界大戦末期の１９１８年10月には、フリンカは運動の他の指導者たちとともに、スロヴァキアがハンガリー王国から離脱したうえで、チェコと合同して独立国家チェコスロヴァキアを形成することを要求する「マルティン宣言」に署名した。ただし、チェコとの共同国家の設立にたいする彼の支持は、その内部でスロヴァキアの自治が実現されることを前提条件とするものであった。この自治要求の根拠とされたのは、のちにチェコスロヴァキアの初代大統領となるマサリクが、大戦中の１９１８

スロヴァキア中部の都市ジリナの「アンドレイ・フリンカ広場」に設置された、フリンカの銅像。ナショナリズム政党であるスロヴァキア国民党の党首であったヤーン・スロタ市長（当時）の肝いりで、1994年にフリンカ生誕130年を記念して建てられた
出典：2017年、筆者撮影

年5月にアメリカのチェコ系・スロヴァキア系移民の代表者たちと取り交わした、いわゆる「ピッツバーグ協定」である。しかし大戦終結後に成立したチェコスロヴァキアにおいては、フリンカたちが望んだ形でのスロヴァキアの自治が実現することはなかった。そこで彼は、1919年8月にパリ講和会議に出向き、自身で作成した自治要求に関する覚書を各国の外交官に配布するという挙に出た。

フリンカのこの無謀とも思える試みは失敗に終わり、帰国後に彼は投獄されたものの、1920年4月の選挙で国会議員に選出され、釈放された。フリンカが率いるスロヴァキア人民党はその後もスロヴァキアの自治を要求し続け、両大戦間期を通じてスロヴァキア地方の有権者から最大の支持を得ていた。フリンカは1938年8月に死去するまで同党の指導者の地位にあったが、1925年にフリンカ・スロヴァキア人民党と改称したことにも示されているように、党内における彼の個人的影響力の大きさは明白であった。このことを念頭に置くならば、やがて同党内に強硬な反ユダヤ主義的傾向を帯びた親ファシズム的潮流が生じ、それがナチス・ドイツとの協力関係につながっていった事実と、フリンカ自身の政治的姿勢との関連性を問うことは、いずれにせよ避けられないだろう。（井出匠）

11

スロヴァキアの国家シンボル（国章と国旗）について

――★３つの山の上にそびえる二重十字架に込められた意味★――

スロヴァキアの紋章とされる「３つの山の上にそびえる二重十字架」の歴史には、複雑な歴史的背景がある。この紋章は、12世紀末からハンガリー王国の国章に取り入れられ、王国北部をさす地域紋章として、つねに同国の国章の中核部分を形成していた。現代スロヴァキアの紋章学者たちは、二重十字架は本来ビザンチン起源であり、９世紀のモラヴィア時代にこの地域に導入された、という仮説を立て、タトラ・マトラ・ファトラ（タトラとファトラは現在のスロヴァキア領域に、マトラ〔マートラ〕はハンガリー北部にある山）を表現していると解釈される３つの山の上にそびえる二重十字架の紋章は、遅くとも16世紀に、ハンガリー王国北部をさす地域紋章から、当該地域に住むスロヴァキア人の民族シンボルに変わりはじめた、と主張している。

この紋章が実際にそうした役割を担って用いられたのは、１８４８年革命の渦中でのことである。同年９月に民族運動家リュドヴィート・シトゥールを中心として、スロヴァキア民族評議会が設置されたが、その印章の中央には、３つの山の上にそびえる二重十字架の紋章が配置された。その際、本来緑色だった３つの山が、スラヴ民族の色とされる青色に塗り変えられ、

図1　1920年のチェコスロヴァキア共和国の小型国章
出典：*Jozef Novák: Štátne znaky v Čechách a na Slovensku dnes aj v minulosti.* Bratislava 1990.

図2　同上の中型国章
出典：Jozef Novák: *Štátne znaky v Čechách a na Slovensku dnes aj v minulosti.* Bratislava 1990.

中央の山頂に置かれていた王冠（聖イシトヴァーンの王冠）が取り払われた。このデザインは、1863年に創設された民族文化団体マチツァ・スロヴェンスカーの紋章や、1860年代に開校されたスロヴァキア語ギムナジウムの校章にも引き継がれ、スロヴァキア人の民族シンボルとして定着した。

スロヴァキアは1918年10月に成立したチェコスロヴァキア国家に包含されたが、同国の国章と国旗は1920年3月の法律によって定められた。国章については小型・中型・大型の3種類が定められて、小型国章はチェコの紋章（赤地に白色のライオン）の胸に、スロヴァキアの紋章を配置し（図1参照）、中型国章では、チェコスロヴァキアを構成する5つの歴史的地域（スロヴァキア、ポトカルパツカー・ルス、モラヴィア、シレジア、中央にチェコ）の紋章が組み合わされた（図2参照）。国旗のデザインは、チェコの民族旗とされる上半分が白、下半分が赤の二色旗（これは現在のポーランドの国旗と同じ）に、向かって左手から青色のくさび形を加えたものである。先走って言えばこの国旗は、1939年から1945年までの中断期を挟んで、第二次世界大戦後の社会主義体制下でも変更を加えられることなく用いられ、1992年末の連邦解体の結果成立したチェコ共和国の国旗として引き継がれて、現在に至っている。

このように1920年3月に制定された国家シンボルは、国章の場合も国旗の場合も、チェコの伝統的シンボルを基盤にして、それにスロヴァキアの民族シンボルの要素を取り込むかたちで、新生国家が単一不可分な「チェコスロヴァキア民族」のネーション・ステートであることを可視的に示していた。

1938年9月末のミュンヘン危機以後の遠心的雰囲気のなかで、ブラチスラヴァのスロヴァキア地方議会は1939年3月14日に、スロヴァキアの独立を宣言し、同年6月23日に「国章・国璽・国旗に関する法律」を採択した。国章のデザインは「赤色の盾の上に空色の3つの山。中央の山の上に、銀色の総主教の十字架がそびえる」と説明され、スロヴァキアの伝統的紋章が正式の国章とされた。国旗は「白色・空色・赤色の順で横三段」と規定されて、民族旗が国旗に昇格した。これらの国家シンボルでは「民族的伝統」が正面に押し出されて、ファシズム色が感じられないのが特色である。

第二次世界大戦末期、1945年4月の「コシツェ政府綱領」によって、チェコスロヴァキア共和国が復興され、それとともに1920年3月に制定された国家シンボルが、変更を加えられることなく復活した。1948年2月の共産党による権力掌握後も、正式国名と国旗に変更は加えられなかったが、これは共産党指導部が、ある程度は両大戦間期の第一共和国の合法的後継者を自認していたことと無関係ではないだろう。

だが1960年7月の社会主義共和国憲法採択によって、正式国名とともに国章にも変更が加えら

れた（国旗には変更はなかった）。今回の国章は小型国章のみで、新たなデザインが導入された。チェコのライオンの胸にスロヴァキアの紋章を配置する、という構図自体は受け継がれたが、ライオンの頭から王冠が取り去られて、赤い星が付け加えられ、スロヴァキアの新紋章として「民族蜂起の焚き火」が採用された（図3参照）。

すでに１９８９年暮れの体制転換以前に、スロヴァキアのマスコミでは国章論議が活発化していた。１９６０年に制定された国章が、多くの点で紋章学のルールに適っていないとして、その「非歴史性」が指摘された。こうした指摘は、紋章学の立場からの社会主義体制に対する異議申し立てに他ならなかった。スロヴァキアの世論においてはすでに１９８９年夏の段階で、伝統的紋章の復活に関して、ほぼ完全なコンセンサスが形成されていた。

体制転換後の１９９０年３月１日にスロヴァキア国民議会は、スロヴァキア共和国レベルでの国

図3　1960年のチェコスロヴァキア社会主義共和国の国章
出典：Jozef Novák: ***Štátne znaky v Čechách a na Slovensku dnes aj v minulosti.*** Bratislava 1990.

図4　1990年のチェコ及びスロヴァキア連邦共和国の国章
出典：Jozef Novák: ***Štátne znaky v Čechách a na Slovensku dnes aj v minulosti.*** Bratislava 1990.

章として伝統的紋章を復活させ（カバー前袖の国章を参照）、さらに民族旗（横三段で上から白青赤）をスロヴァキア共和国国旗として制定した。正式国名も含めて、これらの国家シンボルから判断するかぎり、1939〜1945年のスロヴァキア共和国とのあいだの「継承関係」は明らかだが、これは1939年6月に制定された国家シンボルが、「民族的伝統」を踏まえていた事実からくる、自然な一致と判断すべきだろう。

一方チェコ国民議会も3月13日付けで、伝統的なチェコの白色のライオンの紋章を復活させた。連邦レベルの国家シンボルについては、連邦議会が4月20日に、紋章の場面を4分割して、向かって左上と右下にチェコの、右上と左下にスロヴァキアの紋章を配置することで、両共和国が対等な関係にあることを示そうとした（図4参照）。

連邦維持に向けたこうした努力にもかかわらず、1992年12月31日に連邦は解体して、翌年1月1日にその継承国家としてのチェコ共和国とスロヴァキア共和国が成立した。スロヴァキアの国家シンボルについて、国章は1990年3月に制定されたものがそのまま用いられたが、国旗については、同じときに制定された三色旗が、1991年9月に定められたロシア連邦の国旗と同一デザインになったため、差異化を図る意味もあって、三色旗の中央左手に、二重十字架の国章をあしらったデザインで新たに制定された（カバー前袖の国旗を参照）。国家シンボルに関して言えば、両共和国ともすでに1990年3月の段階で、独立国家としての体裁を獲得していたわけである。

（長與進）

コラム2

スロヴァキアのシンボル

ドゥシャン・シクヴァルナ／中澤達哉訳

シンボルは、これまで人類の歴史に深く寄り添ってきた。それは、あらゆる文化を識別するための指標である。ヨーロッパでは、何世紀にもわたって、シンボルはおもに王朝やキリスト教と結びついていた。その構造、性格、機能が変化しはじめたのは、18世紀後半以降である。その頃のヨーロッパでは、啓蒙思想を筆頭に、伝統的な価値観に挑戦し、古い身分秩序を否定する新しいイデオロギーが数多く誕生した。啓蒙主義者は、人間の自由と平等、特権の廃止、民主的な政治形態を社会の基本であると考えた。近代ナショナリズムも、新しいイデオロギーのひとつであった。それは、民族を、保護・防衛し、育成し発展させる必要のある、神聖で価値あるものと強調した。自民族の言語を豊かなものにし、民族的な文化をいっそう進展させようとしたのである。民族の自由は、民族政策によって守られることもあれば、他民族の自由と競合しあうこともあった。民族の発展と安全は、多くの場合、旧王朝の君主政に代わって、国民国家においてこそ実現されるべきものとなった。このようなヨーロッパの思潮の中で、民族アイデンティティのみならず、民族への祝意や敬意もまた、シンボルによって表現されるようになった。前近代からの古いシンボルが民族的な含意を持ったこともあったが、なによりも、まったく新しい民族的シンボルが生み出されていった。現在のヨーロッパ諸国の国歌、国旗、国章のほとんどが、19世紀のロマン主義期につくられたのは偶然ではないだろう。

コラム2
スロヴァキアのシンボル

スロヴァキアもそうであった。ハンガリー王国の紋章の半分、つまり、青い3つの山に白い二重十字架は、1848年革命期のスロヴァキアのナショナリストによって、シンボルに指定された。同年、スロヴァキア民族旗（白青赤の三色旗）が制定された。これは、ハンガリーの政治権力とその軍隊に対抗するスロヴァキア人の武装志願兵によって、戦場で掲げられた。1844年にはすでに、いくつかの新しく作られた曲の中に、現在のスロヴァキア国歌「タトラ山上に稲妻光り」が登場した。これは、ポジョニ（現ブラチスラヴァ）の福音派リツェウムの学生たちの間で誕生したものである。

スロヴァキア人は近代の国民形成に際して、中世以来の伝統的な所属国家であるハンガリーの支援に頼ることはできなかった。それどころか、ハンガリー国家はマジャール化政策によって、しばしばスロヴァキア人の解放を妨げようとした。マジャール化されたのはおもに富裕層と知識人、つまり有力な社会階層であった。こうして、スロヴァキア民族運動の政治的・財政的・文化的潜在力は削減され、スロヴァキア人の解放は緩慢に複雑に展開することになった。こうした中で、ナショナル・アイデンティティを維持するためのシンボルの役割は、ことさら重要なものとなった。歴史上のシンボルが民族的シンボルに加えられた好例は、9世紀の大モラヴィア国（第3章のモラヴィアと同じ）とその指導者スヴェトプルク1世、聖キュリロスとメトディオスであった。その中心地ニトラとジェヴィーンも崇敬の対象となった。ハンガリー史からは、14世紀に現スロヴァキアの一部を支配したマトゥーシ・チャークや、15世紀に活躍したヤン・イスクラがシンボルとなった。さらに、自然のモチーフも重要な役割を果たすようになり、特に国内の最高峰タトラ山脈が注目された。また、民俗的モチーフもその中で重要な位置を占めていた。特に正義と抵抗の象徴としての、18世紀の盗賊ユライ・ヤーノシーク、民族衣装、食材ではブリンゾヴェー・ハルシキが人気を博すようになった。

以上のように、19世紀に形成されたスロヴァキアのシンボルは、平民的な側面、すなわち民俗や自然環境と強く結びつく一方で、ハンガリーやその政治、貴族的な要素と結び付くことは稀であった。これらのシンボルは、チェコスロヴァキア成立後に確固たる地位を築き、わずかな変更を加えられながら、20世紀を経て現在まで維持されている。

12

新天地をめざした人々

★スロヴァキアから北米大陸への移民★

1880年代から1914年にかけてハンガリー王国北部の居住地域から、多数のスロヴァキア人が大西洋を渡って北米大陸（アメリカ合衆国とカナダ）に移住した。移民の総数はおよそ50万人と見積もられているが、これは当時のスロヴァキア地域の人口のほぼ5分の1に相当する。

北米大陸への移民というと、「約束の地をめざして」、「自由を求めて新天地へ」といったロマンチックなイメージが思い浮かぶが、スロヴァキア系移民の渡航の動機は、もっと現実的なものだった。大多数の人々は経済的な理由から働き口と高賃金を求めて、出稼ぎ労働者として北米大陸に渡った。急速に工業化するアメリカ社会での金稼ぎのチャンスにひかれたわけだ。辛くて危険だが（故国と比較すると）高賃金の肉体労働に携わって、一財産を築いたら（1000ドルを貯めるのが彼らの目標だったという）「故郷に錦を飾って」、土地を購入して家を新築し、「良い暮らし」を送るつもりだった。しかし大西洋を数度往復した後、大多数の人々が北米大陸に留まる方を選んだというのが実態に近い（渡航者全体の80％がアメリカ合衆国に留まったという）。

移民をいちばん多く出したのは、貧困で人口過剰だった東部

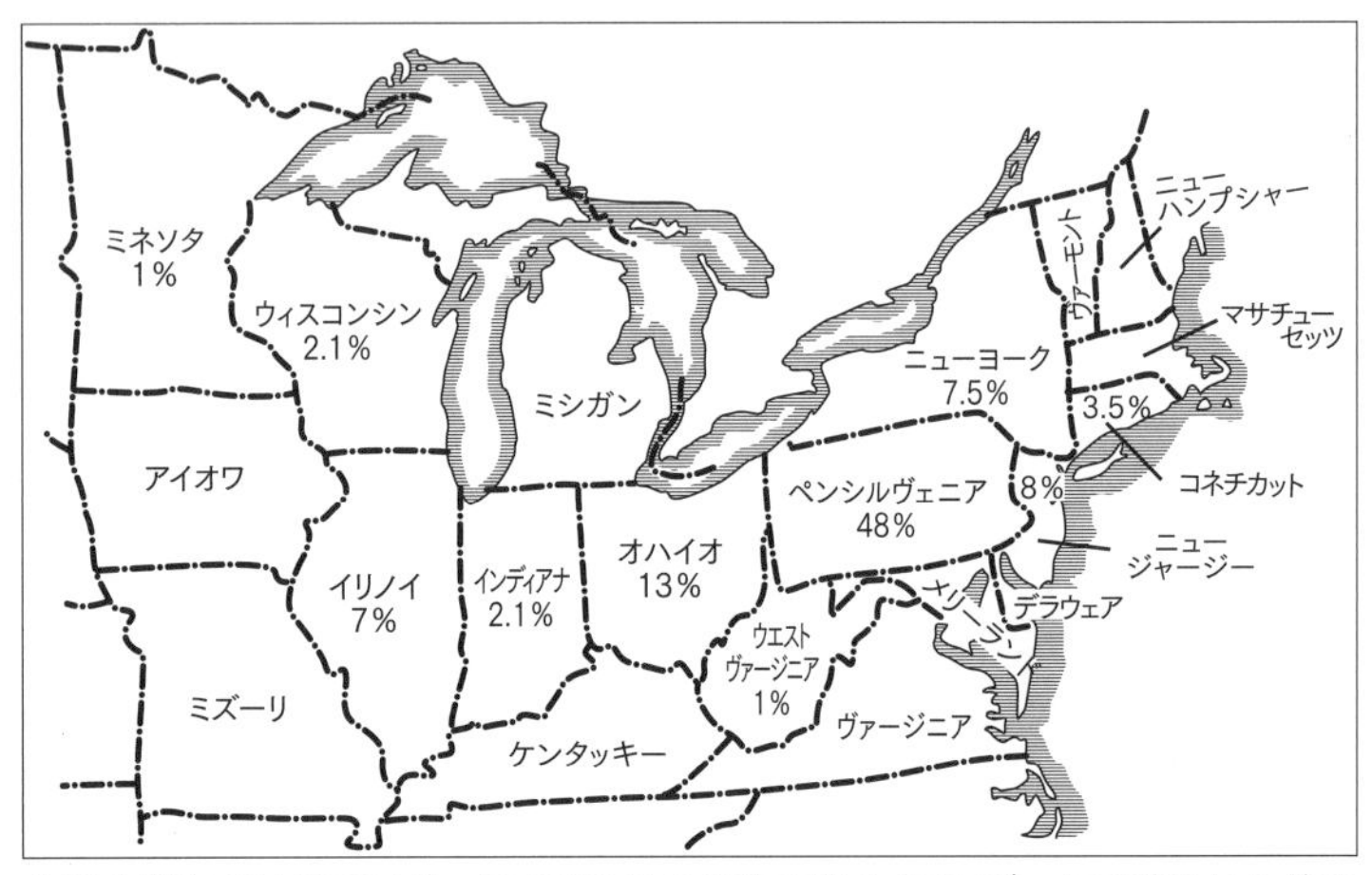

北米大陸におけるスロヴァキア系移民の分布の割合（スロヴァキア系移民全体を100%とする）

スロヴァキア地域（シャリシ県、スピシ県、ゼンプリーン県）だったが、1900年以後は、中部と西部の比較的豊かな農民の中にも移民する者たちがいた。大多数は若い男性で、たいていは村単位の縁故（先に渡米していた親戚や知人）をたどって、アメリカ合衆国の北東部や中西部の工業地帯に入植して、炭鉱や製鉄所や精油所などで未熟練労働者として働いた。特にペンシルヴェニア州には大勢のスロヴァキア人が住み着き、ピッツバーグとその周辺に多数のエスニック・コミュニティが形成された。

1968年の「プラハの春」事件の中心人物アレクサンデル・ドゥプチェクの自伝『希望は死なず』によると、彼の両親も一時期、移民としてシカゴで暮らしていたという。彼らは1921年、ドゥプチェクが生まれる以前に帰国してしまったので、「わたしはわずか数か月の差で、アメリカ国籍を手にすることができなかった」とドゥプチェクは書いている（アメリカで生まれたら、自動的に国籍が与えられた）。続けて彼は、「わたしの叔父や叔母の多くはそのままアメリカに残ったため、わたしにはまだ会ったことのないアメリカ人の従兄弟や従兄弟の子どもたちが大勢いる」とも記しているが、こうした境遇はドゥプチェクにかぎらず、多くのスロヴァキア人が共有しているものだ。

19世紀末から20世紀初頭の時期の、アメリカ合衆国における未熟練労働者の労働条件は、厳しいものだった。労働時間は長く（一日に12時間）、危険な労働現場では負傷事故や死亡事故が頻発したが、移民労働者には傷害保険や死亡手当てもまともに支払われなかった。英語が不自由な移民たちに対して（彼らの大部分は、故郷で初等教育を受けただけだった）、アメリカ社会のメインストリームの人々の視線は冷たかった。

移民たちは厳しい1日の労働の後、酒場で同郷人たちと母語でお喋りすることで、仕事の疲れと異郷暮らしのフラストレーションを解消し、生活や仕事に必要な情報を得た。そうした交流の中で自然に同郷人団体が結成され、保険の代わりになる講が組まれ、情報を提供するために母語での新聞が発刊された（面白いことに初期の新聞は、移民たちの多くの出身地であった東部地域の方言で書かれていたが、1890年代以降、標準スロヴァキア語が使われるようになった）。こうした団体がやがて全国的なエスニック組織に発展し、1907年にクリーヴランドで在米スロヴァキア人連盟が結成された。同連盟は第一次世界大戦期に、チェコスロヴァキア独立運動を支える後援組織のひとつになった。

スロヴァキア生まれの第1世代の移民は、大多数が同族の女性と結婚した。彼らは単身で北米大陸にやって来て、生活基盤を確立すると、故郷から妻や婚約者を呼び寄せたのである。同じ村か近隣の村の娘を配偶者に選ぶことも多かった。彼らは家庭ではスロヴァキア語を使い、スロヴァキアでの生活習慣を保持した。アメリカで生まれた第2世代のスロヴァキア人たちは、家庭で両親の話すスロヴァキア語を聞いて育ち、いちおう理解することができたが、学校教育や社会生活はいうまでもなく英語だった。それでも彼らの多くは同族結婚を選び、同じか近隣のスロヴァキア系コミュニティで育った女性と結婚した。

第1世代と第2世代のスロヴァキア人は、家族と教会と職場、そして同郷人団体の支部活動によって緊密に結びつけられたエスニック・コミュニティの中で生活し、成長した。第3世代以降の人々は第二次世界大戦後に、不便で老朽化したコミュニティの住宅とわずらわしい人間関係から逃れるために、郊外（サバブズ）の新興住宅地域に引っ越していった。高学歴化した彼らは、多くがホワイトカラーの職種についた。同時に同族結婚は急激に減少し、少数の例外を除いてスロヴァキア語の知識を失った。こうして彼らは、アメリカ社会のメインストリームに合流していったのである。

スロヴァキア系移民は、アメリカ合衆国に住む移民グループの中では、比較的「自己主張度」が低く、その意味では「静かなエスニック・グループ」と言えるだろう。スロヴァキア系出身の「有名人」としては、ポップアートの元祖とされる前衛画家アンディ・ウォーホル Warhol（もとの苗字はヴァルホラ Warhola、厳密に言えば彼はギリシャ・カトリック教徒のルシーン系。両親の出身地は、スロヴァキア領のメジラヴォルツェ近郊にあり、同市には彼の名前を冠した現代美術館がある）、作家のマイケル・ノヴァク、宇宙飛行士のユージン・サーナン Cernan（父親の苗字はチェルニャン Čerňan、アポロ17号で月面に着陸）、プロレスラー出身でミネソタ州知事（1998〜2003年）を務めたジェシー・ヴェンチュラらの名前を挙げることができる。

（長與進）

II

チェコスロヴァキアの誕生、解体、復興、ふたたび解体

13

第一次世界大戦とチェコ人／スロヴァキア人

★国外での活動から生まれた共和国★

日本人の歴史意識において第一次世界大戦は、全面的に関与して大きな傷痕（トラウマ）を残した第二次世界大戦と比較すると存在感が薄いが、ヨーロッパや北米大陸（アメリカ合衆国とカナダ）の国々にとっては、第一次世界大戦の持った意味は大きかった。19世紀以来のヨーロッパ諸列強の勢力均衡による世界支配秩序が崩壊し、「ネーション・ステート」を軸とした現代ヨーロッパの基本的な枠組みが形成されたのは、この戦争の結果だったからである。中欧地域に住むチェコ人とスロヴァキア人にとっても、この戦争がもたらした影響は決定的だった。チェコスロヴァキアという国家体制自体が、第一次世界大戦の直接の産物のひとつだったからである。

第一次世界大戦は1914年7月末、ハプスブルク帝国がセルビアに対して宣戦布告したことによって始まったが、この時チェコ人とスロヴァキア人の大多数は、ハプスブルク帝国の領域内に住んでいた。チェコ人は、帝国のオーストリア部分（ツィスライタニア）の一部を構成し、スロヴァキア人はハンガリー王国（トランスライタニア）のなかに組み込まれていた。つまり彼らは大戦の勃発を、ハプスブルク帝国の臣民として迎えたわけである。

第一次世界大戦は、帝政ドイツを中心に、ハプスブルク帝国・トルコ・ブルガリアから構成される中欧（中央）陣営と、イギリス・フランス・ロシアの三列強（協商国）を軸として、のちにイタリアとアメリカ合衆国も加わった連合国のあいだで戦われた（ちなみに日本は開戦当初から、連合国側に立って参戦した）。ヨーロッパとロシアの各地だけでなく、大西洋海域・アフリカ大陸・極東地域なども戦場になったが、最初の2、3年は両陣営ともに、戦局を決することができず、対峙した戦線を挟んで激しい消耗戦が展開された。ハプスブルク帝国軍は、バルカン戦線、対ロシア戦線、対イタリア戦線で戦ったが、目立った戦果を上げることができなかった。動員されたチェコ人とスロヴァキア人の将校と兵士も、これらの戦線に送られたが、彼らの多くは、「スラヴの兄弟」であるロシアやセルビアの兵士たちと戦うことに、積極的な意味を見出せなかった。

チェコ人とスロヴァキア人の民族派知識人たちは、この戦争が始まる以前から、自民族の将来について様々な可能性を模索していた。チェコ人のあいだには、ハプスブルク帝国の三重化（帝国の枠内でボヘミアとモラヴィアが独立し、オーストリアやハンガリーと対等の地位を獲得すること）構想が存在しており、スロヴァキア人にとっては、ハンガリー王国の枠内での民族自治の獲得が最大限の要求だった。大戦の勃発は、将来に向けたこうした選択肢の幅を大きく拡大した。プラハの大学教授であったトマーシ・ガリグ・マサリクは、ハプスブルク帝国が敗北によって解体し、その当時は「チェコスロヴァキア人」として理解されていたチェコ人とスロヴァキア人が、「ネーション・ステート」を形成するという構想を持って国外に亡命し、連合国側に立った抵抗運動を開始した。

アメリカ合衆国のチェコ系とスロヴァキア系の移民組織もこの方向性を支持し、1915年10月に

チェコ人画家ヴォイチェフ・プレイシク（1873〜1944年）が第一次世界大戦中にアメリカで作成したポスターの1枚。「あの我々の共和国のために／最後まで耐え抜こう」（チェコ語）。上段はチェコの、下段左手はスロヴァキアの紋章、中段右手はチェコ王国の旗
出典：Jan Galandauer, *T. G. Masaryk a vznik ČSR*. Praha 1988.

クリーヴランド協定を締結して、両民族による連邦国家形成案を掲げた。こうした国際的支持を背景としてマサリクは１９１６年２月、エドヴァルト・ベネシュ（チェコ人）とミラン・ラスチスラウ・シチェファーニク（スロヴァキア人）とともにパリで、抵抗運動組織であるチェコスロヴァキア国民評議会を設立した。この組織のおもな目的は、ロビー活動によって連合国の政治家たちから、ハプスブルク帝国の解体とチェコスロヴァキア建国に対する支持を取り付けることと、戦後に想定される講和会議での発言権を獲得するために、独自の軍隊を組織して、中欧陣営に対する戦争に参加することだった。

そのためにロシア・フランス・イタリアなどで、現地の移民や、投降したり捕虜になった兵士たちを中心にして、チェコスロヴァキア軍団（レギエ）が組織された。特にロシアにおいて組織された軍団は規模が大きく（最大時で6〜7万人程度）、１９１７年７月のズボロフ（現ウクライナ領）付近の戦闘で、まとまって対ドイツ戦線に投入されて、存在感をアピールした。しかし同年11月に権力を掌握したボリシェヴィキ派の単独講和（１９１８年3月のブレスト・リトフスク条約）によって、ロシアで戦闘を継続できなくなった軍団は、シベリア鉄道経由でウラジヴォストークに赴き、そこから船でヨーロッパの西部戦線に移動するという遠大な計画に着手したが、１９１８年５月末に西シベリアのチェリャービンスクで、現地のソヴィエト当局とのあいだに軍事衝突が発生した。それをきっかけとして軍団はシ

ベリア鉄道沿線一帯を占拠し、ロシア内戦に介入して、ボリシェヴィキ派と交戦するという事態に発展した。この事件によってチェコスロヴァキア軍団の名前は、広く世界に知られる結果になり、同年8月の日本政府のシベリア出兵宣言も、軍団の救援を「大義名分」としていた。

同じ1918年5月、アメリカ合衆国のチェコ系とスロヴァキア系の移民組織は、マサリクのイニシアティヴによってピッツバーグ協定に調印した。この協定は、チェコ人とスロヴァキア人の共同国家形成を取り決め、その枠内でスロヴァキアは自治的地位を獲得する予定だった（この約束は実施されなかった）。この時期になると、ヨーロッパにおける戦局は連合国側に有利に傾き、ハプスブルク帝国を解体する方針がすでに定まっていた。イギリス・フランス・アメリカ合衆国は、相次いでチェコスロヴァキア国民評議会を同盟組織として公式に承認し、チェコスロヴァキア軍団を同盟軍として認めた。日本も1918年9月に同国民評議会を承認した。つまりチェコスロヴァキア建国の可能性が、一気に具体化してきたのである。

1918年10月末、ハプスブルク帝国が無条件降伏の条件を受け入れた、という知らせが引き金になって、同月28日にプラハで国民委員会が権力を掌握し、チェコスロヴァキア建国が宣言された。同月30日にはスロヴァキアの民族派知識人たちが、スロヴァキアの地方都市マルティンで会合を開き、チェコスロヴァキア国家に加盟することに賛成する意思表示をした（マルティン宣言）。

第一次世界大戦は1918年11月11日、帝政ドイツの休戦条約受け入れによって終結した。開戦を「ハプスブルク帝国の臣民」として迎えたチェコ人とスロヴァキア人は、4年余り後の終戦の日には、すでに「新生国家チェコスロヴァキアの市民」になっていたのである。

（長與進）

コラム3

第一次世界大戦がスロヴァキアとスロヴァキア人に与えた影響

ガブリエラ・ドゥデコヴァー＝コヴァーチョヴァー／長與進訳

第一次世界大戦とその帰結は、スロヴァキアとその住民にとって画期的な意味を持った。男たちは1914年7月に、ドイツとともにこの紛争を開始した、数百年の歴史を持つハプスブルク君主国の防衛者として徴兵された。そして彼らは1918年に、勝利した協商列強の側に立つ新生共和国チェコスロヴァキアの故郷に復員した。オーストリア＝ハンガリーとドイツの降伏調印（1918年11月3日と11月11日）以前に、マルチ・ナショナルなハプスブルク帝国のいくつかの部分は、新たな国民国家として独立を宣言した。それまで「上部ハンガリー」と呼ばれていたスロヴァキアは、チェコスロヴァキア（1918年10月28日にプラハで宣言）の一部となったが、同国は民主主義的諸原則、なによりも身分・性・民族・信条に関わりない普通選挙権に基づいて構築された。これは、貴族の特権と非民主主義的体制の上に築かれた君主制と封建制度の残滓とは、大きな違いだった。君主国において、最小限の民族的権利しか持たないエスニック・マイノリティのひとつだったスロヴァキア人は、共和国では多数派の国家形成民族の地位についた（チェコ人とともに、政治的チェコスロヴァキア民族の一部として）。

1914年11月から1915年5月まで、今日の東部スロヴァキア領域は戦場になり、一時的にロシア軍によって占領されたが、ドイツの軍事援助が状況を逆転させた。戦時体制は広範囲に及ぶ社会的変化を発動させて、戦争末期には兵士と民間人の不穏な動きの原因のひとつになった。17歳から50歳までの男性の義務的徴兵と、彼らの生命の喪失は、実際上すべての家庭に及んだ。徴兵された者の妻のための戦時手当は不十分で、すさまじいインフレによって価値が低下したため、女性は、不在になった男性の稼ぎ手の仕事と収入を埋め合わせなければならなかった。

戦時経済体制は、生産と消費を戦争遂行に適応させた。銃後の住民は、農産物と原材料の徴発（教会の鐘さえも）、国家に管理された供給（パン、小麦粉、砂糖、肉、灯油などの配給券制度）、強制的な消費削減（例えば週に2日、肉と脂身のない日）を受け入れなければならなかった。しかし結果は否定的なもので、生産高の減少、全般的な物不足、社会的不平等の深化だった。すでに１９１５年春に、最初の公然とした抗議行動が行われたが、検閲と抑圧のために、銃後では比較的長く平穏が維持されて、野党の政治活動を抑え込むことができた。政府高官と教会は、近代的プロパガンダ技術（写真と映画）を活用して、戦争の必然性と防衛的性格について住民を納得させた。新帝カールの即位（１９１６年12月）後、住民は早期和平と社会的・政治的改革を期待したが、無駄だった。

将来について決定したのはなによりも、T・G・マサリク、M・R・シチェファーニク、E・ベネシュが率いた在外抵抗運動だった。協商列強とアメリカ合衆国の支持を獲得するために重要だったのは、国外に住むチェコ人とスロヴァキア人の外交活動だった。なかでも決定的役割を演じたのは、協商国の軍隊の一部として承認されたチェコスロヴァキア軍団（義勇兵と、ハプスブルク軍の元兵士の隊列から編制された特別な軍事部隊）だった。それゆえチェコスロヴァキアで戦争の英雄として称賛されたのは、なによりも軍団兵たちだった。

14

ミラン・ラスチスラウ・シチェファーニク

―――★20世紀スロヴァキア史でもっとも著名な人物★―――

ミラン・ラスチスラウ・シチェファーニク（1880～1919年）は、スロヴァキア史上でもっとも重要な人物のひとりだが、旧チェコスロヴァキア以外ではあまり知られていない。福音派（ルター派）の教区牧師の息子として生まれ、スロヴァキアの知的エリート層の出身で、大学教育も受けたが、一見したところ、世界に羽ばたくための前提条件を持っているようには見えなかった。

1904年にプラハの大学で、天文学の研究を首尾よく修了するとじきに、シチェファーニクは金もなく、慎ましいフランス語の知識だけで、当時ヨーロッパ世界の中心だったパリに赴いた。それからわずか6、7年後に、熱意、エネルギー、知識、発明の才、そして上流社交界に出入りして、紳士淑女を自分の側に惹きつける能力のおかげで、彼は南太平洋のタヒチ島に天文台を建設することができた。15万から25万フランのあいだを上下すると見積もられるその建設費用は、彼が野心的な人物であったことを物語っている。

シチェファーニクは面白みのない学者からはかけ離れた存在だった。旅行中に写真を撮ることが好きで、フランスの画家ポール・ゴーギャンの木版画のような、様々な興味深い工芸品と芸術品を持ち帰った。海外遠征の体験を、興味深くユニークなかたちで披露する術を心得ていて、聴衆の関心を惹きつけるために、しばしば体験を脚色した。時とともに1912年にフランスの市民権を得て以来、シチェファーニクは新たな祖国の外交・政治問題に、より深く関与するようになった。彼のおもな目的は、その時代の新発明である無線電信網を、世界規模で構築することで、それによってフランスの植民地と本国を結び付けるはずだった。各無線電信局は天文台を備えて、気象予報も提供する予定だった。

シチェファーニクは慣習的な解決策を好まない人物で、そのことは第一次世界大戦勃発後の彼の行動にも示された。彼は歩兵として動員されたが、コネクションのおかげで、個人主義と、無線電信や飛行機という新発明の魅力により適った、空軍に配属された。彼は軍事分野でも科学的知識を応用したので、軍事気象学のパイオニアのひとりになった。軍事パイロットとしての経験はパリやローマのサロンで、シチェファーニクのオーラと地位をひたすら強化したが、外交政策はしばしば、そうしたサロンのロビーで生み出されていた。

シチェファーニクは、最初は単独でチェコスロヴァキア創設を目指す活動、つまり長い歴史的伝統を持った国家形態であるオーストリア＝ハンガリーの解体を目指す活動を展開した。1915年末から1916年初頭に、彼はエドヴァルト・ベネシュ、トマーシ・G・マサリクと協力をはじめて、2人の活動に新たな刺激を与えた。重要だったのは、チェコスロヴァキア在外軍（軍団）を編制して、中央列強（オーストリア＝ハンガリー、ドイツ）に対抗して、協商国（フランス、イギリス、ロシア、のちにイタリア、アメリカ合衆国、日本）の側で戦うという決定で、こうしてチェコ人とスロヴァキア人が独立を望んでいることを証明した。当初軍団はフランスで編制される予定だったので、シチェファーニクは義勇兵を徴募する目的で、ロシア、ルーマニア、アメリカ合衆国、イタリアへの使節旅行を企てた。政治的・実務的理由から、結局軍団はフランス、イタリア、ロシアで編制されたが、シチェファーニクはそれにひじょうに大きな役割を果たした（シベリアに向かう途中での日本訪問については、コラム4参照）。彼は自分の活動に対して、多数の重要な国家的叙勲を受け、平の兵士から3年半のあいだに将軍の地位に駆け上がった。これは本当に目覚ましいキャリアだが、彼の昇進はおもに外交上の理由によったことは、コメントしておく必要があるだろう。

シチェファーニクは、ますます多くの協商国の政治家・外交官・軍部代表を、自分の側に惹きつけることができたが、そのことは１９１８年春と夏の、チェコスロヴァキア在外抵抗運動の公式の立場の強化にも示された。万事は１９１８年10月28日に最高潮に達して、同日プラハでチェコスロヴァキア成立が宣言され、２日後にスロヴァキアの地方都市トゥルチアンスキ・スヴェティー・マルティンでスロヴァキア人代表たちが、チェコ人との共同国家の一部になる意志を表明した。第一次世界大戦は、オーストリア＝ハンガリーの解体が疑いなくそうだったような、中欧における重大な地政学的変化の際に、鍵となる役割を果たしたが、チェコスロヴァキアの第一次在外抵抗運動の活動と功績、つまりシチェファーニクの活動と功績も、見落とすことはできない。彼は新生国家で陸軍大臣の職務にあったが、国家創設から間もない１９１９年５月４日に、ブラチスラヴァ近郊で飛行機事故のために亡くなった。

シチェファーニクが共同で建国に尽力した国家チェコスロヴァキアは、当然のことながら、彼の歴史的記憶を大規模に育成して支援した。ほとんどすべてのスロヴァキアの街の、重要な通りや広場が、彼にちなんで名付けられ、彼の銅像が各地に建てられた。1928年に故郷コシャリスカー村の近くで、もっとも重要な記念碑であるブラドロの墳墓（彼はそこに埋葬されている）が除幕された。この墳墓はチェコスロヴァキア全国で人気があったが、特にスロヴァキアでは、郷土の偉人への敬意が培われた。

シチェファーニクの早すぎる死（享年39歳）は、ベネシュ、フリーメーソン、イタリア人らに責任を被せる多数の陰謀説の誕生につながったが、そうした証拠はまったく存在しない。彼の死をめぐるこうした解釈は、政敵の信用を傷つけるために政治闘争で用いられたし、部分的にはあいかわらず用いられているが、そのことは彼に対する社会の関心をひたすら高めている。シチェファーニクの時期尚早な死は、彼の生涯にロマンチックな色合いを添えている。

ブラチスラヴァのドナウ河畔のシチェファーニクの銅像
出典：2011年、長與進撮影

さらにシチェファーニクは早すぎる死のために、新生国家の内政論争に加わることがなく、そのおかげで彼の遺産は可変的なものになった。スロヴァキアのほとんどすべての政党とコミュニティが、彼の遺産を自分のものと宣言して、この現象は基本的に今日まで続いている。シチェファーニクの遺産を歴史から抹殺しようと試みたのは、コミュニストだけだったが、それは皮肉なことに真逆の効果を持って、不人気な体制に認められない不遇の英雄、という地位に彼を置いた。1989年以降は公式筋と様々な社会活動家が、それだけいっそう熱心に、シチェファーニクをスロヴァキア史の台座の上に復帰させようと努めた。シチェファーニクは現在でも社会学調査で、スロヴァキア史のもっとも重要な人物の、少なくとも確実にトップ3のなかに定期的にランクインしている。

（ミハル・クシニャン／長與進訳）

コラム4

シチェファーニクの日本訪問（1918年／大正7年秋）

長與進

ミラン・ラスチスラウ・シチェファーニクは第一次世界大戦中に、T・G・マサリクらとともに独立運動組織チェコスロヴァキア国民評議会を組織し、軍隊を編制するためにロシア・アメリカ・イタリアなどの同盟諸国を訪れたが、そうした活動の一環として、大戦末期の1918年（大正7年）秋に日本に姿を現した。

シチェファーニクはフランス軍事使節団の一員として（彼はフランス国籍を持っていた）、大西洋・北米大陸・太平洋を横断して、10月12日に横浜港に到着した。フランス大使館のバックアップを受けて（第一次世界大戦では日本とフランスは同盟関係にあった）、さっそく外務大臣内田康哉、外務次官幣原喜重郎、陸軍参謀本部総長上原勇作といった政府と軍部の要人と面会し、10月16日には当時の内閣総理大臣原敬を表敬訪問している。

おもしろいことに『原敬日記』の同日の項目に、関連する記述が残されていて、「英・米・仏をはじめチエック〔軍団の〕救済のみ云々するも、自分らはたんに憐れみを乞うものにあらず、自分らは全力を挙げてドイツに対し奮闘する者なりとて、その決心を物語り、我が国〔日本〕の好意にあくまで感謝し、かつ平和克服〔講和締結〕後はドイツの勢力がシベリアに加わるべきは想像に難からざれば、そのさいチェック人は独日の中間に立って、それの障壁たるべし」というシチェファーニクの発言内容が記録されている。彼は、シベリア鉄道沿線を占拠していたチェコスロヴァキア軍団の存在と意義をアピールして、あらゆる論理を駆使して、日本軍のシベリア干渉拡大を促したようである。

彼の滞在日程のハイライトは、なんと言っても11月5日の天皇拝謁だろう。フランス人の使節団長M・ジャナン中将とともに皇居を訪れ、大正天皇嘉仁（よしひと）の謁見を受けたのである。天皇がシベリア行きの労をねぎらう言葉をかけると、シチェファーニクは「日本の太陽の光が、かの地でも我らを暖めてくれるでしょう」と答えて、日本軍のシベリア干渉拡大を暗にほのめかしたという。

シチェファーニクの日本滞在は実質1か月のことだったが、たまたまこの時期に情勢が急展開した。彼が横浜に上陸した翌々日の10月14日、パリでチェコスロヴァキア臨時政府の成立が宣言されて、シチェファーニクは戦争大臣に任命され（本人はこの事実を知らなかった）、10月18日にワシントンでチェコスロヴァキア独立宣言が発布された。そして10月28日には国内のプラハで、国民委員会がチェコスロヴァキア国家独立を宣言した。さらに11月11日には帝政ドイツが休戦条約に調印して、第一次世界大戦が終結した。シチェファーニクはこうした一連の歴史的転換点を、偶然のめぐり合わせとはいえ、日本で迎えたのである。

彼は11月13日に門司港からウラジヴォストークに向けて出港し、翌1919年1月半ばまでシベリア各地に滞在して、チェコスロヴァキア軍団の正規軍への再編に努め、前線から後方のシベリア鉄道警備勤務への引き揚げを決めた。3月にヨーロッパに戻り、同年5月4日、イタリアから飛行機で故国に凱旋する途上、目的地のブラチスラヴァ近郊で墜落事故により死亡した。シチェファーニクが伝説的な国民的英雄に祭り上げられる条件は、この時にもう整えられたと言っていいだろう。

15

独立スロヴァキア国

──★ナチス・ドイツの衛星国か、スロヴァキア初の「国民国家」か？★──

独立スロヴァキア国（正式には「スロヴァキア共和国」）は第二次世界大戦勃発直前からその終焉まで、ナチス・ドイツの保護下で存在した国家である。しかし、１９３８年秋以降のスロヴァキア自治体制との連続性の中で登場した存在であるため、そこから話を始めたい。

１９３８年9月末のミュンヘン会談以降に、中央政府が陥った苦境を、スロヴァキア人民党は自治実現の好機とみた。同党の行動の結果、10月初めにプラハの中央政府は、人民党の党首J・ティソが率いる自治政府の成立を承認した。自治政府は、ハンガリーやポーランドへの領土割譲を認めざるをえなかったが、ナチス・ドイツの支持を得て活動基盤を固めた。政治面では人民党一党支配体制の構築が進み、38年12月には単一候補者名簿式の州議会選挙が実施された。

しかし、ドイツの圧力が強まる中、人民党内でも、ナチ党の意向に沿いスロヴァキア独立を求める急進派の勢いが増した。中央政府は急進派の動向に不信感を抱き、１９３９年3月初めにティソを自治政府首班から解任し、スロヴァキア占領を試みた。しかし、ドイツはこの情勢をチェコスロヴァキア解体のために利用した。3月13日にベルリンに招かれたティソは、独立かハンガリーへの併合かを選ぶよう迫られ（より小さな悪）、州議会の招集を求めた。翌14日に州議会は独立を宣言する。

このように成立した独立スロヴァキア国は、英仏をはじめとする主要な国々から承認されたとはいえ（日本は1939年6月に承認）、実質はナチス・ドイツに依存する衛星国だった。独立国は3月23日にドイツとの保護条約を結び、外交と軍事面でのドイツへの従属を確認した。また、秘密条項では経済的利権付与もドイツに約束し、1940年11月には日独伊三国同盟にも加入した。独立国は第二次世界大戦にも、ドイツの同盟国として参戦し、対ポーランド戦や対ソ戦に派兵した。しかし、対ソ戦においては、装備に欠き戦意も低いスロヴァキア軍は主力部隊として扱われず、特に末期には多くの将兵がソ連側に脱走した。

政治面では、1939年7月制定の新憲法はスロヴァキアを共和国と規定した。大統領にはティソが選出され、彼は独立国の消滅までその職を務めた。憲法は市民権の保障も掲げた一方で、国家の安全を脅かすと目された個人を拘禁する権限を行政機関に付与し、収容所への送致も行われた。そして、自治政府の時期に引き続き人民党の支配体制が維持され、同党とハンガリー系住民およびドイツ系住民を代表する政党のみが、合法政党となった。

その人民党内では、準軍事組織である「フリンカ親衛隊」を掌握して、ナチ的な政治体制を目指すV・トゥカらの急進派と、家父長主義・権威主義体制を志向したティソら穏健派との主導権争いがあった。1940年6月以降に急進派は、ナチ幹部の支持を得て影響力を拡大したが、一方で衛星国スロヴァキアの安定を求めるドイツにとって、国民の間で一定の支持を享受するティソは不可欠な存在だった。

このためティソは権力を維持し、独立国の支配体制も周辺諸国に比べて温和だったとも評価される。

また、独立に伴い、コメニウス大学はスロヴァキア大学へと改称され、学部も増設された。1942年にはスロヴァキア学術芸術アカデミーが新設され、文化面でもスロヴァキア人の国民国家の体裁が整えられていく。

しかし、ユダヤ人の状況は全く別である。彼らは公職や経済から排除され、資産や農場は接収されてスロヴァキア人に配分された（いわゆるアーリア化）。1941年にはドイツのニュルンベルク人種法を範とした「ユダヤ法令」が制定され、差別が強まった。42年3月からは、スロヴァキア国内のユダヤ人を労働力としてドイツ支配地域に移送する名目の、しかし実際にはアウシュヴィッツなどの絶滅収容所に移送する政策が開始された。ヴァチカンなどがティソへの抗議文を送り、同年10月に移送は停止されたが、それまでに約5万7000人のユダヤ人が移送され、ほぼ全員が殺害された。

経済面でも独立スロヴァキア国はドイツに依存した。独立国は大量失業に直面していたが、ドイツへの労働者派遣が解決策となった。戦争もスロヴァキアに利益をもたらした。大戦中期以降にドイツへの空襲が本格化した後は、スロヴァキアへの軍需工場の移転が進み、多くの雇用を生み出した。

他方で、独立国の親ドイツ政策に対する反発も広まり、抵抗運動も始まった。彼らの主力は、第一にチェコスロヴァキアの復活を求める中道政治家グループであり、第二に共産党である。共産党は当初、スロヴァキアのソヴィエトへの併合を主張したが、ソ連の指示を受け、チェコスロヴァキア再建へと目標を切り替えていく。両勢力は1943年12月に協力体制を築いた。代表機関はスロヴァキア国民会議と名付けられ、反独立国・反ドイツの武装蜂起を準備した。ロンドン亡命政府や独立国軍人の内通者とも協力しつつ、ソ連軍がカルパチア国境に迫った段階で蜂起し、ソ連軍の西進とドイツ軍の撃退を支援する計画だった。しかし、ドイツ軍は事前に計画を察知し、またパルチザン運動によって鉄道輸送が妨げられたため、44年8月29日にスロヴァキア全土の武力占領を開始した。国民会議指導部は対応策として、スロヴァキア中部での武装蜂起を呼びかけた。こうして「スロヴァキア国民蜂起」は開始された。蜂起軍はスロヴァキア中部の山岳地域で戦闘し、連合国軍からの支援を受けつつ、ドイツ軍部隊を引きつけた。しかし、10月末に蜂起の中心地であるバンスカー・ビストリツァが陥落し、以降はゲリラ戦へと移行した。

スロヴァキア国民蜂起は鎮圧されたが、蜂起を通じて国民会議の権威は強まり、戦後に影響を及ぼした。また、ロンドン亡命政府の見地からも、スロヴァキア国民蜂起は戦後のチェコスロヴァキアが連合国の一員という立場を獲得する上で、重要な意味を持った。

一方、反比例するようにティソは権威を失う。国土をドイツ軍に占領され実権を失い、スロヴァキア国民蜂起の鎮圧に参加したドイツ軍将兵への表彰要請も受け入れるほかなかった。さらに1944年10月初めにはソ連軍が北東部からスロヴァキア領に進攻した。45年4月初めにソ連軍は首都ブラチスラヴァを占領し、ティソや独立国の要人は西側へ逃亡して、独立スロヴァキア国は消滅した。

しかし、初の「スロヴァキア人の国民国家」が運営されたという記憶は残り、亡命者を中心に肯定的に語り継がれた。そして、現在でも独立国をどのように評価するかという点は歴史的議論の対象となっている。

（香坂直樹）

16

ヨゼフ・ティソ

★ナショナリストの英雄か、教権ファシストか？★

ヨゼフ・ティソ（1887〜1947年）は、第二次世界大戦勃発直前のチェコスロヴァキア解体／「スロヴァキア共和国」成立に関与し、同国の政府首班を務めた人物である。20世紀前半のスロヴァキアを考える際に無視できず、その経歴ゆえに没後も評価をめぐる論争が続いている。

ティソは1887年にハンガリー王国北西部（現在のスロヴァキア北西部）のビッチャに生まれた。スロヴァキア系のカトリック家庭の出身だが、当時の社会状況を反映し、ハンガリー語で教育を受けた。神学を修めた後、1915年頃にニトラのカトリック・ギムナジウムの神学講師となった。また、この時期、彼はニトラでキリスト教社会党系のハンガリー語雑誌の執筆と編集にも携わり、これが政治家として頭角を現す端緒となる。

第一次世界大戦末期に彼はまずハンガリー系国民委員会で活動したが、ニトラがチェコスロヴァキアに組み入れられた後、1919年頃からはスロヴァキア人民党に参加した。一方、ティソは生地に近いバーノウツェ・ナド・ベブラヴォウの教区司祭の職務も終生務めている。

ただ、カトリック政治とともにスロヴァキア・ナショナリズムを標榜した人民党内で、ティソもまたスロヴァキア・ナショナリズムに傾倒し、政治信条に取り入れた。その一方、チェコスロヴァキア建国以前の経歴を反映し、政敵からは「マジャローン」（ハンガリー化したスロヴァキア人）という批判を受け続けた。ティソは、人民党内で穏健派の領袖の立場を維持し、党首A・フリンカの信頼を得た。１９２０年代後半に人民党が一時的に連立政権に参加した時期には、ティソは厚生相を務めている。

１９３０年代に経済危機が深まる中で、スロヴァキアでは青年層を中心により強硬なナショナリズム思潮が力を増し、人民党内でも急進派の影響が強まった。ティソは、30年代後半にも政府との交渉を通じてスロヴァキア自治の実現を求めたが、政府への圧力を強める戦術として、急進派に倣いチェコ・ファシストやドイツ系、ハンガリー系の政治家など、政府に対峙した諸勢力との接触を開始する。人民党の党首フリンカが１９３８年8月に死去した後、ティソは急進派を抑えて後継の党首に就く。その立場でティソはミュンヘン協定締結前後の情勢に対応し、ナチス・ドイツとの関係を築き、さらにはスロヴァキア自治政府首班として、ハンガリーの領土要求などに対応した。

１９３９年3月13日に、ティソはベルリンに赴き、ヒトラーらナチ党幹部と会談し、スロヴァキアの独立を宣言するように求められた。ティソは州議会招集を求め、州議会が正式にスロヴァキアの独立を宣言する（3月14日）。ティソは独立スロヴァキア国の首相に就任し、同年10月には大統領職に就き、１９４５年の同国消滅までその地位を保った。

思想的にはトゥカなどの人民党急進派の方がナチに近く、ティソはむしろ少なくとも内政での行動の余地を保とうと試みていた。しかし、その余地は次第に狭まる。スロヴァキアも１９４１年9月にはナチのニュルンベルク人種法をモデルにした反ユダヤ法令を制定し、42年にはユダヤ人の「移送」を実施した。ただ、ナチス・ドイツの観点では、カトリック聖職者として国民から一定の支持を享受するティソが上に立つ体制は、衛星国スロヴァキアの安定を図る上で有用だったのもまた事実だった。

だが、1944年8月末に始まるスロヴァキア国民蜂起を機に、スロヴァキア全土がドイツ軍の占領下に置かれた後は、ティソが独自行動を取る余地はほぼ消滅した。最終的に45年3月末にソ連軍がブラチスラヴァに迫った際、独立国の他の要人と同様に、ティソもスロヴァキアを離れた。しかし、米軍に身柄を拘束され、10月にチェコスロヴァキア側に引き渡される。ティソは人民裁判の被告となり、1947年4月15日に死刑判決が下された。カトリック関係者などからは助命嘆願が寄せられたものの、減刑は認められず、4月18日にティソは処刑された。

処刑後もティソの評価は揺れ続く。彼を芯からのスロヴァキア人の「英雄」と見る肯定的評価と、彼を教権ファシストとする否定的評価との間の揺らぎである。前者は戦後に西側諸国に亡命した独立国関係者などが提示するティソの評価であり、後者は第二次世界大戦後の社会主義チェコスロヴァキアで流布した解釈である。

前者のナショナリスト的解釈では、ティソはスロヴァキア国民国家の建国を導き、戦時下に国家を維持し、スロヴァキア人による国家運営を実現させた功労者である。1947年の処刑は「殉教」ないしチェコ人による報復と理解され、ティソの犠牲者性を強化する。後者では、ティソはナチと結託し、ミュンヘン後の中央政府を背後から刺した教権ファシストとなる。独立スロヴァキア国はファシスト支配下のナチ傀儡国家であり、その独立国に反旗を翻したスロヴァキア国民蜂起と蜂起を指導し

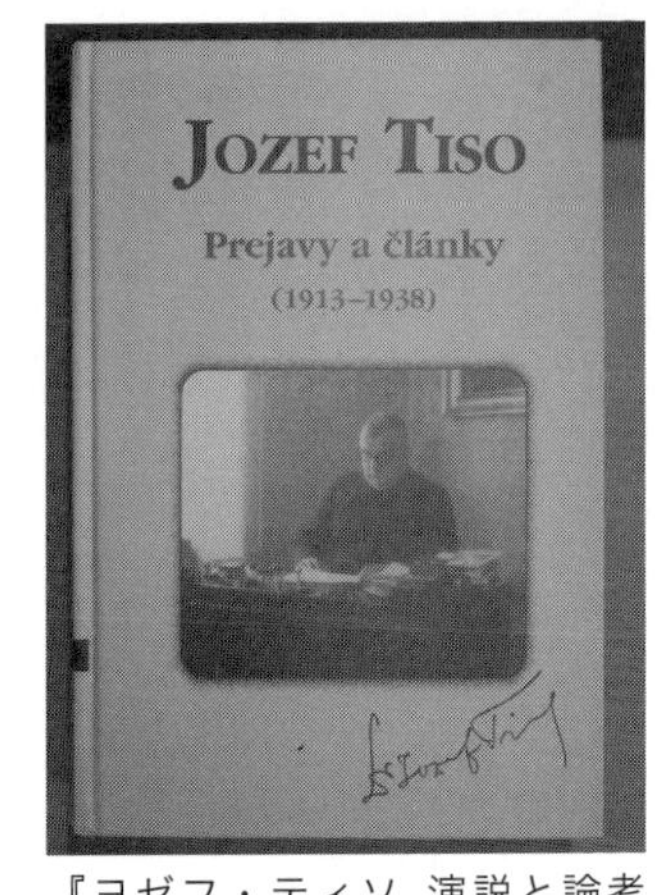

『ヨゼフ・ティソ　演説と論考（1913-1938）』（ブラチスラヴァ、2002年）の表紙
出典：著者所蔵、撮影

た共産党の正統性が際立つ。

ただ、どちらの解釈も誇張を含む。まず、ティソを芯からのスロヴァキア・ナショナリストと描く評価に対しては、ティソが最初はカトリック教会の権益保護の観点から政治に関与し始めた点や、スロヴァキア・ナショナリズムへの傾倒はチェコスロヴァキア建国後に始まった点を指摘できよう。一方で、チェコスロヴァキア解体を求めた教権ファシストという評価に対しても、ティソが１９３０年代末まで人民党穏健派に属し、チェコスロヴァキアの存在を前提にスロヴァキアの権利拡大を求めた点を指摘できる。そもそも、チェコスロヴァキア解体／スロヴァキア自治実現・独立に至る状況の主導権はナチス・ドイツの掌中にあり、ティソや人民党は変化する状況に反応する立場に置かれていた。つまり、否定的にせよ肯定的にせよ、首尾一貫してスロヴァキア独立を求めた人物としてティソを描写することは、誇張だろう。

ティソの役割評価が分かれるもうひとつの大きな事例が、独立スロヴァキア国のユダヤ人迫害政策、とりわけ１９４２年に行われた絶滅収容所へのユダヤ人「移送」への彼の関わりである。ティソはこの「移送」を止めるべく尽力したという評価も存在する。

ティソに関する議論は今後も続くだろうが、まずは誇張なしの実像に基づく評価が求められる。これに関連して、スロヴァキア科学アカデミー歴史学研究所が全2巻の資料集『ヨゼフ・ティソ　演説と論考』（ブラチスラヴァ、２００２、２００７）を刊行していることにも触れておきたい。

（香坂直樹）

17

スロヴァキア国民蜂起の記憶

★歴史認識のリトマス試験紙★

第二次世界大戦末期のスロヴァキア国民蜂起（SNP）は、現在、ナチス・ドイツに対して国民が立ち上がった「抵抗の歴史」として記憶されている。当時はナチスの傀儡ともいうべき独立スロヴァキア国が成立しており、この地域は大戦の当初から戦火にさらされていたわけではない。だが、ドイツの対ソ戦に人々が動員され、戦況の悪化が生活に影響を及ぼすようになった1943年末には、体制に不満を持つ諸勢力が反ファシズムの名の下で結集し、ナチス・ドイツへの抵抗とチェコスロヴァキア国家体制の復活を目指すようになった。実際の蜂起は翌44年8月29日に開始され、全体で約6万人の兵士と約1万8000人のパルチザンが参加した。とはいえ、抵抗の動きを察知したナチス・ドイツが、先手を打って攻撃を始めたため、蜂起そのものは、バンスカー・ビストリツァを中心とするスロヴァキア中部に限定されたままとなり、最終的には2か月足らずで鎮圧された。

この蜂起については、時代とともに意味づけが大きく変化している。終戦直後に共産党を含む連立政権が形成された時期には、国民蜂起についても人民民主主義の立場、すなわち、反ファシズム勢力が結集して抵抗したという点が強調された。ところが、1948年以降に共産党の一党支配が確立されると、この蜂起をもっぱら共産党の功績とし、さらには、スロヴァキア人単独ではなく、チェコ人とスロヴァキア人の双方によるものとする解釈が強められていく。戦争が終わった段階では、チェコスロヴァキア共産党とは別にスロヴァキア共産党が自立した政党として存在していたが、48年には党の集権化が進められ、後者の自立性は失われた。1950年代初頭における粛清の時代には、国民蜂起で実際に戦ったグスターウ・フサークのようなスロヴァキア人共産党員が、民族主義者のレッテルを貼られて失脚した。また、蜂起に対するモスクワからのサポートの重要性が強調される一方、ロンドンのチェコスロヴァキア亡命政府や連合国から提供された支援については、意味のないもの、場合によっては蜂起を妨害する意図すら含まれていた、とみなされるようになった。

1960年代に入って自由化が進み、民族主義者として投獄されていたフサークが復権を果たすと、国民蜂起の見方も変化していく。彼は、連邦化によるスロヴァキアの自治拡大を主張すると同時に、国民蜂起に関して600ページを超える大著（『スロバキア民族蜂起の証言』のタイトルで邦訳もされている）を刊行し、この蜂起がスロヴァキア共産党を中心とするものであったことを示した。当時のフサークは「改革派」でもあった。彼はアレクサンデル・ドゥプチェク第一書記の下で、「プラハの春」を支える役回りも果たしたのである。ところが68年8月、改革運動がワルシャワ条約機構軍の侵攻によって潰されると、フサークはソ連の意向に沿う人物としてドゥプチェク失脚後に第一書記となり、共産党と国家の権力を獲得する。それと並行してチェコスロヴァキアは連邦化され、少なくとも形式上は、スロヴァキアはチェコと同等の地位を得た。これは、「正常化」と呼ばれる体制の下で実現に至っ

第17章
スロヴァキア国民蜂起の記憶

た数少ない改革案のひとつである。69年には、バンスカー・ビストリツァに建設されていた国民蜂起博物館の巨大な建物も完成し、蜂起の25周年を祝する盛大なセレモニーが行われている。国民蜂起は、依然としてチェコスロヴァキア全体に関わる重要な歴史とみなされていた。だがフサーク体制下においては、よりスロヴァキア色の強い歴史解釈が支配的となったのである。

国民蜂起の記憶が改めて大きく変化したのは、1989年に社会主義体制が崩壊し、93年にチェコとスロヴァキアが分かれて別々の国家となるまでの時期である。共産党中心の蜂起というそれまでの理解は、国民全体の蜂起という解釈に取って代わられ、また、チェコスロヴァキア全体というよりは、もっぱらスロヴァキアに関わる蜂起とする見方が、前面に押し出されるようになった。

ただし体制転換以降においては、第二次世界大戦期の独立スロヴァキア国を肯定的に評価する民族主義的な歴史観も目立つようになった。この見方によれば、当独立国はナチスの傀儡などではなく、スロヴァキア人にとっての初の近代国家ということになる。とすれば、ナチス・ドイツだけでなく当独立国に対して反旗を翻した国民蜂起は、自国に対する反逆的行為とみなされる。1993年に新しく誕生したスロヴァキアで蜂起記念日の8月29日が、国家の祝日とされた際には、この日を「不幸の日」とし、国民蜂起を「ユダヤ・ボリシェヴィキ的=チェコスロヴァキア主義的反乱」とする過激な批判すらなされた。このような解釈は基本的に少数派にとどまっているが、例えば、2010年代後半より国民議会で議席を得るようになった極右政党「我らがスロヴァキア」は、ネオナチ的な立場から独立スロヴァキア国を賛美し、その一方で国民蜂起をネガティヴに評価している。

とはいえ全体として見れば、国民蜂起の肯定的記憶は定着し、さらに2004年のEU加盟と共に、

国民蜂起博物館（バンスカー・ビストリツァ）
出典：MindBlocker［CC BY-SA 3.0］

その記憶は「ヨーロッパ化」したと言える。２０１４年の蜂起70周年を記念する式典では、戦時中のヨーロッパにおけるファシズムとの戦い、そして、自由および民主主義を守る戦いと国民蜂起が重ね合わせて語られている。ただし翌15年の難民危機、すなわち、中東から多くの難民がヨーロッパに向かった際には、ポピュリストとも評されるフィツォ首相（当時）が国民蜂起の記念式典で演説し、ヨーロッパ的価値観を守るために難民の流入を防ぐ、といった発言を行っている。

こうしたことからわかるように、この国民蜂起をどう位置づけるかという点は、スロヴァキアを取り巻く内外の情勢によって大きく左右される。ロシアがウクライナに侵攻した２０２２年の国民蜂起記念式典では、大統領・首相・国民議会議長がそろって出席し、元パルチザンの勇気を改めて称えると共に、21世紀の現在において、自由のために再び戦わざるを得なくなった隣国ウクライナへの支援を呼びかけている。国民蜂起の記憶は、スロヴァキアの歴史認識だけでなく、この国の社会の現在をもあぶり出すリトマス試験紙と言えるだろう。

（福田宏）

18

1945年から60年までの時期のスロヴァキア

★共産党政権の成立とその影響★

第二次世界大戦の終結から1960年頃までの時期は、政治的には1948年2月の共産党政権の成立を境に二分できる。そして、この時期にスロヴァキアの政治や社会、経済は大きく変化した。

1945年のスロヴァキアは第二次世界大戦による破壊の渦中にあった。連合軍の空襲による被害は限定的だったものの、44年秋以降に、ドイツ軍とソ連軍のあいだで地上戦が展開された結果、鉄道や橋梁などの輸送設備、工場などが広く破壊されており、それらの復旧が急務となった。大規模な人の移動も生じていた。兵士の復員や住民の避難先からの帰還などもあったが、中でもドイツ系住民の追放は大きな出来事である。これによりスロヴァキアのドイツ系住民コミュニティはほぼ消滅した。また1946年から48年にかけては、ハンガリーとの住民交換も部分的に実施されている。さらには、スロヴァキアに残ったハンガリー系住民の一部が、ドイツ系住民追放後のチェコのズデーテン地方への移動を迫られる展開もあった。

政治的には、1945年4月初めにスロヴァキア東部のコシツェで、政府綱領（コシツェ綱領）が発表され、戦後国家の基本像が示された。コシツェ綱領では、戦時中の抵抗運動に参加した政党のみが参加する国民戦線が、戦後政権を担うこと、そして、チェコスロヴァキアをチェコ人とスロヴァキア人の二民族の国家とみなすことが表明された。

これに基づき、プラハの中央政府とは別に、スロヴァキアではスロヴァキア国民会議（SNR）が立法権を、そしてSNRの全権委員が行政権を担う自治的な政治体制が成立した。SNRにはスロヴァキア共産党（KSS）と非共産党系の民主党（DS）が参加し、この二政党が戦争直後のスロヴァキアの政治を動かした。このうち、DSはカトリック支持層を取り込み、SNR内でも強い影響力を維持していく。1946年の議会選挙でもスロヴァキアではDSが勝利し、KSSの支持は伸びなかった（DSは62%、KSSは30%を得票）。結果としてSNR内でDS優位の状況が維持される。これは権力独占を目指した共産党（KSSとチェコスロヴァキア共産党［KSČ］）の意に反したものだった。そのため、両勢力間の軋轢が深まり、共産党はDSの力を削ぐ行動を進めていく。

選挙後の1946年6月には中央政府とSNRとの関係が見直された。SNRはそれまでの独立性を失い、SNRの全権委員も中央政府の閣僚の指示を受ける立場へと格下げされた。また、1947年4月には独立国の元大統領J・ティソへの死刑判決に対し、DSはティソの助命を求めたが、拒否されている。47年の夏にはDSと旧スロヴァキア人民党関係者との関係が疑われ、DSの有力党員が拘束される政治スキャンダルも起きた。

この流れの中で、1947年秋にKSSの中央委員会は、スロヴァキアの権力構造の変革を求める決議を採択し、さらにKSČ議長で当時のチェコスロヴァキア首相K・ゴットヴァルトも参加した集会で、SNRからのDS追放動議を採択するなど、共産党は支持者を動員しながらDSへの圧力をさらに強めた。

DSは疑惑に反駁し、共産党の圧力に抵抗する。しかし、1947年11月の交渉を経てDSはSNR内で数的優位を失い、SNR首班もDSのJ・レトリヒからKSSのG・フサークへと交代した。こうしてKSSは圧力を通じて選挙結果を覆し、権力の奪取に成功した。共産党の似たような行動は、翌1948年2月に全国規模で再演されることになる。

1948年2月にチェコスロヴァキアに共産党政権が成立し、5月の新憲法成立と議会選挙（自由選挙でなく単一候補者名簿式）を経て一党支配体制が確立した後、特に53年頃までは暴力や圧力を伴いながら、スロヴァキアでも社会主義化が進められた。

経済的には国有化や農業集団化政策が進行した。戦争直後にすでに従業員50人以上の企業が国有化政策の対象になっていたが、1948年以降はほぼ全ての企業に国有化の圧力がかかった。個人の自由業者への圧力も強まる。その結果、50年代初めには就労者のほぼ全員が、何らかの国営企業の従業員という立場に組み込まれた。農業でも共産党政権の成立直後は自発的な集団化が追求されたが、反対者への圧力や嫌がらせが次第に強まり、60年までにスロヴァキアの耕地の80％以上が、集団農場の管理下に置かれた。

反対者への圧力も強まった。共産党体制と社会主義的政策に反対する人々から住宅が没収されることや、あるいは政治犯として収容所に送られることもあった。抵抗の核となりうるカトリック教会も弾圧された。1949年には教会は監視下に置かれ、高位聖職者は政治裁判の対象となり、下級の聖

スラヴィーンの記念碑。１９５７〜６０年に造成され、周囲にはソ連軍将兵の墓地が広がる。第二次世界大戦末期のソ連軍によるスロヴァキア各地の「解放」を記念し、同時にソ連との友好関係を示した
出典：2016年、著者撮影

職者も普通の労働者として各地に派遣されていく。

さらに共産党は反対者の運命を広く一般に知らしめるために、政治裁判も実施した。ＤＳ関係者や教会関係者のみならず、一般の人々が政治裁判の対象となり、さらには共産党内の勢力争いにも用いられた。「ブルジョア・ナショナリズム」の傾向が非難され、１９５４年に終身刑を宣告されたフサークに対する裁判などが、その例である。

共産党体制を受け入れない人の中には、西側への亡命を選択した人々もいた。しかし、国境警備はすぐに強化され、亡命は困難となる。また、西側のラジオ放送に対しても妨害措置がとられ、情報の遮断も強められた。

このように（チェコ）スロヴァキアの社会主義化は大きな犠牲を強いながら進められた。

ただ、この時期にスロヴァキア社会も大きく変貌した。工業化により都市住民が増え、農村の状況も集団化の初期は非常に困難だったが次第に安定し、上下水道の整備や電化などを通じて生活環境も

向上した。地方鉄道や道路の整備も進展した。教育や文化の面でもスロヴァキア各地での大学開設が進み、科学アカデミーも戦後に再編され活動分野を増やしていく。これらの諸組織あるいは様々な文化団体が、1948年以降に共産党の影響下に置かれたことも事実だが、その条件下でもそれぞれの活動は継続された。共産党政権が目指したチェコとスロヴァキアとの格差是正は、じゅうぶんには達成されなかったものの、格差は以前と比べて縮小していく。

そして、共産党政権は1960年に、社会主義建設の達成を謳う新憲法を制定し、国名も社会主義共和国に改称した。しかし、早くも経済の停滞傾向が示され、また中央集権化が進んだことで、スロヴァキア国民会議（SNR）などの組織の存在はほぼ形骸化した。これらの点はスロヴァキア社会が、当時の体制に対して不満を抱く一因になっていく。

（香坂直樹）

19

改革は挫折したが……

★「プラハの春」から1989年まで★

1960年7月にチェコスロヴァキアは社会主義共和国憲法を採択して、「わが国で社会主義は勝利した」と高らかに宣言したが、皮肉なことにこの頃から、西欧諸国とのあいだの経済格差が拡大しはじめ、東側陣営が経済発展と市民の生活水準向上の面で、立ち遅れてしまったことが明らかになった。社会主義体制は、工業化段階の課題を遂行することはできたが、ポスト工業化社会の到来に対応して、その課題を内発的に遂行する能力に欠けていた。チェコスロヴァキア（特にチェコ地方）は、第二次世界大戦以前は西欧社会の一部を構成し、それと歩調を合わせて近代化プロセスを歩んでいたために、格差の拡大がいっそう敏感に感じ取られたのである。

こうした事態を背景にして、1960年代後半に改革派コミュニストがチェコスロヴァキア共産党組織の要職に進出して、国内で一定の影響力を獲得した。1968年1月に改革派が推すアレクサンデル・ドゥプチェク（1921〜1992年）が、共産党中央委員会第一書記に選出され、「プラハの春」と呼ばれる自由化運動が開始された。この運動を象徴していたのは、「人間の顔をした社会主義」というスローガンだったが、その意味するところは、社会主義体制をヒューマニズムと合致するように改革することだった。政治領域では、出版物に対する検閲が事実上廃止されて、新聞雑誌の紙面が活性化し、自由に発言できる雰囲気が社会に広がった。市民の国外旅行（特に西側への出国）に対する規制も緩和された。経済面では、計画経済に市場原理の要素を導入する改革が実施されるはずだった。

チェコスロヴァキア社会は、ドゥプチェクを先頭とする改革派コミュニストに大きな期待を寄せた。逆説的なことだが、共産党は１９６０年代後半になって、チェコスロヴァキアの歴史上で初めて、市民のあいだで自然発生的な過半数の支持を獲得した（１９４６年５月の最後の自由選挙の際の共産党への投票率は、チェコで42％、スロヴァキアでは30％だった）。

全国民的な支持を得た自由化運動に対してどのように対処すべきか、モスクワのソ連共産党指導部でも見解が分かれたが、結局は軍事介入によって、運動のこれ以上の進展を阻止するという強硬路線（ブレジネフの制限主権論）が選択されて、１９６８年８月20日から21日の深夜にかけて、ソ連軍を中心としたワルシャワ条約機構の５か国軍（東ドイツ、ポーランド、ハンガリー、ブルガリアも派兵した）が、チェコスロヴァキア領内に進駐した。プラハの目抜き通りを埋めた戦車の隊列と、それに抗議する市民の生々しい映像や写真は、私たちにも馴染み深いものだが、こうした光景は、ブラチスラヴァやその他の都市でも繰り広げられた。

この大がかりな軍事作戦（コードネームは「ドナウ河」作戦）には27個師団、30万人の兵士が動員され、８００機の飛行機、６３００両の戦車、２０００門の大砲が投入された。改革派の共産党指導部を排除して、チェコスロヴァキアを従来の路線に引き戻すことに成功したことから判断すると、成功した作戦だったと言えるかもしれない（この事件による死者は、双方合わせても２００人足らずだった）。しかし長期的な視野からすると、この事件はソ連のプレステージと社会主義のイメージを大きく損なうものだった。後年、チェコスロヴァキアにおける体制転換直後の１９８９年12月に、ソ連はこの行動が誤りであったことを公式に認めて、チェコスロヴァキアに謝罪している。

東部スロヴァキアのプレショウに進駐したソ連軍の戦車、1968年8月
出典：M.M.ストラーリク氏より提供

「プラハの春」が残した数少ない「成果」のひとつは連邦化だった。1968年の改革プロセスの中で、チェコスロヴァキアをこれまでの単一国家から、チェコとスロヴァキアから構成される連邦国家に改編する準備が進められた。1968年10月に連邦化に関する法律が採択され、翌69年1月からチェコ社会主義共和国とスロヴァキア社会主義共和国という2つの「連邦構成共和国」が成立した。社会主義体制下の強力な中央集権システムのもとでは、名目上の性格が強かったとはいえ、この措置がスロヴァキア人のナショナルな感情をある程度満足させて、社会主義体制を甘受する態度を助長したことは疑いない。

1969年4月ドゥプチェクに代わって、グスターウ・フサーク（1913〜1991年）がチェコスロヴァキア共産党中央委員会第一書記の地位についた（ドゥプチェクもフサークもスロヴァキア人だった。第20章、第21章参照）。改革派コミュニストは排除され、「プラハの春」は最終的に終息した。この時期から1989年暮れの社会主義体制崩壊までの20年は、皮肉を込めて「正常化体制」時代と呼ばれている。教条派コミュニストや現状迎合派が権力の座につき、彼らが「正常」とみなす方向に国の状況を逆戻りさせたからである。

とはいえこの「正常化体制」は、1950年代前半の「硬い」スターリン主義体制の再来というより、かなり「軟らかな」体制であったことは指摘しておく必要があるだろう。体制に対する市民の服従を保障したのは、「搾取のない理想社会の建設」といったイデオロギー的熱狂でも、投獄や強制労働などによるむき出しの抑圧システムでもなく、より条件の良い職場や住居、子どもの教育の機会などといった「日常生活上の便宜」だった。

「正常化体制」と市民のあいだには、ある種の暗黙の了解が成立していたように見える。つまり体制側は市民に、それなりの日常生活（満足できるレベルの消費生活、職場、住居、長期の休暇、自家用車、別荘など）を提供する代わりに、市民側は「社会主義体制の維持」という大前提には口出ししない、というものである。「正常化体制」下のチェコスロヴァキア社会の特徴は、相対的な安定と擬制的な充足、それを裏から支える諦念とさめたニヒリズムということになるだろうか。当時のチェコスロヴァキア市民の多くは、社会主義というシステムに内心不満を持ちながらも、社会の片隅にささやかな居場所を見つけて、おとなしく順応した日々を送っていた、というのが正直なところだろう。

こうした体制と市民のあいだの暗黙の了解のバランスを崩したのは、１９８６年頃からソ連で始まったペレストロイカ政策である。この政策は「プラハの春」の試みに多くを学んだと言われているが、皮肉なことにその影響がチェコスロヴァキアに波及しはじめたのは、相対的に遅れて、１９８８年になってからであった。この時期になってやっと市民のあいだで、人権擁護運動（憲章77）、環境保護運動、あるいはカトリック系の秘密教会の活動の活発化によって、体制に対する異議申し立てが慎重に開始されたのである。

（長與進）

20

アレクサンデル・ドゥプチェク

――★「プラハの春」の立役者から「スロヴァキアの国政政治家」へ★――

2018年にスロヴァキアで、『ドゥプチェクのための出国書類』というドキュメンタリー映画が製作された（監督はユライ・リホシト）。当時のニュース映像や、本人をはじめとする関係者の後年のインタビュー画像などを巧みに組み合わせて、この人物の足跡をドラマチックに再現し、改めて、アレクサンデル・ドゥプチェクとは何者だったのか、という問いを投げかけている。

ドゥプチェクの自伝『希望は死なず』（講談社、1993年）を読んで驚かされるのは、「コミュニスト」としての彼の堅固なバックグラウンドだろう。父親シチェファン・ドゥプチェク（1892～1969年）は叩き上げの労働者（大工職人）で、移民先のアメリカで労働運動に参加し、帰国後の1921年、創設されたばかりのチェコスロヴァキア共産党に入党した。1925～1938年、インテルヘルポ（国際救援）協同組合の一員としてソ連に滞在し、帰国後の1939年に非合法のスロヴァキア共産党の活動家になる。1942年に逮捕されて投獄、1945年ドイツのマウトハウゼン強制収容所に送られたが、戦後は共産党体制を支える要職を歴任するという、絵に描いたような「筋金入りの古参党員」のキャリアを持つ。彼の妻でドゥプチェクの母親パヴリーナも、熱心な共産党員だった。

息子のアレクサンデルは幼少年時代をソ連で過ごし（最初はキルギスのピシペク［現在のビシケク］、1933年からゴーリキイ［現在のニージニイ・ノーヴゴロト］）、ロシア語で初等教育を受けた。スロヴァキア人にとって同系統のスラヴ語であるロシア語は、習得しやすい言語だが、ドゥプチェクの場合は完璧なバイリンガルだったようだ。この点は、後年の彼の「出世キャリア」と関係があるかもしれない。

17歳で帰国したドゥプチェクは、帰国の翌年の1939年にスロヴァキア共産党に入党する。旋盤工としての職業訓練を受け、非合法の党活動と1944年夏〜秋のスロヴァキア民族蜂起に参加（ちなみに彼の兄ユーリウスは、蜂起のなかで戦死している）。戦後は、1948年2月に政権党になった共産党の活動家として、党の地区委員会書記を手始めに、ブラチスラヴァの中央委員会書記を経て、その議長団に入る。その間、1955〜1958年にモスクワのソ連共産党中央委員会付属政治大学（共産党の指導的エリートの養成機関）で学ぶ。1960年から全国組織のチェコスロヴァキア共産党中央委員会の書記と、党内の出世の階段を駆け登って、1968年1月に弱冠47歳で、共産党のトップの座である中央委員会第一書記に選出された。

父親は典型的な「古参党員」の経歴だったが、息子のアレクサンデルは、それに輪をかけたような順風満帆のキャリアである。肉体的にも壮健で、上背もあり、他人に好感を抱かせる風貌の美丈夫、誤解を恐れずに言えば、ドゥプチェクは「2代目のプリンス政治家」だったのだろう。

その彼のもとで、「人間の顔をした社会主義」をスローガンとした一連の体制内改革運動が開始される。1968年6月17日（侵攻の2か月ほど前）に撮影されたという、飛び込み台からジャンプするドゥプチェクの姿を捉えた写真がある。政治家として、特に社会主義国の政治家として型破りなタイプであることをアピールする、印象的なスナップである。

だが8月20日から21日にかけての深夜にはじまるワルシャワ条約機構軍の侵攻のなかで、プラハの中央委員会の建物のなかで逮捕され、飛行機でモスクワに連行される。ブレジネフをはじめとするソ連のトップ指導者たちとの会談で、改革路線を撤回して、体制を「正常化」することを約束する「モスクワ議定書」に署名することを余儀なくされた。

ドゥプチェクはその後しばらく、中央委員会第一書記の座に留まったが、翌1969年4月に辞任し（後任は、その後20年間、「正常化」体制を担ったグスターウ・フサークで、ちなみに彼もスロヴァキア人だった）、トルコ駐在大使に「左遷」された。前述の映画では、当局はドゥプチェクがこの機会に亡命することを期待したというが、彼は亡命を拒否して帰国し、国内に留まる道を選んだことが強調されている。ドゥプチェクは1970年12月から1981年に定年退職するまで、ブラチスラヴァ郊外の森林管理所で一介の技術者として働いた。

1986年頃からのソ連でのペレストロイカ政

飛び込み台からジャンプするドゥプチェク
出典：パンフレット『アレクサンデル・ドゥプチェク、チェコスロヴァキアの春のシンボル』スロヴァキア共和国外務欧州問題省

策開始後、チェコスロヴァキアでもいわゆる「反体制運動」が次第に活発化した。1988年秋にボローニャ大学（イタリア）は、ドゥプチェクの功績を讃えて名誉博士号を授与した。このエピソードをめぐる顛末は、ドゥプチェクの20年ぶりの公共の場への復帰を象徴するものとして、映画のなかで温かく回想されている。

1989年秋の体制転換後に、ドゥプチェクは劇的なカムバックを遂げた。スロヴァキアの反体制派組織「暴力に反対する公衆」に加わって、ブラチスラヴァの集会に姿を現し、11月26日のプラハの集会では、反体制派の劇作家ヴァーツラフ・ハヴェルとともに、ヴァーツラフ広場のメラントリフ出版社のベランダに立って、群衆の歓呼の声を浴びた。映画にはこのとき群衆が、「ドゥプチェクを城へ！」〔ドゥプチェクを大統領に、という意味〕と唱和する場面が挿入されているが、結局1989年末に、ドゥプチェクは連邦議会議長に就任し、ハヴェルが大統領に選出された。

つまり体制転換直後に、フサーク辞任後の次期大統領職をめぐって、ドゥプチェクとハヴェルと2人の周辺のあいだで、激しい政治的駆け引きが繰り広げられたようだ。

ドゥプチェクは1992年9月1日にプラハ近郊の高速道路上で、乗っていた乗用車が交通事故を起こして重傷を負い、2か月後の11月7日に死去した。スロヴァキアの歴史家ドゥシャン・コヴァーチはドゥプチェクの死について、巧みなレトリックを用いて「〔1992年夏の段階で〕アレクサンデル・ドゥプチェクは小政党（スロヴァキア社会民主党）選出の連邦議会議員で、彼の政治的影響力はその当時大きいものではなかったが、あたかもドゥプチェクの死は、彼が1968年に鍵となる役割を演じた国家〔チェコスロヴァキア〕の解体を象徴するかのようだった」と表現している。

ドゥプチェクについての「歴史的記憶」は、国内外ともに総じてポジティヴである。上述の映画では、ドゥプチェクが「人間の顔をした」政治と政治家のシンボルであり続けると総括している。ドナウ河に面した小高い岩山の上の、ブラチスラヴァ城と並んで立つスロヴァキア国民議会の議事堂の横手に、ドゥプチェクの記念碑がひっそりと佇んでいる。微笑みを浮かべた彼の胸像には、「スロヴァキアの国政政治家」という題字が刻まれている。

（長與進）

ドゥプチェクの記念碑
出典：2022年、神原ゆうこ撮影

21

グスターウ・フサーク

――★戦後のスロヴァキア政治と「正常化体制」のシンボル★――

グスターウ・フサーク（1913～1991年）は20世紀後半の（チェコ）スロヴァキア政治の様々な局面に登場し、最終的にチェコスロヴァキア共産党書記長兼大統領にまで登り詰めた人物である。彼は1970年代以降の「正常化体制」を体現し、この時期を考える際に無視できない。一方、彼は政治家としてのキャリアの中で浮き沈みを繰り返し、評価も大きく変動した。そのためフサークの評価をめぐる議論は今も続いている。

フサークは1913年1月にブラチスラヴァ近郊で生まれた。1933年にチェコスロヴァキア共産党（KSČ）に入党するが、チェコスロヴァキアの解体に伴い、スロヴァキア共産党（KSS）党員となった。そして、フサークは、1944年8月のスロヴァキア国民蜂起（SNP）にあたり、KSS中央委員として蜂起を指導する役回りで、政治の表舞台に登場した。蜂起が鎮圧された後、フサークはモスクワに逃れ、KSČの指導部に合流した。彼は1945年4月の臨時政府の設立とともにスロヴァキアに帰還する。

戦争直後のフサークはスロヴァキア国民会議（SNR）の要職を務め、同時にKSSによる権力掌握を目指し、民主党（DS）

の影響力削減に積極的に関わる。１９４６年秋に彼はＳＮＲ首班に就任し、さらに翌年秋のＤＳ排除にも関与した。このようにフサークは党の意向に沿って活動した一方で、連邦制導入を含めスロヴァキアの独自性を主張したため、ＫＳČ指導部はフサークに不信感を抱くようになった。

この不信感を払拭できず、フサークは１９５０年に他のＫＳＳ幹部とともにＳＮＲから解任され、54年の「ブルジョア・ナショナリスト」に対する政治裁判で終身刑の判決が下された。フサークは失脚したが、彼は獄中でも共産主義への信念を保ち続けた。

１９６０年にフサークは恩赦を受け出獄する。63年には名誉も回復され、ＳＮＰに関する著作を執筆した。『スロバキア民族蜂起の証言』（１９６４年、日本語訳は１９７８年）である。同書で彼は、共産党主導でのチェコスロヴァキアの再建と同時に、スロヴァキアの独自性を確保しようとした試みとして、ＳＮＰと彼自身の行動を説明した。60年代前半にスロヴァキア問題の解決を求める声が強まる中で、彼の著作は世論の共感を呼び、彼自身も政治裁判の試練を経た改革派人士として振る舞う。

1978年に日本語訳された『スロバキア民族蜂起の証言』
出典：神原ゆうこ所蔵、撮影

１９６８年1月にＡ・ドゥプチェクがＫＳČ第一書記に就任し「プラハの春」が始まると、フサークもチェルニーク内閣の副首相として改革を支持した。スロヴァキアの地位をめぐる問題に関しても、彼は連邦法準備委員会の議論を取り仕切った。この時期に恐らくフサークの人気はもっとも高まったが、あくまでもドゥプチェクに次ぐ存在だった。

しかし、同年8月21日のソ連およびワルシャワ条約機構軍の介入後、彼の立場は激変する。連行されたドゥプチェクらとは別に、フサークは政府代表団の一員としてモスクワに赴き、ブレジネフらソ連共産党幹部と会談したが、ここで彼は改革の撤回とソ連への従属をチェコスロヴァキア代表に説く役となった。帰国後、彼はKSS第一書記に就任し、自身もかつて支持した改革の撤回を進めた。ただ、彼も準備に携わった連邦化のみは生き残った。

翌1969年4月にフサークは、ドゥプチェクに代わるKSČ第一書記に就任し、チェコスロヴァキアの最高権力者の座に就いた（75年以降は大統領も兼任）。しかし、前任者ドゥプチェクのような人気を得ることはなく、正常化体制を体現する人物として人々の記憶に刻まれていく。

その後、フサークは1987年に党書記長から退く。さらに1989年11月にチェコスロヴァキアでも体制転換が始まった後、12月10日にフサークは大統領として、M・チャルファを首班とする共産党改革派と非共産党系の連立内閣（国民和解内閣）を任命し、これを最後の職務として、大統領を辞任した。

フサークのキャリアの中で特に解釈が難しい点は、1940年代後半のスロヴァキアで共産党が権力掌握を進める中でフサークが果たした役割（とその後の彼の失脚）への評価であり、さらには68年8月以降に改革派から「転向」し、ソ連の庇護下で正常化体制の推進役を担ったことの評価であろう。

正常化時代には当然ながら、公式的には党書記長として、また連邦化を通じてスロヴァキア問題を解決した人物として、誇張を含めた肯定的な評価が寄せられ、SNPについても彼の見解が公式解釈の線となった。体制転換後はマルクス主義的解釈を排した上で、改めてフサークの政治的行動の意味について評価する試みが始まった。その試みは近年でも続いており、例えば、2013年には科学アカデミー歴史学研究所から『グスターウ・フサーク――政治の権力、権力の政治家』と題された重厚な論文集が公刊され、彼の活動の各側面に関する分析が示された。その後も複数の研究書や一般書がチェコやスロヴァキアで相次いで出版されている。

ここではこれらの成果を詳細に紹介することはできないが、本章の締めくくりとして、体制転換後のフサーク評価（『スロヴァキアの神話』2005年所収、著者はM・バルノウスキー）に基づき、彼の行動を貫いた可能性がある3つの傾向、つまり、権力志向と共産主義への傾倒、スロヴァキア・ナショナリズムへの支持を紹介しておきたい。

権力志向については、例えば、戦争直後にKSSの権力奪取に積極的に関与した行動の背後には、権力者となる意図があったこと、さらに1968年8月の彼の「転向」もそれによって説明できると評される。一方、共産主義への傾倒は、フサークが、共産党への入党以来、生涯を通じて保持した政治信条であるが、同時にスターリン主義的な保守的な理解に留まり、それもまた正常化体制への移行を容易にしたのだとする。最後のスロヴァキア・ナショナリズムは、例えば戦後にKSČの中央集権化路線に抗してスロヴァキアの独自性を維持しようとした行動にも現れ、まさにこれが1950年代の彼の失脚の一因となった。また、1968年にも民主化よりも連邦化を優先し、ソ連からの支持を得て69年の連邦化を実現した選択を説明するものだという。

バルノウスキーの理解はフサークの行動について一定の説明を与えているが、今後も彼に関する評価の試みは続くのだろう。

（香坂直樹）

22

ビロード革命と連邦解体

★スロヴァキアを襲った２つの歴史の大波★

チェコスロヴァキアにおける社会主義体制の崩壊プロセスは、１９８９年11月17日に始まった。学生を中心としたプラハでの非暴力の街頭デモを、警官隊が手荒な暴力を用いて排除したことが直接のきっかけになった。すでにハンガリーとオーストリアのあいだの国境の鉄条網は撤去され、ベルリンの壁の劇的な崩壊があった後で、チェコスロヴァキアでも「何かが起きる」予感が漂っていたとはいえ、こうした形で体制転換が始まるとは、誰も予測していなかったに違いない。

事件の直後からチェコ側では「市民フォーラム」（ＯＦ）、スロヴァキア側では「暴力に反対する公衆」（ＶＰＮ）という、反体制派の合議組織が結成され、体制側の実務派グループと協議を重ねることで、体制転換プロセスのもっとも危険な局面を、大きな社会的混乱も流血もなく乗り切った。ビロード革命（ビロードのように滑らかな、という意味）と呼ばれる由縁である。この局面は１９８９年末に、「プラハの春」の立役者ドゥプチェクが連邦議会議長に就任し、反体制派の劇作家ヴァーツラフ・ハヴェル（１９３６～２０１１年）が大統領に選出されることで一段落した。

翌1990年初頭に、体制転換後の連邦国家におけるチェコとスロヴァキアの関係をめぐる問題が浮上した。「チェコスロヴァキア社会主義共和国」というそれまでの正式国名をどのように変更するかという議論がきっかけになった。端的に言えば、チェコ側（の大部分）は「チェコスロヴァキア」を1つの単位として理解していたのに対して、スロヴァキア側（のかなりの部分）は、「チェコ」と「スロヴァキア」という2つの単位の結合体と捉えていたという、意識の食い違いが露呈したのである。予想外の大騒ぎの後で、「チェコ及びスロヴァキア連邦共和国」という新たな正式国名が決定したのは、同年4月のことだった（コラム5参照）。

名目上とはいえ、1969年1月から連邦制度が施行されて、チェコとスロヴァキアが別個の「連邦構成共和国」を形成していたこと、さらに体制転換後に、連邦レベルから両共和国に様々な権限が委譲されて、両共和国政府が実質的な行政執行機関として機能しはじめたことも、事態の展開に大きな意味を持つことになった。1990年代初頭に相次いで解体したユーゴスラヴィア、ソ連、チェコスロヴァキアの3か国は、いずれも社会主義体制下で「構成共和国」からなる連邦制度を採用していて、各共和国は名目上ではあれ「国家の中の国家」という性格を持っていた。三国とも連邦解体後はそうした「連邦構成共和国」が、例外なくそのまま独立国家に移行した点に注目する必要があるだろう。

1990年8月からはじまった連邦国家の今後のあり方をめぐるチェコとスロヴァキア両共和国政府間の交渉が、会談を重ねるだけで目立った進展を見せなかったために、双方の市民のあいだに徒労感と苛立ちの感情が蓄積していた事実も、見落とすことはできない。チェコ側には、スロヴァキアがあくまで主権にこだわるなら、好きなようにさせたらいい、という気分が醸し出されていたし、一方、体制転換によってもたらされた経済面でのマイナスの影響が、特に顕著に感じられたスロヴァキアでは、チェコ側の経済改革の方法と進度に歩調を合わせることができない、という認識が広がっていた。こうした心理的な亀裂の広がりが、消極的にではあれ連邦解体を是認する方向に作用した可能性は大きい。

確かなのは、1992年6月の議会選挙が、連邦解体プロセスの直接の端緒であったことである。チェコ側で第一党になったヴァーツラフ・クラウス（1941）の市民民主党（ODS）と、スロヴァキア側で勝利したヴラジミール・メチアル（1942）の民主スロヴァキア運動（HZDS）は、連邦国家の今後のあり方についても経済政策の進め方についても、一致点を見出すことができなかった。皮肉なことだが両者に共通していたのは、合意できないならば連邦を解体する他はない、と決断する冷徹な政治的リアリズムだった。意志決定に際して、チェコ側は言うまでもないがスロヴァキア側においても、「独立したスロヴァキアを！」といったたぐいの素朴なナショナリズムの言説が、目立った役割を果たさなかったことは特筆にあたいする。

選挙後の両勢力の連立交渉の中で、連邦解体の可能性が急浮上し、スロヴァキア国民議会は7月17日に国家主権宣言を、9月1日にスロヴァキア共和国憲法を可決して、独立に向けた布石を打った（チェコ国民議会がチェコ共和国憲法を可決したのは12月16日）。チェコ側でもスロヴァキア側でも、市民の多くが「チェコスロヴァキア」に愛着を抱き、連邦解体を積極的に支持していなかったことは、世論調査の結果などから見ても明らかだが、解体の方向性が提示された時に、大規模な抗議行動（たとえば1989年11月の時のような）が生じなかったことも、また事実である。ビロード革命の象徴であったハヴェル大統領も、流れを変えることはできず、7月20日に辞任した。

いったん連邦解体の方向性が定まると、「どうせ解体するなら平和裡に」という気分が主流を占めて（その当時、旧ユーゴスラヴィア地域で展開されていた内戦が、反面教師として意識されていたことは疑いない）、11月23日に連邦議会で連邦解消法が可決された。そして同法で定められた手続きに則って、1992年12月31日24時に「チェコ及びスロヴァキア連邦共和国」は解体し、1993年1月1日0時にその継承国として「チェコ共和国」と「スロヴァキア共和国」が成立した。いずれの側にも「独立達成の熱気」のようなものは感じられず、市民の大部分は「チェコスロヴァキア」にある種の未練を残し、事態の展開に不満と不安を覚えながらも、独立国家への移行を黙って受け入れていった、というのが実情に近い。

連邦が解体する時点でチェコ共和国もスロヴァキア共和国も、独立国家に必要なすべての属性（憲法、議会、内閣から国家シンボルに至るまで）をすでに備えていた。連邦制度の解消が宣言されれば、それで事は足りたのである。逆説的に響くかもしれないが、社会主義体制下の1969年1月に導入された連邦制度が、連邦の解体と両共和国の独立にいたる伏線を引いた、と言えるのかもしれない。

それではなぜチェコスロヴァキアは解体したのだろうか。この難問に対して、1989～1992年の連邦解体プロセスを実証的に分析した研究書『チェコスロヴァキア分割』（第2版、プラハ、2012年）の著者であるチェコの歴史家ヤン・リフリークは、「市民の間に共通の国家アイデンティティが生まれなかったからだ」と断定している（第24章参照）。

（長與進）

1990年の国名変更プロセス

コラム5

長與進

1920年2月に定められたチェコスロヴァキア共和国 **Československá republika** という正式国名は、1938～1945年の中断期を挟んで、1948年2月に共産党体制が成立した後も、変更されることなく用いられていたが、1960年7月の新憲法採択を機会に、チェコスロヴァキア社会主義共和国 **Československá socialistická republika**（ČSSR）に改名された。さらに1968年10月の連邦法可決によって、1969年1月から連邦の枠内で、チェコ社会主義共和国 **Česká socialistická republika**（ČSR）とスロヴァキア社会主義共和国 **Slovenská socialistická republika**（SSR）という2つの「民族共和国」が成立した。

1989年11月の体制転換後、新たに選出されたヴァーツラフ・ハヴェル大統領は、翌年1月23日に正式国名の変更を提案した。このとき彼の念頭にあったのは、いずれの国名からも「社会主義」という言葉を削除することだけだった。3月1日にスロヴァキア社会主義共和国から「社会主義」の言葉が取られて、スロヴァキア共和国 **Slovenská republika**（SR）となり、次いで3月6日にチェコ社会主義共和国もチェコ共和国 **Česká republika**（ČR）に改名された。これらの決定はいずれもスムーズに可決された。

問題が生じたのは連邦レベルの国名についてである。1月のハヴェルの問題提起に対してスロヴァキア側から、チェコとスロヴァキアのあいだにハイフンを入れた形が望ましいという異議が唱えられた（コラム6参照）。一方チェコの世論は、チェコスロヴァキア共和国の復活ではほぼ一致していた。

3月29日の連邦議会は連邦の新たな国名として、チェコ語表記ではチェコスロヴァキア連邦共和国 Československá federativní republika（ČSFR）、スロヴァキア語表記ではチェコ＝スロヴァキア連邦共和国 Česko-slovenská federatívna republika（Č-SFR）という二重表記方式を採用した。

この決定に対するスロヴァキア側のチェコ側への反発は大きく、翌3月30日にブラチスラヴァで大規模な抗議デモが行われた。この時はじめて、社会主義体制崩壊後の国家体制をめぐるチェコとスロヴァキアのあいだの深刻な意識の亀裂が、公然と表明された。

事態の紛糾に対処するために、チェコ政府とスロヴァキア政府間で、両語のあいだに接続詞「及び」を入れた形を採用する合意が成立した。それに基づいて連邦議会は改めて4月20日付けで、正式国名を「チェコ及びスロヴァキア連邦共和国」Česká a Slovenská Federatívní Republika/ Česká a Slovenská Federatívna Republika（ČaSFR）に改めることを決議した。

チェコ語とスロヴァキア語の正書法規則によれば、正式国名を表記する場合、大文字は最初の語の語頭にだけ用いることになっているが、この規則が適用されると、三語目の「スロヴァキア」を意味する形容詞の語頭を、大文字にするか小文字にするかで、問題がさらに紛糾する恐れがあったので、特例として接続詞a「及び」以外のすべての語頭を、大文字表記にすることにしたのである。

しかし連邦維持に向けた涙ぐましい努力と妥協にもかかわらず、1992年末に連邦制度が解体したために、この名称は、短命に終わってしまった。

23

スロヴァキアにとってチェコスロヴァキアとは何だったのか？

――★民族の発展と民主的政治文化形成のための空間★――

第一次世界大戦末期の1918年10月28日に、チェコスロヴァキアが成立したことは、スロヴァキアとスロヴァキア人にとって近代史上もっとも重要な出来事である。

チェコスロヴァキアの成立によって歴史上で初めて、スロヴァキアの行政上の国境が生まれ、講和条約によっても確認された（1919年9月10日に調印されたオーストリアとのサンジェルマン条約と、1920年6月4日に調印されたハンガリーとのトリアノン条約）。それ以前「スロヴァキア」という名称はスロヴァキア人のあいだで、自分たちが居住する土地を指すために用いられていたが、しかし固定された国境を持たない領域で、ふつうは「タトラとドナウのあいだの土地」と呼ばれていた。第一次世界大戦後に生まれたスロヴァキアの国境は、些細な変更を加えられて、今日でもスロヴァキア共和国の国境である。

チェコスロヴァキアの成立によってスロヴァキア人は、ヨーロッパの近代的民族として自己形成することができた。それ以前スロヴァキア人は、多民族国家ハンガリー王国にエスニック集団として居住していた。しかし19世紀以降、ヨーロッパで近代的民族と国民国家（ネーション・ステート）の形成がはじまると、ハンガリーではマジャール人が優勢を占めて、彼らはハンガリーを自分たちの国民国家と宣言した。そしてその他のエスニック集団が、政治的権利を持つ独立した民族として自己形成するのを、極力妨げた。スロヴァキア人の代表は自分たちのために政治綱領を作成して、ハンガリーの連邦制国家への改編を想定していたが、マジャール人政治家は、脱民族化を強いることによってそれを妨害した。そうした状況下でスロヴァキア人には、母語で教育する初等学校さえなく、民族的文化施設も存在しなかった。スロヴァキア人は独自の資金で文化学術機関を立ち上げて、マチツァ・スロヴェンスカーと名付けたが、ハンガリー政府は同機関を廃止して、その財政資金を脱民族化の目的のために使用した。スロヴァキア人はハンガリー議会の上院に代表を持たず、成人男性の約5分の1しか投票権を持たなかった選出制の下院には、わずかな数の代表しかいなかった。413人の議員のなかで、〔ハンガリー王国の〕住民の10％を占めていたスロヴァキア人は、1906年の最大時でも6人の議員しかおらず、第一次世界大戦期に活動していたスロヴァキア人議員はひとりだけだった。

1920年憲法によるとチェコスロヴァキア共和国は、チェコ人とスロヴァキア人から構成されたチェコスロヴァキア民族の国民国家だった。こうしてスロヴァキア人はこの国家内で、当時はまだ「チェコスロヴァキア民族」という名称の下で、国家を形成する民族になった。同共和国で導入された普通選挙権のおかげで、スロヴァキア人は議会で相応しい数の代表を持った。スロヴァキア人は議員だけでなく閣僚も輩出し、1935年にミラン・ホジャという首相も出た。

チェコスロヴァキア共和国の成立後スロヴァキア人は、前例のない急激な文化的発展を遂げた。短期間のうちに、初等学校から中等学校を経て大学に至るまで、スロヴァキア語で教育する学校システムの総体が構築された。１９１９年にブラチスラヴァで、コメンスキー大学が創設された。スロヴァキア民族劇場と、その他一連の民族文化施設が生まれた。チェコスロヴァキア共和国が成立してからわずか10年後に、スロヴァキア人は民族としての形成を終えた。この現実が原因となって、スロヴァキア人の代表、特にもっとも影響力のあった政党フリンカ・スロヴァキア人民党の側から、チェコスロヴァキア共和国におけるスロヴァキアの自治要求が提出された。結局スロヴァキアは１９３８年10月に自治を獲得したが、それは同共和国が、ナチス・ドイツの側からの侵略によって脅かされていた時期だった。

　チェコスロヴァキア共和国の成立後、スロヴァキア人はほぼ20年間、民主的政治体制のもとで暮らしたが、これは民主的政治文化の形成にとって際立った意義を持った。チェコ人はオーストリア＝ハンガリーで１９０７年に、すでに普通選挙権を獲得したが、〔ハプスブルク〕君主国のハンガリー部分では選挙権は、少数の貴族、裕福な地主、企業主、教養人の特権だった。

　このことが、ヒトラー・ドイツがチェコスロヴァキア国家を解体したあと、〔スロヴァキア人が〕第二次世界大戦中にスロヴァキア民族蜂起のなかで、チェコスロヴァキア共和国復興に賛成した理由でもあった。しかしこの復興はもはや、チェコスロヴァキア民族の国民国家という形ではなく、チェコ人とスロヴァキア人という2つの兄弟民族の国家として、実現されるはずだった。

　チェコスロヴァキア共和国におけるスロヴァキアの立場の解決を目指す努力は、最終的に１９６８年にチェコ＝スロヴァキア連邦制形成において結実した。だがこの連邦制は、１９６８年に全体主義体制の民主化と自由化の努力が、ソヴィエト連邦とワルシャワ条約機構諸国の軍隊によって抑圧されたという、歴史的に好ましくない状況下で実現された。全体主義体制は、政治権力と国家経済を含む社会全体の中央集権化に基づいていたので、復活した全体主義体制の状況下では、真の連邦制は機能しなかった。

それゆえ１９８９年11月の全体主義体制崩壊後に、国家内での連邦制の機能とチェコスロヴァキア関係一般の問題が、ふたたび提起された。こうした状況下でも、スロヴァキア市民の大半が、チェコ人との共同国家維持に賛成していたことが示された。だが１９９２年〔6月〕選挙の勝者であるチェコのヴァーツラフ・クラウスと、スロヴァキアのヴラジミール・メチアルは、国民投票によって市民の同意を求めることなく、国家の解体を決定した。２００４年にチェコ共和国とスロヴァキア共和国が欧州連合（ＥＵ）に加盟した後で、両国はより大きなヨーロッパの枠組みのなかで再会した。

チェコスロヴァキアは１９９２年に解体されたが、スロヴァキアとスロヴァキア人にとってこの国家は、民族的解放と発展、さらに経済成長と民主的政治文化形成のための空間として、際立った意義を持っていた。

（ドゥシャン・コヴァーチ／長與進訳）

「チェコスロヴァキア」か「チェコ＝スロヴァキア」か

コラム6　長與進

綴り字規則で用いられるハイフン（-）といえば、2つの語をひとつに結び付けたり、ひとつの語が2行にまたがって書かれていることを示す記号にすぎない。ところがチェコとスロヴァキアの歴史では、国名を「チェコスロヴァキア」Československo とするか、それとも「チェコ＝スロヴァキア」Česko-Slovensko と書くかという問題にからんで、この記号の有無が政治的に重要な意味を帯びることになった。

ハイフンをめぐる歴史的経緯は錯綜している。「チェコスロヴァキア」という言葉の起源は比較的新しく、第一次世界大戦中の1915年頃、この国の独立運動に関連して用いられはじめたが、この時期には、両方の表記が使われていた。大戦中に帝政ロシアで編制された軍事組織では、「チェコ＝スロヴァキア軍団」の形が公式に用いられたが、一方パリに拠点を置いた独立運動組織は、「チェコスロヴァキア国民評議会」と名乗っていた。

1918年10月28日のプラハにおける独立宣言文では、「チェコスロヴァキア」と表記されたが、10月30日のスロヴァキアのマルティン宣言には、ハイフンの入った形と入らない形が併用されている。1920年2月の第一共和国憲法制定によって、ハイフンのない「チェコスロヴァキア共和国」が正式国名になったが、ミュンヘン協定後の1938年11月に第二共和国が成立すると、今度は「チェコ＝スロヴァキア共和国」のほうが正式な形とされた。

第二次世界大戦末期の1945年4月に、

チェコスロヴァキア国家が復興されると、ふたたびハイフンの入らない形の国名が復活した。その後、1948年2月から40年以上続いた共産党支配体制下の時期には、ハイフンの入らない形が用いられていたが、国外のナショナル派亡命スロヴァキア人のあいだでは、ハイフン入りの表記に固執するグループも散見された。

この問題がふたたび政治問題化したのは、1989年暮れの共産党支配体制崩壊後のことである。正式国名変更問題にからんで（この顛末については、コラム5参照）、1990年1月以降スロヴァキア側から、ハイフンを入れた形を導入するようにという提案がなされ、それに反発するチェコ側とのあいだで、「ハイフン戦争」と呼ばれるユニークな論争が展開されることになった。

綴り字規則の観点から言うと、ハイフンが入らない形は、「チェコスロヴァキア」を不可分の統一体として捉えていることを示すが、一方ハイフンが入ると、「チェコ」と「スロヴァキア」という2つの単位の結合体であることが明示される。ハイフンの有無が、チェコ人とスロヴァキア人のあいだにあった共同国家についてのイメージのずれを、図らずも露呈させる結果になってしまったのである。

この時期にスロヴァキア側は綴り字規則を改定して、「チェコ＝スロヴァキア」を正式と定めたのに対して、チェコ側は、従来のままハイフンを入れない形を使用した。結局、1992年暮れに連邦国家が解体してしまったので、「チェコ（＝）スロヴァキア」という言葉自体は過去のものになったが、歴史を語るときには、やはりこの言葉を使う必要があるので、ハイフンの問題は依然として、関係者の頭を悩ませ続けている（ちなみに本書では各筆者の判断に委ね、どちらか一方に統一することはしなかった）。

24

チェコスロヴァキア解体（1989～1992年）

★平和的分割の背景とその理由★

チェコスロヴァキア分割の主な理由は、この国家の住民の間で一度として、チェコあるいはスロヴァキアというアイデンティティよりも強固で統一された国家アイデンティティが生まれなかったからである。チェコ人は自らをチェコ人とみなし、スロヴァキア人は自分をスロヴァキア人だと考えていたため、なんらかの共通の意識が生じなかったのだ。したがって国家法上の問題は、1918年にチェコスロヴァキア国家が誕生した時からついて回り、この国家の存続の危機的瞬間には、厳格な鉄則として常に立ち現れた。解体の可能性はこの国家が誕生して以来、潜在的に存在し続けたのである。

チェコスロヴァキア解体の主な理由は、あらゆる完成された政治的なネイションが、独自の国家を確立させようとしたことにある。この国家は、連邦という枠組みのなかで単なる半独立国家という形を取り続けることはできない。なぜなら遅かれ早かれ、このような連邦の枠組みは、より弱いメンバーにとってあまりにも窮屈なものになるからである。

チェコスロヴァキア国家の消滅自体は、マルチ・ナショナルな国家という文脈において、なんら例外的なことではない。この文脈において特殊で興味深いのは、より弱いパートナー、すなわちスロヴァキア人の側で、大半の住民も、決定権を持つ政治指導部も完全な解体を望んでおらず、（少なくとも一定期間は）同盟あるいは国家連合という形で共同国家の「外見」のようなものを保ち続けるつもりだった、という事実である。それに劣らず興味深くある意味で特殊なのは、こういった緩い共同体を維持しても何の利益も得られないという理由から、より強い側、すなわちチェコ側がその維持に関心を失ったことである。チェコ側は、2つの完全に独立した国家へ平和裡に分割することを、共同体の維持よりも明確に優先した。

チェコスロヴァキアのその後の運命にとって極めて重要だったのは、1992年6月5日と6日に行われた選挙の結果だった。選挙でチェコ共和国において優勢となったのは、国家法に関する領域で「機能する連邦か、2つの完全に独立した国家へチェコスロヴァキアを平和裡に分割するか」というスローガンを掲げた、ヴァーツラフ・クラウス率いるODS（市民民主党）だった。スロヴァキアで優勢になったのはHZDS（民主スロヴァキア運動）で、国際条約を独自に締結し、諸外国と通常の外交関係を維持する権利を含む完全な主権を両共和国に与える、という綱領を掲げていた。つまり、両共和国は国際法上の独立した主体になることになっていた。

チェコスロヴァキアの消滅は、1993年以降繰り返し政治学者や歴史家の関心を呼び起こしてきた。一方で、当時からそして現在でも驚嘆を呼んでいるのは、分割に至ったその平和的な方法である。それはなにより、ほぼ同時期に起こったユーゴスラヴィアの血生臭い終焉とは対照的であった。また、両共和国がチェコスロヴァキア分割の前に一連の協定を締結し、双方の間で標準以上の関係を作り上げたという現実も肯定的に評価された。こういった現実は、特に1991年に崩壊した旧ソ連を構成していた諸共和国の関係と比較しても優れている。しかし他方で現在まで問題視されているのは、チェコスロヴァキアが分割された方法それ自体である。1991年7月18日に可決された憲法法律が国民投票を明らかに指示しているにもかかわらず、分割は国民投票を経ずに行われたのである。この文脈で強調されるのは、全ての世論調査において、両共和国の有権者の大半が共同国家の維持を支持していたことである。

もっとも、これは部分的な事実に過ぎない。両共和国の市民は「共同国家」という概念のもとで全く異なるものを想像していたのだ。「共同国家」という概念からチェコ人は両大戦間期の第一共和国をモデルとする単一国家か、1968年の連邦法をモデルとする従来の連邦をイメージし、スロヴァキア人は同盟または国家連合、つまり不完全で、互いに制限しあう主権を持った2つの国家を思い描いていたのである。同じ理由で、1992年にチェコスロヴァキア解体を承認するための国民投票も実施されなかった。

平和裡に分割が行われた理由と国民投票の問題については、もう少し詳しい説明が必要だろう。チェコ共和国とスロヴァキア共和国の間には国境紛争がなかった。スロヴァキアとチェコの国境は、チェコ国家とハンガリー王国の間にあった旧国境と同一であり、それは中世から変わることなく存在してきた。また、チェコ共和国に住むスロヴァキア人とスロヴァキア共和国に住むチェコ人はディアスポラを形成しており、いかなる特別な要求も持っていない。したがって、チェコスロヴァキアの場合、国境紛争問題はなく、1991年から1995年にかけてユーゴスラヴィア内戦を引き起こした諸要因、すなわち新たに生じた少数民族の問題も存在しなかったのだ。しかし、ユーゴスラヴィアと比較すると、もうひとつ本質的な違いがあった。ユーゴスラヴィアでは、スロボダン・ミロシェヴィチ大統領が、何としても、すなわち軍隊を用いてでも国家を維持しようと努め、それが不可能なことが明らかになると、セルビア人居住地域の維持に全力を注いだ。これに対し、1992年夏以降にチェコ共和国を統治したチェコの右派は、チェコスロヴァキアの維持に関心を失った。また、全国規模で実施される急進的な経済改革をプラハの政府が実現できないような同盟や国家連合を、右派は受け入れるつもりはなかった。さらに、チェコで支配的な地位にあった勢力も、チェコの地政学的状況の変化を意識していた。1918年、「建国の父たち」であるトマーシュ・ガリク・マサリク、エドヴァルト・ベネシュ、ミラン・ラスチスラウ・シチェファーニクは、スロヴァキアを、ドイツによる包囲網からロシア方面への必要な回廊として捉えていた。しかし、1992年の地政学的な状況は全く異なっていた。1945年以降、ドイツ人が追放されたため、チェコ諸邦にはドイツ人が住んでおらず、オーストリア人は独自のアイデンティティを獲得した。また、北方ではチェコ諸邦はポーランドと国境を接し、統一されたドイツとの関係も非常に良好であった。仮想敵国はもはやドイツではなく、ロシアだった。言うまでもなく、このような状況では東方への回廊は不要であるばかりか、反対に望ましくないものだったのである。チェコ右派の構想の中で、スロヴァキアは新たな役割を得た。それは、チェコ共和国と不安定な東欧（この場合はロシアとウクライナを指す）の間の緩衝国となることであった。

結論として言うべきことは、諸国家は来たりて去り、その場所には新たな国家が生じる、ということだろう。もちろんそれは、チェコスロヴァキアにも当てはまる。（ヤン・リフリーク／佐藤ひとみ訳）

25

地方における体制転換

★「静かな村落」の人々の実態★

チェコスロヴァキアにおいて、1989年11月以降の抗議活動から政権交代までの一連の過程は、大きな衝突を引き起こさずに済んだことから「ビロード革命」と呼ばれている。1989年11月にはじまった体制転換は、首都プラハの学生デモと、それに続く市民の抗議活動がひとつの引き金となった。11月17日にプラハで起きた学生デモと警察の衝突は、当時の現地メディアに大きく取り上げられることはなかったが、外国のメディアを通じて事件を知った人々を通じて、数日のうちにチェコスロヴァキア各地の都市へと抗議活動が広がった。スロヴァキアの中部や東部の地方都市でも、当時、抗議活動に関わった人を探すのはそれほど難しくない。現在、この11月17日は「自由と民主主義のための闘いの日」として、祝日となっている（なお、ブラチスラヴァではその前日の11月16日にも、大学生が抗議活動を行っており、大統領官邸そばの地下道には「1989年11月16日の学生の地下道」とプレートが掲げられている）。しかしながら、人口の少ない村落となると「あれは都市の出来事であって、当時の村は静かだった」と、やや異なる状況が語られるようになる。体制転換は、写真や映像に残る都市の人々の抗議活動の姿で、象徴的に語られがちであるが、地方の村落ではどのように受け止められたのだろうか。

そもそも、１９８９年の時点で都市に存在した体制変転への熱狂は、必ずしも村落の人々に共有されていたとは限らず、体制転換後の選挙でも、社会主義時代と同じ村長や村議会議員が選ばれた村は珍しくはなかった。さらに、体制転換後しばらくすると、スロヴァキアは政治的混乱に陥り、市場

ブラチスラヴァのSNP広場に面した建物につけられた銘板。「自由を勝ち取ったものだけが、自由の価値に値する」と書かれている

出典：2022年、著者撮影

経済への移行の過程で多くの人々の生活が圧迫され始めたため、体制転換を支持していた人々でさえ、失望を語らざるを得ない状況に陥った。統一農業組合（ＪＲＤ）の解体や、社会主義時代に建設された地方の工場の閉鎖など、市場経済の導入が村落の人々の生活に与えた打撃は大きく、村落は「負け組」の象徴としてみなされるようになった。このような社会の変化のなかで、スロヴァキアの村落は、体制転換後の社会に懐疑的で、いつまでも社会主義時代の価値観にしがみつく人々が居住する地域とみなされるようになったのである。もちろん、実際には、都市にも村落にも体制転換に賛同しなかった者はおり、両者を単純に二項対立的に分類することはできない。１９８９年当時、仕事先のある都市では抗議活動に加わったけれど、自宅のある村落では特に何もしなかったという人もいた。ただし、概し

て村落では、1989年に体制転換に賛同するような活動は行われず、2000年代に実施された社会調査でも、社会主義時代を肯定的にとらえる人が多いことが示されている。

筆者は2000年代前半に、西部スロヴァキアの複数の村落でフィールドワーク調査をする機会に恵まれたが、そのうちのひとつの村落では、1989年に体制転換に賛同する運動が展開されていた。当時運動を担っていた人々自身も、自分たちのような存在は珍しかったことを自覚しており、郡庁所在地の町よりも早く抗議活動を始めたことを、誇らしげに語った。人口2000人程度の村落で少数の若者が始めた抗議活動は、最大300名近い賛同者を集め、人々は村役場のそばの広場に定期的に集まるようになった。この村では体制転換後初となる1990年6月の自由選挙で、抗議活動に理解を示していた村長以外、ほとんどの村議会議員が体制転換を支持する政党である「暴力に反対する公衆（VPN）」や「キリスト教民主運動（KDH）」に属した候補者に入れ替わった。しかし、当時の抗議活動の中心人物やその周辺の人々は、対立する立場の人々からの嫌がらせもあったと語っており、運動を継続するためには強い意志が必要だったようだ。逆に言えば、「静かな村落」の背景には、狭い人間関係のなかで、自分の政治的立場を表明することにリスクを感じた多くの人々がいたと考えられる。

このような状況において興味深いのは、体制転換に賛同する立場を表明する人々のなかに、キリスト教徒であることを強調する人々が一定数いたことである。スロヴァキアはカトリックを信仰する人が過半数を占め、隣国のポーランドほどではないにしろ、教会に定期的に通う人も多い国である。社会主義時代もキリスト教の主要な宗派は、活動を継続できており、教会は洗礼、結婚、葬送と、人々の人生の節目に関わり続けてきた。ただし、宗教活動は奨励されるものではなく、教会外での信者の活動などには制限があった。そのため、チェコに比較して信仰心の篤い人が多いスロヴァキアでは、信者の間で社会主義体制への批判が共有されていた。体制転換前の1988年3月25日には、首都ブラチスラヴァで宗教活動の自由の拡大を求めて1万人近い人々が集まっており（いわゆるロウソク・デモ）、キリスト教の教会関係者と信者は政治的に大きな存在感を持っていた。熱心な信者が多い村落において、信仰を理由に体制転換に賛同することは、政治的な立場の差が明白になる民主主義や自由への賛同を理由とするよりも、周囲の理解を得やすかったのではないかと予想される。

もうひとつ、地方における体制転換という点で特徴的な地域として、スロヴァキア南部を挙げておきたい。ハンガリーと国境を接するこの地域は、ハンガリー系のマイノリティが多数居住している。スロヴァキア有数の農業地帯で、多くの村落が点在するにもかかわらず、この地域は世論調査結果などをみても、体制転換以降の価値観を支持する傾向が強い。その理由としては、ハンガリー系の人々は、体制転換を機に民族的マイノリティとしての立場が向上することへの期待があったこと、またチェコスロヴァキアより先に改革を進めていたハンガリーの政治状況について、情報に接する機会が多かったことが挙げられる。社会主義時代の反体制派（ディシデント）のなかには、ハンガリー系マイノリティの地位向上のための活動を行う人々も含まれており、体制転換後の社会に対して、スロヴァキア系の村落の人々よりも、希望を抱くことができる状況にあったといえる。

（神原ゆうこ）

26

スロヴァキア政治

★人気と腐敗とEU指向と★

スロヴァキア政治は日本人には案外わかりやすいのではないだろうか。ヴラジミール・メチアルやロベルト・フィツォは、国の経済発展にも努力するが、新しい変革の波に乗り損ねている地方の人々へのサービスも忘れず、庶民に親しみやすい、親分肌のキャラクター、文化的には保守的、というスタンスで、人々の支持を集めた。その陰で、本人と取り巻きが国家経営から甘い汁を吸っていることも、周知の事実であった。スロヴァキア政治には、メチアル的、フィツォ的な政治と、政治のクリーンさや法の支配、人権についてEU的な基準を看板に掲げる勢力が対抗しあうダイナミズムが見られる。もっとも、後者も腐敗をまぬがれていないなど、事態は複雑である。

メチアルの1990年代

1992年末の連邦解体まで、スロヴァキア政治の焦点は、チェコスロヴァキア連邦制度、チェコとの関係をどうするか、という点にあった。独立国家となることでその争点が解消すると、他には明確な政治的対立軸がない状態が生まれたのである。何よりも、主権国家としてのスロヴァキアの成立を主導し、首相となったメチアルと、彼の政党である民主スロヴァキア運動（HZDS）が、経済政策のうえでは強く市場志向でもなければ、国家介入主義でもなく、緩やかに民営化を進める路線をとり、ナショナリズムの立場に立ちつつ、あからさまなマイノリティ攻撃はスロヴァキア国民党（SNS）に任せるという、「真ん中あたり」の政治的立場をとったことで、多くの国民の支持を集めた。

1998年選挙とズリンダ政権

しかし、メチアルの独断的な政治スタイルから、徐々に反メチアルの動きが生まれ、民営化をめぐる疑惑も指摘されるようになった。初代大統領ミハル・コヴァーチとの確執は、メチアル側の法の支配に反する行動にまで及び、EU、NATO加盟に赤信号が点る。1998年選挙は、メチアル対親EU、リベラル、クリーン路線の対決となり、反メチアル陣営の小党がスロヴァキア民主連合（SDK）に結集した。HZDSとSDKはほぼ互角の支持を集め、HZDSが1議席上回ったが、連合政権のパートナーを得ることができず、SDKのミクラーシ・ズリンダが首相となる。

ズリンダ政権の誕生はEU、NATOにも評価・歓迎され、スロヴァキアは2004年にEU、NATO加盟を実現した。経済的には均等税（フラットタックス）の導入、外国資本の誘致など市場志向の経済政策を進め、ハンガリー系、ロマ系マイノリティとの融和も進展した。

フィツォの「方向」政権

それに挑戦したのがフィツォであった。共産党の後継政党である民主左派党（SDĽ）の政治家として頭角を現したフィツォは、1998年選挙では反メチアル陣営に加わったが、その後1999年に新党「方向（スメル）」を立ち上げた。同党は民主左派党などの左派政党を吸収し、「方向（スメル）＝社会民主主義」と党名を改め、2006年の選挙では第一党となり、フィツォを首相とする政権が成立した。

フィツォ政府を中道左派政権とする見解もある。確かに、フィツォは年金生活者や低所得層、失業の脅威を感じる人々にとって有利な政策を実施したが、ズリンダ政権のEU圏、市場志向の経済政策も引き継ぎ、2009年にはヴィシェグラード4国（ポーランド、チェコ、スロヴァキア、ハンガリー）の中で最初に、EUの共通通貨ユーロの導入も実現した。その一方で、連合政権を形成するスロヴァキア国民党の意をくみ、ハンガリー系マイノリティの言語使用にスロヴァキア語併記を求める改正国家語法を制定するなど、ナショナリスト的な側面も示した。

2010年の選挙でも「方向」は議席数を増やしたが、連合パートナーのスロヴァキア国民党が議席を失った結果、スロヴァキア民主キリスト教同盟（SDKÚ）のイヴェタ・ラジチョヴァーが中道右派政権を組織し、フィツォは下野した。ところが中道右派政権は、ギリシャの金融危機への対応策をめぐる与党間対立で崩壊し、2012年の繰り上げ選挙では「方向」が単独過半数をとって、政権の座に返り咲いた。

「方向」への支持は強固であったが、2018年、「方向」と反社会的ビジネスとのつながりを追っていた、ジャーナリストのヤーン・クツィアクとフィアンセが暗殺されたことが、変化のきっかけとなる。これを機に「方向」への批判が噴出して、フィツォは辞任した。

チャプトヴァー大統領と新党

フィッツォと彼を取り巻く政治集団の腐敗や、官僚、司法の忖度が暴かれるなか、2019年の大統領選挙は、フィッツォか反フィッツォかで国民を二分するものとなった。人権問題の市民活動家ズザナ・チャプトヴァーは、腐敗やスキャンダルにまみれたスロヴァキアのこれまでの政治家とは異なる、新しい世代の政治家像を打ち出し、旧社会主義圏では珍しい女性のトップ政治家となった。しかし、彼女の所属する政党「進歩的スロヴァキア」（PS）は2020年の選挙では議席を得られず、首相となったのは「普通の人々（OĽaNO）」を率いたイゴル・マトヴィチであった。マトヴィチは地方メディアの経営者出身で、彼の主張も、腐敗を批判し、新しい政治を目指すというもので、多くの支持と期待を集めた。当選後、国家公務員の入れ替えなど大胆な腐敗対策も実施したが、場当たり的にスポットライトを浴びることを求め続ける政治スタイルに、コロナ禍が重なり人気は急降下した。2021年4月にエドゥアルト・ヘゲルに首相を交代するも、2022年10月に内閣は不信任を受け、2023年9月に繰り上げ選挙が予定されている。

スロヴァキア政治は、「普通の人々」以外にも、リハルト・スリーク率いるリベラル政党の「自由と連帯（SaS）」、「方向」から離脱したペテル・ペレグリニが立ち上げた、左派ポピュリスト政党の「声―社会民主主義（HLAS–SD）」、ボリス・コラールの保守ポピュリスト政党「我々は家族（Sme rodina）」、欧州議会副議長のミハル・シメチカが立ち上げた「進歩的スロヴァキア」など、多数の新党がひしめいている。なお一部の厚い支持をうける「方向」とこれらの政党の間で、有権者がどのような判断を下すのか、政権連合がどうなるのか、予測ができない状況が続いている。

（中田瑞穂）

コラム7

ヴラジミール・メチアルとは何者だったのか？

中田瑞穂

ヴラジミール・メチアルは連邦解体の立役者であり、スロヴァキアの建国の父としての座を獲得してもおかしくはないはずである。実際、そう考えて支持する人は今もいるだろう。しかし、メチアルに対しては泥棒、犯罪者というような激しい批判も根強い。

メチアルは1942年、スロヴァキア中部のジェトヴァで生まれた。中等教育終了後、地方の国民委員会や青少年団体で働いたのち、兵役を経て、ブラチスラヴァのコメンスキー大学で法律を学んだ。企業法律家として働いていた時に1989年の体制転換が起こり、「暴力に反対する公衆」のメンバーとなり、47歳でスロヴァキアの内相、1990年6月には首相のポストを得たところから、彼の政治家としてのキャリアが始まる。1991年には民主スロヴァキア運動（HZDS）を立ち上げ、1992年6月選挙で同運動が第一党となったためスロヴァキア側の首相に就任し、チェコ側の首相となったヴァーツラフ・クラウスとの交渉で連邦解体を決めた。

1994年春にはHZDS内の分裂と、同運動出身の大統領ミハル・コヴァーチによるメチアル政権批判で、メチアルはいったん下野を余儀なくされたが、国民の間でのメチアルの人気は高く、その秋の選挙でHZDSが約35％の得票を得て、首相に返り咲いた。その後も、メチアルの強引な政治運営や政府のプロパガンダ手段としての国営メディアの利用、社会主義時代の国営企業の民営化をめぐる疑惑などが批判の的となり、反メチアル勢力が頼るところとなったコヴァーチ大統領とメチアル首相の確執は、大統領の息子の誘拐事件にまで発展した。メチアルは、誘拐事件の捜査を妨害し、1998年3月のコヴァーチ大統領の任期終了後、新大統領の選出を妨げ、自ら大統領職を代行する。そして同月、誘拐事件と、事件の目撃証人を国外に逃がしたローベルト・レミアーシの爆殺事件について嫌疑をかけられたスロヴァキア情報局長官イヴァン・レクサに、大統領代行として恩赦（いわゆるメチアル恩赦）を与えた。

1993年、スロヴァキアの首相としてドロール欧州委員長と会うメチアル（左）
出典：European Communities (Audiovisual Service)

それにもかかわらず、メチアルこそが、新生スロヴァキアの信頼できる守護者であるというイメージは広く受け入れられていた。それは、フェドル・フラシークのような政治的マーケティングのプロの手腕だったのかもしれない。当時の映像を見ると、メチアルが話すときには必ず隣で金髪の女性がうなずき、地方のおばちゃん、おばあちゃんがメチアルを称えるシーンが挟まれていた。力強い男性に守られる女性というイメージ戦略は、陳腐だが効果的だった。

しかし、そういうマーケティングの枠に収まらない不思議さが、ポピュリストとしてのメチアルの面目躍如な点である。メチアルの政治を「抑制なき政治」と呼んだジャーナリスト、マリアーン・レシコによると、メチアルは言ってはいけないことを話してしまい、糊塗するためにさらにしゃべって嘘を重ねてしまう。元ボクサーでもあり、筋トレも欠かさないメチアルは、政治家とは思えない広い肩幅の持ち主だが、体つきに似合わない、神経質な早口の内容は論理的には破綻していた。競合する政党の政治家とはもちろん、コヴァーチを含め身近な政治家とも次々と衝突し、不毛な闘いを続けた。反メチアルの不当な攻撃が行われているとして、自分こそが犠牲者であると訴えた。身内にはやさしくもあり、民営化された元国営企業が仲間にまんべんなく行き渡るように気遣った。

1998年選挙ではHZDSは第一党となったものの、メチアル包囲網ともいうべき野党連合に連合形成を阻止されて退陣する際、首相としての最後のテレビ出演で、最後に一言と言われて「さようなら、傷つけはしなかった。あなた方の誰も」と歌ったが、それはメチアルの本心だったのかもしれない。

27

体制転換後のスロヴァキアの地方自治

★中央集権か地方分権かをめぐって★

体制転換後、最初の地方選挙は、チェコスロヴァキア連邦制解体前の1990年11月に実施された。共産党支配が崩壊した前年末以降、連邦や共和国レベル同様に、地方でも民主化が進められ、まずは反体制派の主導によって、地方に設置された代議機関のメンバーが非共産党勢力に入れ替えられた。続いて、憲法改正による地方自治の保障や地方自治の詳細を定める法律の制定が行われ、それらに基づいて、最も住民に身近な基礎単位であるオベツ（日本の市町村に相当）に地方自治が導入された。自治体となったオベツでは、その長と議会の選挙が行われるようになった。

そもそも社会主義体制下では、オベツをはじめとして、地方には多層にわたる行政単位が存在したが、各単位の組織は国家行政や共産党組織からの独立性を有しておらず、地方自治は実質的に存在しなかった。そこでは、連邦政府と共産党中央を頂点とするピラミッド型の統治体制が構築されており、行政の末端にまで浸透する共産党支配の下、下位の単位は上位の単位に従属していた。それゆえ、民主化の過程では、中央集権的な統治のあり方を解体することが喫緊の課題となったのである。

連邦制の解体に伴い、1993年にスロヴァキアは独立国家としての歩みを始めるが、独立前の1992年9月に制定された新憲法は、世界的にみても画期的なものであった。新憲法では、日本を含む多くの国とは異なり、国の統治機構に関する章よりも前に、地方自治に関する章が置かれたのである。しかし、その後の地方自治の展開は順風満帆ではなく、むしろ自治を制約しようとする動きが目立った。1990年代を通して、地方自治体の予算や権限は、同時期に民主化を果たした周辺諸国と比較しても少なく、代わって、地方で国の行政活動を担う出先機関のネットワークが全国の隅々にまで張りめぐらされた。いわば、社会主義時代とは異なる形で、中央集権が加速したのである。

とりわけ、体制転換後の地方自治において大きな課題となったのが、広域自治体の設置問題であった。前述の新憲法は、1990年に自治体化したオベツ（基礎自治体）を地方自治の基本単位としつつも、将来的にオベツより広い範囲での行政を担う広域自治体を設置することを意図していた。また、十分な行財政能力を持たない小規模なオベツが多いという背景から、民主化の進展に伴う行政需要の高まりの中で、広域自治体の設置は切迫した問題となっていた。ところが、社会主義時代の集権的な地方制度への反感や政治的な利害対立によって、広域自治体の設置は遅々として進まなかった。事態が急転したのは、民主スロヴァキア運動を中心として、1994年に発足した第3次メチアル政権下であった。同政権下の1996年春に、国会で与党の賛成多数により、広域レベルに県と郡を新設する法案が可決されたのである。

ところが、ここでの県と郡は、公選制の議会や国からの独立性を有する広域自治体ではなく、既存の国の出先機関を再編統合して設置されるものであり、あくまでも国の組織であった。そのため、野党や地方自治体の連合組織は、県・郡の設置が中央集権を強めるものであり、与党の政治的影響力の拡大を狙った政治性の強い改革であるとして猛反発する。その後、メチアル首相と対立関係にあったコヴァーチ大統領によって、一旦法案は議会に差し戻されたが、最終的には議会で多数派の与党による再可決を経て、8つの県と79の郡が新設された。これらの行政組織は、国防から社会福祉や文化教育に至るまで多様な事務を担う上、従来の出先機関と比較しても強い権限が与えられたほか、組織の幹部には与党に近い人物が任命された。また、その予算規模はすべての地方自治体をあわせた額を上回り、職員数も地方自治体のそれと同様の規模であるなど、大規模なものであった。

広域自治体の設置が実現したのは、続く第1次ズリンダ政権下であった。反メチアルで結束した複数の政党が参加した同政権の喫緊の課題は、前政権期に停滞していたEU加盟交渉を進展させることであり、EU側からは行政改革の遅れを警告されていた。そして行政改革の本丸が、肥大化した国の行政のスリム化と地方分権改革の遂行であった。しかし、連立与党内の各党は、広域自治体の設置や地方分権の実施という大枠では合意しつつも、その中身については意見が一致していなかった。そのため、野党の動向に加え、連立与党内の左派と右派との利害の異同、連立政権に参加する少数民族政党であるハンガリー人政党の意向が複雑に交錯し、与野党間のみならず、与党内の対立が顕在化した。特に、各党間の対立の火種となったのが、新設する広域自治体の数と境界の問題であった。当初の政府案は、12の広域自治体を設置するものであったが、採決時に与党の一部が反対し、最終的には、野党案に与党の一部が賛成する形で、既存の県と同じ範囲に8つの広域自治体を設置することになった。その後、2002年に広域自治体が正式に発足し、数年をかけて国から広域自治体とオベツに、権限

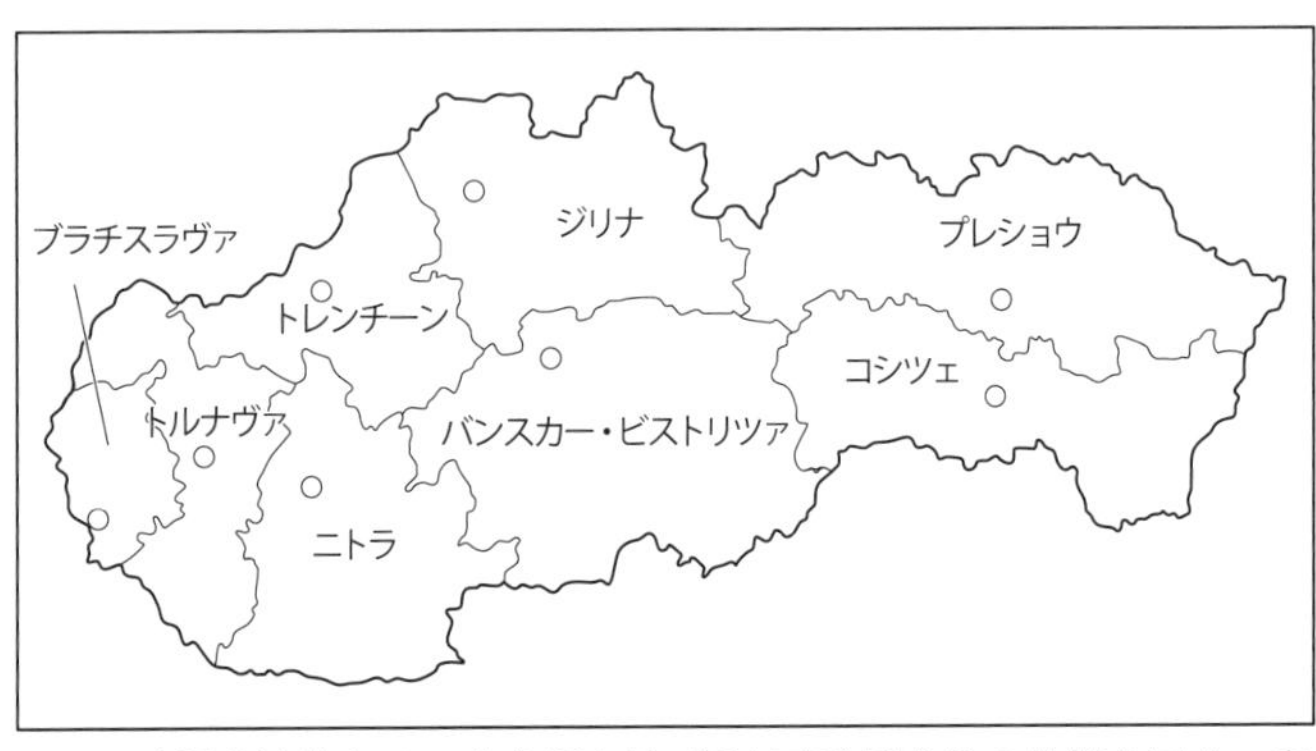

８つの広域自治体とその庁舎所在地（〇は庁舎所在地の位置を示す。広域自治体の名前と庁舎所在地の都市名はすべて同じ）

や財源が移譲された。その結果、地方自治体の歳出は改革前と比較して3倍以上に増加し、国全体の行政の中での地方の役割は大きく向上した。

とはいえ、地方自治体は国からの自律性を十分に獲得したわけではなく、その後も国の行政と地方自治の関係が度々問題となっている。２００６年以降、数回にわたって首相に就任したフィツォ率いるスメル政権下でも、中央集権化を加速させる改革が実施された。スロヴァキアの地方自治は、確立に向けた途上にあるといえよう。

さて、以上で触れたように、スロヴァキアの地方自治は2層から構成される。ひとつは広域自治体で、全国に８つある。もうひとつは基礎自治体のオベツで、その数は２８９０（２０２２年現在。ブラチスラヴァとコシツェの都市地区を除く）に上る。オベツの約95％は、人口が５０００人に満たず、５００人未満のオベツも全体の約4割を占める。小規模なオベツが大半を占めるため、広域自治体による行政活動の補完に加えて、複数のオベツが共同で事務を実施する自治体間協力が活発に行われている。

（須川忠輝）

28

スロヴァキア経済の30年

――★社会主義経済下の後進地域から「欧州のデトロイト」へ★――

１９９３年の独立時、スロヴァキアが「欧州のデトロイト」と称される自動車生産大国に成長することを誰が予想できただろうか。２０２２年の1人当たり名目ＧＤＰは約2万ユーロ（ＥＵ平均は約3万５０００ユーロ、チェコは約2万６０００ユーロ）に至ったが、社会主義経済下では後進地域の扱いで、大規模な工業投資も行われたものの、東側陣営のコメコン（経済相互援助会議）向けの武器や金属工業、ソ連からのパイプライン供給での石油化学工業が主で、コメコン解体と体制転換で経済不振となる中での独立であった。

自動車大国に至る時期までを経済政策の展開からみると、一時の中断を除いて１９９８年まで続いたメチアル政権は、拡張的財政政策で景気を刺激する一方、国有企業の私有化では、銀行と戦略上重要な企業を除外した直接売却を進め、その過程の不透明さと政権による私物化が問題となった。一方で、鉄鋼など西欧向け素材輸出やインフラ整備での内需拡大で、１９９４～97年は年５％を超える予想外に高い成長率を記録した。家賃、エネルギーなど統制価格の自由化を遅らせたことなどで、物価も比較的安定して推移した。しかし銀行の国有企業向け融資等が不良債権問題を深刻化させ、財政赤字、経常赤字の悪化から1998年に通貨危機に陥った。

1998年からの4党連立でのズリンダ政権は、EU加盟へ向けて抜本的な自由主義的改革にシフトした。私有化を促進し、外資の積極導入に転じ、金融部門では不良債権処理を経て大手3大銀行をオーストリア、イタリア、ハンガリー資本に、通信事業はドイツテレコムに、ガスは独仏コンソーシアムに売却した。税制では簡潔化・公平性等を目的に、個人所得税、法人税、付加価値税を一律19%とする「フラット・タックス」を採用した。社会保障では3層の年金制度、健康保険改革など自由主義の要素を取り入れた。税制面での改革や優遇策、雇用創出への補助金などのインセンティブに加え、良好なマクロ経済環境にも支えられて、直接投資が急増して成長軌道に乗り、2004年にはEU加盟が実現する。しかし改革の痛みもあって2006年総選挙では与党が敗北した。

政権交代後のフィツォ政権下では、最低賃金引き上げや年金制度等で自由主義路線が修正された。また「リーマンショック」後の世界的景気後退の影響で、2009年はマイナス成長に陥り、EUから過剰財政赤字是正手続が勧告された。2010年総選挙を経てラジチョヴァー首班の連立政権は、失業率の改善等を目的に自由主義路線へ再修正する労働法改正を図った。2011年10月、ユーロ圏危機（いわゆるギリシャ金融危機）対応をめぐる与野党対立後の総選挙を経て、フィツォが首相に再登板すると、財政再建を名目とした個人所得税、法人所得税率の引き上げでフラット・タックスが廃止され、銀行税増税や保険業への特別税導入等で自由主義的改革は大きく修正された。それでも直接投資の流入は続き、2009年1月のユーロ圏入りもあって、2010年代半ばには自動車・電機が輸出を牽引する産業構造に変わり、財・サービス輸出額の対GDP比はOECD（経済協力開発機構）平均の倍近い約95％に至った。

通貨・金融制度では、独立時のチェコとの通貨同盟はスロヴァキア経済の弱さから早々に断念され、1993年2月に約10％切り下げた相場でスロヴァキア・コルナを導入した（当初、新紙幣印刷が間に合わず、チェコスロヴァキア・コルナ紙幣にシールを貼付して流通させた）。その後ドイツ・マルク等の通貨バスケットに対する固定相場制の下、政府の統制もあり、物価は他の移行国と比べて安定して推移したが、経常収支の赤字等に起因した通貨危機により、1998年に固定相場制を放棄した。EU加盟後は速やかなユーロ導入が求められることから、国立銀行は2004年にユーロの前段階であるERMⅡ（欧州為替相場メカニズムⅡ）参加へ向けた戦略を発表、金融政策では2008年までに消費者物価を前年比増加率2％に下げていくインフレ・ターゲティングを採用した。2005年にはERMⅡに前倒しで参加し、2009年1月ユーロ導入が実現した。ユーロ圏の物価低落傾向等を反映して、2019年までにインフレ率は1％台にまで下落した。

銀行部門は、独立時は国有大手3行が支配的だったが、国有企業への政治的な貸付等から不良債権が増大した。他方市場経済化で新設された中小銀行は、その多くが関連企業や政府機関などを母体とし、その関係者向け融資による「ポケットバンク」問題が生じていた。1998年には不良債権が銀行総資産比22％にまで悪化、1999年には中小9行が破綻処理された。大手銀行も、資本注入と不良債権の「整理銀行」への売却等の処理策を経て、2001年以降西欧系銀行へ売却された。一連の改革で銀行部門は2000年以降黒字を計上している。主要銀行は外資の傘下に入ったが、貸出は国内貯蓄でカヴァーされており、ユーロ危機でも金融システムへの影響は小さく、健全性は維持されてきた。

ジリナ市の起亜（KIA）の自動車生産工場
出典：2023年、筆者撮影

住宅金融を主とする「第一建設貯蓄銀行」ジリナ支店
出典：2023年、筆者撮影

ただし可処分所得の増加と歴史的なユーロ圏の低金利（2018～2019年の国内住宅ローン金利は平均1・5％）は住宅ローンブームを招き、2020年には銀行総貸出の半分を住宅ローンが占めるに至り、金融市場の潜在的なリスクとなっている。住宅価格、家計の銀行債務対GDP比率が2010年から10年で約2倍となる中で、国立銀行も2018年から住宅向け貸出への監督を強め、2022年には借り手の退職年齢に合わせた貸出制限を課すなどの対策を講じている。

人口1000人当たり自動車生産台数が世界一（2021年時点で184台）になるなど、成長の原動力となった直接投資だが、その流入の背景には、政府系機関として2001年に設置した投資貿易開発庁（SARIO）による誘致活動や、低い法人税率、安価な用地提供、新規雇用創出への補助金などのインセンティブに加え、相対的に他の中欧諸国よりも低い労働コスト、製造業の熟練度、高い教育水準、労働争議の少なさ、西欧への地理的近接性、比較的発達した交通インフラが挙げられる。メチアル政権期のフォルクスワーゲン（ドイツ）が先鞭となった外資系自動車メーカーの進出は、プジョー・シトロエン（フランス）、起亜（ＫＩＡ、韓国）と続き、国内企業への技術移転、世界的なヴァリューチェーン（価値連鎖）への統合で、市場経済化の進展、雇用改善の好循環も生んだ。労働生産性も世界銀行推計で、１９９５年から２００９年までの間に平均２・８％上昇した。２０２１年時点で自動車産業は関連分野も含め雇用の３・５％、付加価値生産総額の11％を占め、ボルボ（スウェーデン）はコシツェ近郊でのＥＶ（電気自動車）生産工場稼働（２０２４年）を公表している。ただし製造業は依然として、主要部品の供給の多くを海外に依存した組立加工が主で、国内の付加価値生産分は相対的に小さく、生産性上昇も頭打ちとなり、２０２１年の半導体等の世界的な供給制約が打撃となるなど、ＤＸ（デジタルトランスフォーメーション）の進展やＥＶシフトとも相俟って、これまでの成長軌道の脆さも露呈してきている。

（松澤祐介）

スロヴァキアの鉄道

コラム8

松澤祐介

スロヴァキアはヨーロッパのちょっとした鉄道大国である。路面電車や索道（ロープウェイ）等を除いた営業路線は約3580キロ、1000平方キロ当たり73キロあまりの密度は、地下鉄や路面電車も含めた日本（約73キロ）に匹敵し、EU加盟国では第6位（ちなみに1位はチェコで約120キロ！）の稠密さを誇る。歯軌条（シュトループ式）区間のシトルプスケー・プレソ線、温泉地トレンチアンスケ・チェプリツェに向かうナローゲージ電車（軌間760ミリメートル、現在は夏季のみ運転）や、社会主義時代のユニークなデザインの車両など、見所も多い。

鉄道経営は、1993年にチェコスロヴァキア国鉄から（旧）スロヴァキア鉄道が発足、2002年には「スロヴァキア鉄道の再建転換計画」によって、インフラ保有と列車運行部門に「上下分離」し、各国の事業者に路線を開放する「オープンアクセス」を保証して、2005年までにインフラ部門の（現）スロヴァキア鉄道（ZSR）、旅客輸送のスロヴァキア旅客鉄道株式会社（ZSSK）、貨物輸送のスロヴァキア貨物株式会社に分割された。

上下分離はEUの鉄道政策の要で、市場性のある都市間輸送では複数事業者の参入による競争促進を、採算の取れない地方路線には「公共サービス義務（public service obligation、PSO契約）」として、競争入札等を通じた最も効率的な（＝補助金額の少ない）運行業者選定を義務付けている。旅客輸送ではZSSKのほか、チェコ資本のRegioJet、LeoExpress（後者は

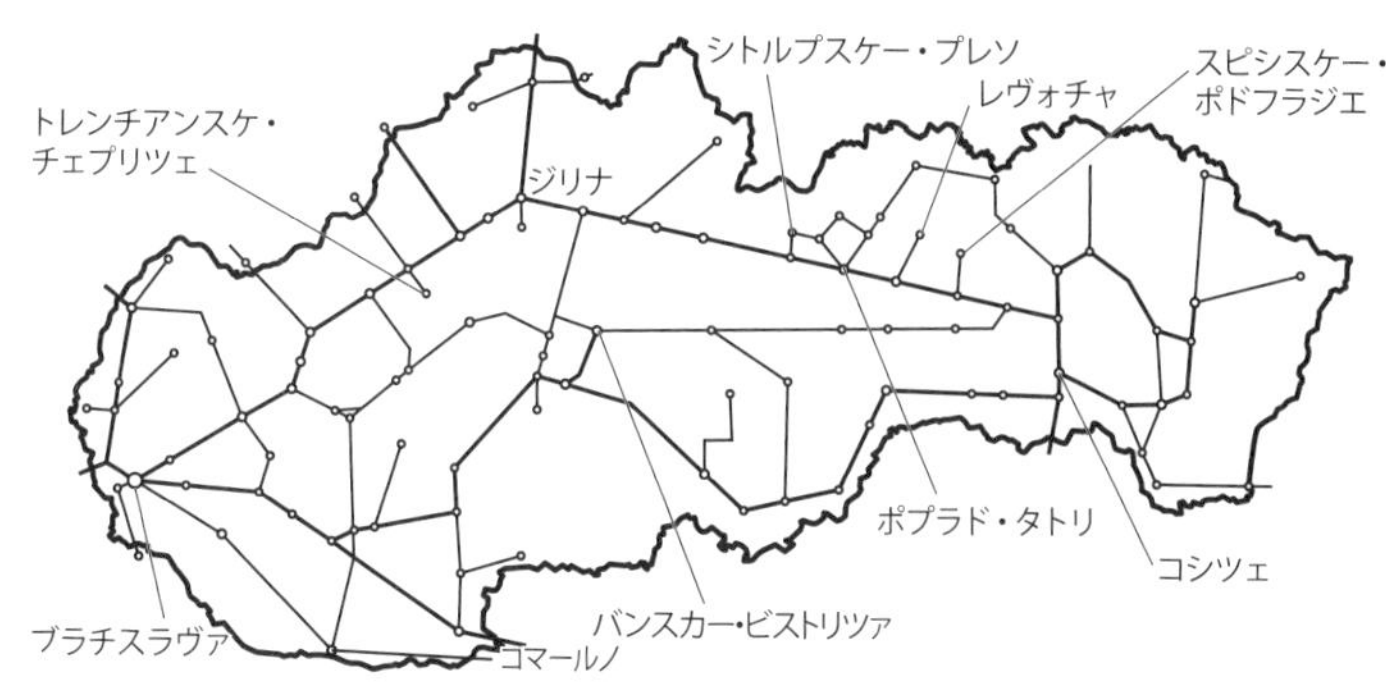

スロヴァキアの旅客鉄道網（スロヴァキア旅客鉄道ホームページより著者作成）

2021年からスペイン国鉄傘下）、ドイツ鉄道の子会社Arriva、オーストリア連邦鉄道（ÖBB）が、貨物輸送では44社が参入している。ただし国内旅客輸送は恒常的に営業赤字で、政府補助金で補填してきた。一方EU加盟で高速化対応等の路線改修や車両更新が進み、EUの結束基金等が利用されている。

1993年の独立後はモータリゼーションから輸送量は漸減傾向で、「鉄道輸送の転換と発展プログラム」に沿って赤字路線の整理（21路線482キロ、全路線の13％）が行われ、ユネスコ世界文化遺産のレヴォチャ、スピシスケー・ポドフラジエへの定期運行も廃止された。自由主義的政策を進めていたラジチョヨヴァー政権は2011年、2022年までに全路線の35％で競争入札導入を目指すとし、その試金石として2012年12月、ブラチスラヴァとハンガリー国境のコマールノ間のPSO契約での運行をRegioJetに移管し、同社がエアコン、Wi-Fi装備の新車導入や増発などのダイヤ改善を図ると、2015年には輸送量がそれまでの3倍以上になる成果が表れた。同社は2015年4月にプラハからジリナを経て、コシツェへ向かう国際列車運行に、12月にはブラチスラヴァとコシツェ間の特急（InterCity：IC）による都市間輸送にも参入した。

しかしフィツォ政権下では鉄道政策にも重要な転換が起きる。２０１４年11月、15歳未満と62歳以上の居住者、及びＥＵ内の学生の２等運賃を無料とし、ＺＳＳＫはブラチスラヴァ＝コシツェ間のＩＣ運賃を半額以下に引き下げた。２０１６年に欧州委員会がＺＳＳＫを不当な価格政策として調査に乗り出す一方、RegioJetは採算が取れないことを理由に、２０１７年1月同区間から撤退した。他路線のＰＳＯ契約は対象路線が公示されながらも、入札中止や延期が相次いだ。ブラチスラヴァ＝コマールノ間の契約更新では、RegioJetが政策への不信から入札せず、２０２０年12月からのＺＳＳＫとÖＢＢの共同運行を経て、２０２２年の入札でLeoExpressが選定された（２０２３年12月から運行）。

「無料化」以降旅客輸送量は２０１９年まで増加し、政府は公共交通への移転を評価した。しかしＺＳＳＫには運賃収入の約４倍の補助金（２０２２年）が充てられており、２０３０年からのＰＳＯ契約完全実施に当たり、鉄道運行の効率化には課題が残る。

ウクライナとの間では、２０１９年にコシツェ＝ムカチェヴォ間でウクライナ側のヨーロッパ標準軌貨物線を活用した直通旅客輸送が始まった。ウクライナ侵攻では、ＺＳＳＫは1か月余りで避難民約16万人を無料で輸送している。

シトルプスケー・プレソ線の歯軌条を走る新型車両
出典: 2023年、著者撮影

29

スロヴァキアの社会福祉

★政権交代による度重なる「揺り戻し」★

無料の医療に代表された社会福祉は社会主義のイデオロギー、体制の正当性を示すものであった。しかしスロヴァキアでは1993年の独立後の市場経済化の過程で、膨大な赤字が発生する従来の医療制度や人口動態からみて持続不可能な年金制度は改革が不可避となり、ズリンダ政権が新自由主義的な経済改革を標榜すると、社会福祉でもその路線に沿った改革が行われた。その後の政権交代で「揺り戻し」があったが、現在の社会福祉は、新自由主義的な改革の遺産である年金制度での3層建てモデルと、医療での「民営化」された健康保険を特徴とする。以下では主に年金と医療の2つの社会保険を中心にその概要と改革等の展開をみる。

老齢年金は、強制加入・賦課型の第1層、任意加入・賦課方式・確定拠出型で民間基金に委託する第2層、任意加入、積立方式、確定拠出型の民間年金基金制度である第3層の3層建てとなっている。年金制度が3層建てとなったのは、自由主義的な改革を進めた第二次ズリンダ政権下での2004～05年の改革に基づく。スロヴァキアの平均寿命（2021年）は男性71・2歳、女性78・1歳とEU加盟国平均を下回るが、スロヴァキアの年金財政は当時の時点で危機的な状況で、高齢化の進展に対し持続可能な制度の確立を目指して、退職年齢の引き上げ、年金算定式とインデクゼーション（物価上昇にスライドさせること）の修正をも含む抜本的な改革を必要とした。そこで、公的基礎年金と私的年金（１９９６年導入、加入者は４社ある年金基金と任意で契約）からなる2層制度を改め、「年金保険」と「年金貯蓄」に分けて年金財政の人口動態変化からの影響を減じる目的で、当時世界銀行が支持していた「第2層」を新たに導入した。

この第2層の財源には保険料率の雇用主拠出分14％のうち９％分が移管され、制度発足時は２００５年1月以降の新規就労者は強制加入、それ以前の者は任意で２００６年６月末までに加入可能とした。しかし第2層は政権交代で度々修正を余儀なくされた。第1次フィッォ政権では選挙公約に従い自由主義的な第2層を任意加入とした。また第2層への拠出分を第1層に移転することを認める法案も上程した（公的年金基金の財源確保として２０１２年から２０１６年までに９％から４％に漸減、２０１７年以降段階的に６％に戻すとされ、２０２３年時点で５・25％、２０２６年に達成予定）。中道右派連立のラジチョヴァー政権下では強制加入に戻した（連立相手と野党との妥協で、加入後2年以内の再離脱も認めた）が、再登板したフィッォ政権下で２０１３年に再度任意加入とされ、第2層からの離脱も再々度認めた。現状35歳まで加入可能で、加入2年を経れば40歳までは離脱可能となっているが、参加率は40％を超えている。しかし保守的な運用方針を映じて運用成績が相対的に低いため、所得代替率も非参加者と比べて低く、その改善が求められている。

医療制度では、健康保険制度は強制加入だが、国内で認可されている保険会社から自由に選択して契約し加入する仕組みとなっている。健康保険を提供する保険会社は、健康保険基金を株式会社に転換した事実上国営の保険会社と、民間のスロヴァキア系、オランダ系の3社で、憲法が無料の基本的医療サービスへのアクセスを保障していることから、保険会社は収入等にかかわらず国民と長期在住者を加入させることが定められている。

社会主義下での無料の医療は感染症拡大防止などに効果はあったが、慢性的な医療サービスの不足と長い待ち時間・混雑、技術停滞などの問題を生じた。皮肉にも1960年から90年にかけてスロヴァキアの男性の平均余命は低下したとされる。そこで市場経済化の過程では医療制度を国家管理から市場志向へと転換し、制度の非効率性と赤字の解消が目指された。

第2次ズリンダ政権では無料となる医療サービスと自己負担分の明確化、国営大病院と健康保険の「民営化」を行い、特に健康保険では営利追求の民間保険会社の参入を改革の「目玉」とした。政府運営の健康保険基金を株式会社に転換したうえで、新規の保険会社の参入・競争が促され、医療サービスの範囲の厳格化、医療機関経営・医療サービスの質と効率性の向上が目指された。加入者と保険会社との間では契約交渉の自由を保障し、保険会社は地域で最低限の医療ネットワークを保証するものとした。この自由化で保険会社はその利益を上げるために、医療機関との間で、医療サービスの購入者として被保険者の代理となって最も効率的な病院と契約することになり、医療サービス提供者の側は競争力と効率性を追求するようになって、医療の質も改善することが期待された。また付随した病院改革では、人口当たり過剰とされた救急病床のリストラを行った。

しかし、第1次フィツォ政権では2006年に自己負担分の減額が目指された（2015年の規制で特定日の予約や診断書発行等で自己負担が認められている）。また2008年にはイデオロギー的背景から保険会社の利益追求が禁止され、利益相当部分は医療に関連する調達・購入か再投資目的に使途が限定され、株主配当が禁じられた。これは域内資本市場統合に矛盾するとしてEUからの批判を招き、フィツォ政権退陣後は憲法裁判所の判決もあって利益追求禁止は撤回されたが、保険会社の市場参入意欲にはダメージとなった。

医療機関との契約でも、改革当初保険会社は地域内での医療機関との契約の自由が定められていた。しかしフィツォ内閣への政権交代後の２００７年、政府は保険会社と医療機関との選択的な交渉の余地を廃し、保険会社に全ての国営医療施設との間でミニマム・ネットワークとして契約させる改正を行った。これは中道右派政権により撤回されたが、再登板したフィツォ政権によって２０１２年に再導入されている。国営医療施設との契約義務下、保険３社体制で保険料率も固定されて差別化が制限され、事実上国営の保険会社が３分の２の支配的シェアを有し、改革は結果として国家の暗黙の補償を得て効率性への改善を妨げ、競争を歪めている、との指摘もなされている。

老齢年金では第２層が制限を加えられながらも（導入されたものの、２０１６年で廃止された隣国チェコとは対照的に）存続し、医療制度では国営の保険会社が支配的ながらも民間保険業者も併存し、医療費の一部負担も負担項目に修正が加えられながらも維持されている。このようにみると、スロヴァキアの社会福祉は、社会保険の点では新自由主義的改革の遺産の上に、それに対抗する左派のイデオロギー的修正が加えられた「ハイブリッド」なものといえよう。

（松澤祐介）

30

スロヴァキアから／への労働移動

★自由な移動が変えた生活★

２０１６年の国民投票によって、イギリスはヨーロッパ連合（ＥＵ）から離脱することを決定した。イギリス国民が離脱を選択した理由については、様々な要因が挙げられているが、そのうちのひとつとして、ＥＵ加盟国からの移民の多さが言及されている。一般的に、西欧における移民問題は、欧州域外出身の移民の社会統合に関係するものに注目されがちで、欧州出身の移民への関心は高くなかった。しかし、少なくともイギリスでは、ＥＵ域内市民に対して労働市場を開放した結果、ＥＵ離脱のひとつの理由になる程度には、スロヴァキアを含む中東欧からの多数の移民と、それに付随する問題を抱えるようになっていた。

スロヴァキアからＥＵ域内への労働移動はどの程度の規模なのだろうか。２０２１年の統計によると、スロヴァキアから国外に移民した人は、３３９５人と意外に少ない。移民先はチェコが36・1％、オーストリアが22・0％、イギリスが6・4％であるが、この数字は、スロヴァキア国内の定住所登録（日本の戸籍に近い）を抹消した人数に基づいている。定住所を残したまま、外国での仕事に従事するスロヴァキア人の数はもっと多い。スロヴァキア統計局の情報によれば、ＥＵ域内への短期の労働移動は、近年であれば、英国のEU離脱が確定した2016年のおよそ16万人をピークとして、コロナ禍の影響が残る2021年でもおよそ11万人に上る（スロヴァキアの全人口の2％）。2021年の行き先の内訳は、ドイツが25・6％、オーストリアが24・4％、チェコが20・3％、ハンガリーが8・0％であり、イギリスは2・6％である。職種については、2020年のデータになるが、建設関係が3割、工場勤務とケアワークがそれぞれ2割程度であった。スロヴァキアからEU域内への労働移動の主たる目的地は、ドイツとオーストリアであるが、チェコとハンガリーの存在も見逃せない。チェコ語は、スロヴァキアの人々にとって言語的障壁が低く、1992年の連邦解体前から多くの人が働いていたので、スロヴァキアの人々にとって働きやすい。ハンガリーとは1989年頃から2国間協定が結ばれ、主としてスロヴァキア南部に居住するハンガリー系マイノリティが、ハンガリー北部の工業地帯での仕事に出かけていた。このように、ドイツやオーストリアほど高い賃金が保障されていなくとも、往来が容易で言語の障壁が低い近隣諸国に働きに行く人が意外と多いことは、ひとつの特徴であるといえる。

スロヴァキアの歴史をさかのぼれば、仕事のために出身地を離れるのは、現在にのみ見られる現象ではない。現在、スロヴァキア出身者の子孫が世界各地に居住していることから明らかなように、スロヴァキアの人々は昔から労働移動を行い、移民していた（第12章、第41章参照）。その意味では、社会主義時代のように国外への移動が制限されていた時期のほうが、例外的であったと言うべきかもしれない。

「鉄のカーテン」によって移動が制限された時代は、1989年に終わりを告げた。チェコもスロヴァキアも、体制転換を経てまもなく、「3か月以内で観光目的」という条件を満たせば、西欧との自由な往来が可能となった。西欧諸国での単純労働への就業はまだ制限されていたが、グレーゾーンの多い短期間の出稼ぎに従事する者が、一定数いたと指摘されている。公式統計はないが、農繁期の季節労働や建設作業への従事、また西部国境沿いの地域であれば、日帰りで介護や家事労働などのケアワークに従事した経験などは、しばしば耳にした。また、イギリスなど、オペア（Au Pair）と呼ばれる住み込みでベビーシッターと家事手伝いを行う者へのビザを発給する国については、このオペアのビザで働きに行く女性も多かったが（男性も取得可能だが多くはない）、このビザを足掛かりに不法就労をする者も少なからずいたという。

西欧諸国での就業の障壁が本格的に取り除かれたのは、ＥＵ加盟以降である。スロヴァキアがＥＵに加盟したのは２００４年であり、イギリスとアイルランドは、この年から新規加盟国の単純労働者に労働市場を開放した（それ以外のＥＵ加盟国は、最大7年の移行期間内に順次開放した）。折しも、２００４年のスロヴァキアの失業率は17・8％に上っていた。そのような事情もあり、ポーランド、リトアニア、スロヴァキアなどからは、イギリスやアイルランドが想定していた以上の人々が、仕事を求めて両国に入国した。労働移動を正確に把握することは難しいが、２００５年は、まだおよそ2万４０００人であったイギリス居住のスロヴァキア人の数が、２００９年には5万３０００人に上っていたことを考えると、増加に労働市場の開放の影響が全くないとは考えにくい。

なお、２００5年前後に筆者がスロヴァキアの若者に、労働移動についてのインタビューを取ったところ、２００４年以前に、人身取引などの犯罪に巻き込まれる様々なリスクを承知のうえで、不法に短期の仕事を探していた経験を持つ者にとっては、２００４年以降は仕事を探すこと自体が非常に

スロヴァキア国境に近い西ウクライナのバスのなかでみかけたスロヴァキアでの仕事募集のポスター。「スロヴァキアでのビザ不要の仕事」と書いてある
出典：2019年、筆者撮影

困難となったという。EU市民として安心してEU域内に仕事を探しにいける条件が整ったことで、より多くの人々が外国での仕事を選択肢に入れるようになり、競争が激化したのである。その一方で、スロヴァキアの経済成長とともに、外国での単純労働は、少なくとも一定の学歴のある者にとっては、あまり魅力的な選択肢ではなくなり始めたのもこの時期くらいからである。

このようにスロヴァキアの人々が国外に働きに行く一方で、スロヴァキア国内では労働力の確保に問題が生じるようになった。農繁期の作業については、2000年代初めの時点で、ルーマニアなどバルカン諸国から短期労働者を受け入れていた。また、医療従事者の西欧への流出も深刻な問題であり、国内の医療従事者不足はニュースでもたびたび報じられてきた。そのため、2022年のロシアのウクライナ侵攻による避難民の流入以前から、ウクライナから医療従事者など、高度な技能を持つ人々はスロヴァキアに働きに来ていた。今後のスロヴァキア社会は、受け入れる側としても変化を経験すると予想される。

（神原ゆうこ）

31

シェンゲン国境の狭間で

★スロヴァキア・ウクライナ国境を越える人とモノ★

内陸国のスロヴァキアは、チェコ、ポーランド、オーストリア、ハンガリー及びウクライナの5か国と国境を接している。スロヴァキアとウクライナの間に国境が引かれたのは第二次世界大戦後のことであり、スロヴァキアに隣接するウクライナのザカルパッチャ州は、戦間期はチェコスロヴァキア領のポトカルパツカー・ルスと呼ばれる地域であった。スロヴァキアとウクライナとの国境線の長さは98キロメートルで、スロヴァキアの全国境線の約6％を占めるに過ぎないが、両国の国境は、EU、シェンゲン圏、NATOの東部国境でもあり、地政学的に重要な意味を持っている。その一方で、両国間の人やモノの往来は活発であり、家族や知人に会うため、仕事のため、買い物のために、日々多くの人が国境を越えている。スロヴァキア警察の2019年の統計によれば、スロヴァキアとウクライナの陸路での出入国者の合計は、1日平均約7288人にも及んでいる。スロヴァキアとウクライナの間には5か所の国境検問所が設けられており、両国を陸路で越える場合には、いずれかの検問所を通ることになる。とはいえ、その検問所全てを自由に出入りできるわけではなく、国境を通過するための条件は各検

スロヴァキア・ウクライナ国境の検問所

問所によって様々である。

両国最大の国境検問所は、スロヴァキア東部の小村ヴィシネー・ニェメツケーと、ザカルパッチャ州の州都ウジホロドの間に設置されている。この検問所は自動車でしか通ることができず、徒歩や自転車での越境は認められていない。スロヴァキアとウクライナを結ぶ幹線道路沿いに位置しており、両国を直接行き来するバスやトラックは、必ずこの検問所を通る。最も多くの人が通過する検問所であることから、EUへの不法移民や密輸入を取り締まるために、厳格な入国審査が実施されており、ウクライナからスロヴァキアに入国する際には数時間待たされることも珍しくない。2017年に、ウクライナからスロヴァキアへのタバコ密輸の実態をテーマにした映画『境界線（スロヴァキア語の原題は Čiara）』（ペテル・ベビアク監督）が公開され話題になった。

第31章
シェンゲン国境の狭間で

ウブリャ（スロヴァキア）とマリィ・ベレズヌィ（ウクライナ）の間には、両国間で唯一、自動車でも徒歩でも自転車でも越境できる国境検問所がある（ただし、重量制限が課せられており、3.5トン未満の車両しか通行できない）。この検問所は両国を結ぶ幹線道路から外れており、主に地元住民によって利用されている。

ヴィシネー・ニェメツケーとウブリャには、2022年2月に始まったロシアのウクライナ侵攻により、多数のウクライナ避難民が殺到した。スロヴァキア側の検問所は、人道支援を優先するために、ほぼ無審査で避難民をスロヴァキアに入国させた（自動車でのみ越境可能なヴィシネー・ニェメツケーの国境検問所では、例外的に徒歩で越えることも認められた）。普段は静かな田舎の村であるヴィシネー・ニェメツケーとウブリャには、支援センターが設けられ、避難民をスロヴァキアの主要都市に移送するためのシャトルバスが運行された。通常であれば厳格な入国審査を実施する国境検問所が、戦争という非常事態の中で人道支援の最前線に様変わりしたのである。

スロヴァキアとウクライナを列車で行き来する場合、チエルナ・ナト・チソウ（スロヴァキア）とチョプ（ウクライナ）の国境検問所を通ることになる。スロヴァキアの鉄道線路の軌間は標準軌（1435ミリメートル）であるのに対し、ウクライナを含む旧ソ連諸国は広軌鉄道（1520ミリメートル）を採用している。そのため、チエルナ・ナト・チソウの国境検問所では、列車の乗り換えや、車両の台車の交換作業が行われる。ちなみに、国境の駅があるチエルナ・ナト・チソウでは、停車中の列車の中でドゥプチェクとブレジネフによる首脳会談が開催されたことがある（1968年7月29日〜8月1日）。ソ連を中心とするワルシャワ条約機構軍が、国境を越えてチェコスロヴァキアに軍事介入し、「プラハの春」

ヴェリケー・スレメンツェの国境検問所
出典：2022年、筆者撮影

を弾圧したのは、この会談の3週間後のことであった。

前述した通り、スロヴァキアとウクライナの鉄道路線の軌間は異なっている。しかし、スロヴァキア東部の一部分のみ、ウクライナと同じ広軌鉄道が通っている。この広軌鉄道は、ウクライナ産の鉄鉱石や石炭をコシツェの東スロヴァキア製鉄所（現在はUSスチール社が所有）に直接輸送する目的で敷設され、マチョウスケー・ヴォイコウツェ（スロヴァキア）とパッリョ（ウクライナ）の間にある国境検問所を経由する。同検問所は、貨物列車の通行しか認められておらず、一般市民が自動車や徒歩で越えることはできない。

ヴェリケー・スレメンツェ（スロヴァキア）とマリィ・セルメンツィ（ウクライナ）は、どちらもハンガリー系住民が大多数を占める隣合わせの村である。両村の住民は、家族や友人に会うために、日常的にお互いの村を行き来していたが、第二次世界大戦後に両村の間に国境線が引かれてしまった。以来、住民がそれぞれの村を訪問するためには、数時間かけてヴィシネー・ニェメツケーとウジホロドの国境検問所まで自動車で迂回する必要が生じた。分断されてしまった住民の往来を再び可能にするために、２００５年12月にヴェリケー・スレメンツェとマリィ・セルメンツィの間に国境検問所が新設され、60年ぶりに2つの村が再び「結合」された。国境検問所ができるまでの経緯については、2009年に公開されたドキュメンタリー映画『国境（スロヴァキア語の原題はHranica）』（ヤロスラウ・ヴォイチェク監督）で詳細に描かれている。

この国境検問所は誰もが通れるわけではなく、通過できるのは欧州経済領域（EEA）の参加国とウクライナの市民に限られている（つまり日本人を含む非欧州の国民は通ることができない）。また、徒歩及び自転車でのみ国境を越えることが可能であり（自動車は不可）、通過できる時間帯は午前8時から午後8時までに制限されている（他の国境検問所は、終日通過することができる）。住民が日常的に行き交う地元密着型の国境であるものの、シェンゲン国境としての使命を果たすために、検問所の機能を最小限に限定しているのであろう。それは、「日常的な人々の往来」と「厳格な国境管理」というスロヴァキア・ウクライナ国境の二面性を象徴的に表しているようにも思われる。

（増根正悟）

32

ロシアのウクライナ侵攻に対するスロヴァキアの対応

★隣国に対する最大限の支援★

2022年2月に始まったロシアのウクライナ侵攻は、ウクライナの隣国スロヴァキアにとって、自国の安全保障にも関わる深刻な出来事として受け止められている。本稿執筆時(2023年8月現在)も、戦争の行方を予測することは困難な状況であるが、スロヴァキアは小国ながら多数のウクライナ避難民を受け入れ、人道面でも軍事面でもウクライナ支援を積極的に展開し、ウクライナは侵略者ロシアに対して勝利すべき、という立場を明確に示している。

2022年2月24日の開戦直後から、スロヴァキア国境には多数のウクライナ避難民が殺到した。国境付近に設置された支援センターでは、食事、衣服、医療サービス、主要都市への移動手段が提供された。同時に、スロヴァキアに避難したウクライナ人を対象に一時保護の措置が導入され、これにより複雑で時間のかかる難民申請手続を経ることなく、スロヴァキア国内での居住、労働、生活保障などが迅速に認可された。一時保護の付与件数は2023年4月時点で11万人を超えており、スロヴァキアは人口の約2%に相当する避難民を受け入れた計算になる(なお、避難民を最も多く受け入れたポーランドの付与件数は同年

2月時点で99万人を超えている。人口比で約2・6％）。スロヴァキアは、ウクライナ国内で避難生活を送る人々に対しても人道支援物資を提供しており、その総額は戦争開始後1年間で900万ユーロ以上（約13億円）に達した。

スロヴァキアはウクライナへの軍事支援にも尽力している。ヘゲル内閣（当時、中道右派）は、侵攻開始の2日後に弾薬や燃料の提供を閣議決定し、その後もウクライナのニーズに合わせ、防空ミサイルS－300、歩兵戦闘車BVP－1、戦闘機ミグ29などの、スロヴァキアが保有する旧ソ連製兵器を供与した。これらの兵器は旧式であるものの、旧ソ連製兵器の取り扱いに習熟しているウクライナ軍が、即戦力として利用できる点でメリットがある。また、スロヴァキア軍が発注していた新型の国産自走式榴弾砲ズザナ2を、ウクライナに優先的に売却した他、スロヴァキア国内の工場でウクライナの軍装備品を修理している。

ウクライナ国境付近に開設された避難民支援センター
出典：2022年、東スロヴァキアのヴィシネー・ニェメツケー村、筆者撮影

スロヴァキアの国防能力強化も喫緊の課題となり、チェコ、ドイツ、アメリカ、オランダ、ポーランド、スロヴェニアの軍隊から構成されるNATO軍部隊の、スロヴァキア駐留が決定された。外国の軍隊がスロヴァキアに配備されるのは、ソ連軍のチェコスロヴァキア駐留（1968～1991年）以来のことである。アメリカやドイツなどは、ウクライナに対する軍事支援の見返りとして、スロヴァキアの国防能力を補填しており、防空ミサイル・パトリオットを貸与し、戦車レオパルト2と攻撃ヘリコプター・ヴァイパーをスロヴァキアに提供した。スロヴァキアは2004年のNATO加盟以降、旧ソ連製兵器からの脱却に取り組ん

でいるが、今回の戦争は軍装備品の脱ロシア化が急速に進む契機となった。

脱ロシア化はエネルギー分野でも模索されている。スロヴァキアは、２０２1年の時点で、天然ガスの85％、原油の１００％、核燃料の１００％をロシアに依存していたが、「ロシアはもはや信頼できるビジネス・パートナーではない」として、エネルギー供給源の多様化に踏み切る方針を示した。しかし、エネルギーの脱ロシア化は一朝一夕に実現できる問題ではない。天然ガスについては、ノルウェーなどから液化天然ガス（ＬＮＧ）の輸入を部分的に開始したものの、原油と核燃料は現時点でロシアに依存し続けている。世界屈指の原発大国であるスロヴァキア（総発電量に占める原子力発電の割合は50％を超えている）は、ロシア型加圧水型原子炉ＶＶＥＲ－４４０を利用しているが、ロシアへの依存度を軽減するために、今後はアメリカ企業製の核燃料も調達する予定である。

これらのスロヴァキア政府の対応は、基本的にＥＵとＮＡＴＯの方針に沿ったものであるが、ウクライナ支援に向けた強い意志は、他のＥＵ・ＮＡＴＯ加盟国と比較しても際立っている。スロヴァキアは、ＥＵ内で合意される前から、ウクライナ避難民に一時保護の地位を付与し、ウクライナをＥＵ加盟候補国にすることをＥＵ首脳会合で最初に提案し、防空システムや戦闘機をウクライナに引き渡した最初の国となり、フランスに次いで2番目に、戦争犯罪捜査に協力するための専門家チームをウクライナに派遣した。ロシアのウクライナ侵攻に対するスロヴァキア政府の認識は、政治指導者の発言の中で端的に示されている。侵攻が始まってから1か月半後にキーウを訪問したヘゲル首相（当時）は、「ウクライナは自国のみならず世界の民主主義のために戦っており、スロヴァキアは歴史の正しい側につくべきである。ウクライナが敗北すれば、次はスロヴァキアが標的になるかもしれない。隣国ウクライナが独立を保ち繁栄した国になることは、スロヴァキアの国益である」と繰り返し訴えている。同じく開戦3か月後にキーウを訪問したチャプトヴァー大統領は、ウクライナ最高議会で行った演説の中で、スロヴァキアの歴史とウクライナの現状を重ね合わせ、１９３８～39年のヒトラーに対する融和政策と第一次チェコスロヴァキア解体は、第二次世界大戦の勃発を防ぐことができなかったと指摘し、国際社会はウクライナを見捨てるべきではないと主張した。

ただし、スロヴァキア国民全体がウクライナ支援のために一丸となっているわけではない。２０２２年9月に行われた世論調査によれば、「ウクライナの勝利によって戦争が終結することを望む」と回答した人の割合は47％であったが、「ロシアの勝利によって戦争が終結することを望む」と回答した人の割合も19％に上った。スロヴァキアはロシアに対して親近感を抱く人が比較的多い国であるが、その理由として、ロシアによるプロパガンダの浸透、アメリカ中心主義に対する反感、西欧のリベラルな価値観に対する反発など、様々な要因が背景にあると指摘されている。ヘゲル首相が率いていた連立政権は、積極的にウクライナを支援するという点では各政党の意見が一致していたが、内政面での内部対立が絶えず、政権運営をめぐる混乱が続き、支持率を大きく落としていった。２０２２年12月には国会でヘゲル内閣に対する不信任案が可決され、２０２３年9月末に解散総選挙を実施することが決まった。２０２３年8月現在、政党支持率の世論調査でトップに立っている「方向（Smer）」のフィツォ党首（元首相、中道左派）は、「ウクライナへの軍事支援は戦争を長引かせるだけだ。スロヴァキアはこの戦争に関わるべきではない」と主張しており、選挙の結果によっては、スロヴァキアの対ウクライナ政策が大きく変わる可能性がある。

（増根正悟）

コラム9

コロナ禍のもとでのスロヴァキア

増根正悟

世界中で猛威を振るった新型コロナウイルスによるパンデミックは、スロヴァキアにおいても歴史的な出来事であった。コロナによる死者数は2022年末までに約2万人（人口の約0・4％に相当）に及んだ。2021年の総死者数（コロナ以外の死者も含む）は、統計が残る1919年以降では、第二次世界大戦時の1945年の記録を上回り、過去最多となった。

スロヴァキアで最初にコロナ感染者が確認されたのは、2020年3月6日のことであった。その1週間後、スロヴァキア政府は、国境封鎖（外国人のスロヴァキア入国を原則禁止）と、生活必需品販売店を除く全ての店の営業停止を決定した。休業を余儀なくされた店に対しては、売上高の下落率や従業員数に応じて、国から補償金が支給された。当時、北イタリアで感染拡大に伴う医療崩壊が始まっており、スロヴァキアでも抜本的なコロナ対策が不可欠だと説明された。こうして、すべての国境に「鉄のカーテン」が下ろされ、街はゴーストタウンと化した。

2020年夏になると、いわゆる第1波が収束し、ほぼ全ての規制措置が解除され、コロナに対する勝利宣言も聞かれるようになった。しかし、秋になると感染者が急増し、状況が一転する。マトヴィチ首相（当時）はコロナとの戦いの中で、良く言えば画期的、悪く言えば場当たり的な対策を矢継ぎ早に講じた。10～11月には、10歳以上65歳未満の全国民を対象とする抗原検査を実施した。大規模検査で無症状の感染者も特定して自宅隔離させることで、感染拡大を抑制することが狙いであった。世界初の試みとなったこの壮大な社会実験の結果、一時的に感染状況が改善したが、冬が訪れると再び、凄まじい勢いで感染者が増加する。

２０２０年12月下旬からロックダウンが導入され、通勤や生活必需品の購入など限られたケースを除き、外出が禁止された（違反者には罰金が科せられた）。通勤する者は、地域ごとの感染状況に応じて、定期的に抗原検査を受け、陰性証明書を取得することが義務付けられた。それでも感染拡大に歯止めはかからず、２０２１年２月に人口あたりの週間平均死者数が世界ワースト１位を記録した。医療体制は逼迫し、ポーランドとドイツがスロヴァキア人の患者を受け入れて、ルーマニア等が医師や看護師をスロヴァキアに派遣した。

感染爆発を食い止めるために国を挙げて推進されたのが、ワクチン接種であった。マトヴィチ首相はワクチン不足を解消するために、ロシア製ワクチン「スプートニクV」の輸入を独断で決定する。しかし、政府内で全く議論せずに、ＥＵ未承認のロシア製ワクチンの輸入が突如決定されたことで、連立政権内の対立が先鋭化し、マトヴィチ首相はこの「スプートニク・ショック」によって辞任に追い込まれた。

ブラチスラヴァ市による啓蒙ポスター
「我々の唯一のワクチンは規律です」
出典: ワクチン普及前の2020年5月に筆者撮影

２０２１年春から夏にかけて感染者数が減

ロックダウン下の閑散としたブラチスラヴァ旧市街
出典：2020年、筆者撮影

少すると、再びほぼ全ての規制措置が解除された。そして秋以降に感染者が激増し、ロックダウンが導入されるという同じパターンが繰り返された（ただし、規制措置の内容は感染状況に応じて地域ごとに差異が見られ、また、ワクチン接種者、陰性証明書取得者、コロナから回復した者に対しては、規制措置が部分的に免除された）。しかし、1年前と比べて重症者や死者が少なく抑えられたことから、2021年12月から2022年2月にかけて規制措置が段階的に緩和され、コロナに翻弄される生活はようやく終わりを告げた。2023年3月にはコロナ感染者に対する自主隔離義務が撤廃され、コロナは通常の風邪と同様の扱いになった。

スロヴァキア人はコロナ禍のもとで、秋冬のロックダウンを耐え忍び、春夏に規制緩和されると、日常を思いっきり満喫した。外出禁止令が施行された時でも、「自然の中での滞在」は例外として認められ（むしろ健康増進の観点から推奨され）、人々は寒空の下でも散歩やクロスカントリー・スキーを楽しんだ。自然が大好きなスロヴァキア人は、コロナ禍のもとであっても日々の生きがいを守ることができたのである。

III

スロヴァキア社会の諸相

33

「スロヴァキア人」とは誰か？

★2021年国勢調査を手掛かりとして★

スロヴァキアをテーマとした本書には、「スロヴァキア人」という言葉が頻出する。だがそもそも「スロヴァキア人」とは誰のことを指すのだろうか。本書の第1章、第6章で述べられたように、「スロヴァキア人」というカテゴリーは、古くから「自明なもの」として存在していたわけではなく、近代史の流れのなかで選択され、構築されたものだった。語弊を恐れずに言えば「近代ナショナリズムの産物」なのである。それでは現在の時点で、「スロヴァキア人」とは誰なのだろうか？ この点を厳密に考える手掛かりを提供しているのが、近年の国勢調査（センサス）の結果である。

スロヴァキア地域では19世紀後半以降、ほぼ10年に一度、定期的に国勢調査が実施されている。1989年の体制転換以後に限っても、1991年、2001年、2011年、2021年と、すでに4回の国勢調査が行われた。2001年までは、調査員が各家庭を訪問して、データを聞き取る伝統的な記述方式がとられていたが、2011年に記述方式と並行して、ウェブサイト上で回答する電子方式が導入され、2021年に行われた最新の調査（正式名称は「2021年住民・家屋・住居調査」）では、ウェブサイト上での提出だけに移行した。

今回の国勢調査では回答者の総数544万9270人のうち、538万7846人（98・87％）が、スロヴァキア共和国の国籍を持っていると回答した。国外では彼ら全員が、「スロヴァキア人」として認識されるかもしれない。だが内実はもう少し複雑だ。「国籍」とは区別される「民族籍」とでも言うべきカテゴリーがあるからである。

「民族籍」を理解する手掛かりを提供するのは、「住民」に関する設問中の「あなたの民族はなにか」、「他の民族にも申告するか」、「あなたの母語はなにか」という3つの問いだろう。

「あなたの民族はなにか」の項目は、スロヴァキア系、マジャール（ハンガリー）系、ロマ（ジプシー）系、ルシーン系、チェコ系などの選択肢のなかから選ぶ形式をとっている（リストに挙がっていない場合は、文字で記入する）。設問の下には、「民族（ナショナリティ）とは、民族（ネイション）あるいは民族集団（エスニック・グループ）への帰属のことである」という説明が付されている。資格や証明書などの提示が求められるわけではなく、申告者が「自身の決定に従って」記入するものとされる。

今回の国勢調査ではじめて、第二の民族籍を尋ねる「他の民族にも申告するか」という設問が導入された。同様の民族名が列挙され、「もしも他の民族にも申告するなら、自身の決定に従って記入せよ。民族の指定にとって、国籍は決定的なものではない」という説明が添えられている。表2はこの設問への回答の結果である。

さて、体制転換後の4回の国勢調査における、「民族」についての結果の推移を見てみよう（表1参照）。横並びにして比較してみると、次のような傾向が指摘できる。(1)「マジョリティ」であるスロヴァ

表1　民族

	1991		2001		2011		2021	
	総数	%	総数	%	総数	%	総数	%
	5,274,335	100.0	5,379,455	100.0	5,397,036	100.0	5,449,270	100.0
スロヴァキア系	4,519,328	85.7	4,614,854	85.8	4,352,775	80.7	4,567,547	83.8
マジャール系	567,296	10.8	520,528	9.7	458,467	8.5	422,065	7.8
ロマ系	75,802	1.4	89,920	1.7	105,738	2.0	67,179	1.2
チェコ系	59,326	1.1	44,620	0.8	30,367	0.6	28,996	0.5
ルシーン系	17,197	0.3	24,201	0.4	33,482	0.6	23,746	0.4
ウクライナ系	13,281	0.3	10,814	0.2	7,430	0.1	9,451	0.2
不明	8,782	0.2	54,502	1.0	382,493	7.0	295,558	5.4

出典：スロヴァキア共和国統計局のホームページで公表されたデータに基づいて、筆者作成。省略した項目があるので、数値は合計しても100%にならない。

キア系の数値が、２０１１年と２０２１年に大幅に減少しているが、これは、リストの最下段の「不明」の急激な増加と連動した現象である。おそらくスロヴァキア系の相対的パーセンテージ自体に、大きな変動はないと考えられる。（2）マジャール系はこの40年間に、確実に減少の一途を辿っている。その理由としては、「スロヴァキア系への同化や南部以外の地域・国への移住のほか、死亡による自然減などが挙げられる」（第36章参照）。（3）ロマ系に申告する者の数は、不安定に変動している。統計局のホームページの解説によると、「２００１年にスロヴァキアには、37万８９５０人のロマ系エスニック・グループがいた。だがスティグマタイゼーション（烙印を押されること）のために、ロマ系に申告する者の数は現実よりも遥かに少ない」という（第37章参照）。（4）ルシーン系とウクライナ系はいずれも東スラヴ系言語を母語とする集団で、本来は昔からスロヴァキア北東部に居住するコミュニティ内部での、両系へのアイデンティティの分裂に起因している（第39章参照）。この40年の傾向を概観すると、数値の上ではルシーン系が優勢を占めているが、ウクライナ系にも一定の「確信層」が存在する。また体制転換以降に顕著になったウクライナからの長期滞在者／移民の流れが、これらの数値にどのように反映しているかは、慎重な検証が必要である。２０２２年２月にロシアの侵攻によってはじまったウクライナでの戦争が、このコミュニティのアイデンティティに与える影響も、さしあたり未知数である。（5）２０１１年の調査から「不明」の数値が急増したが、この現象はおそらく、ウェブサイト上での申告が可能になったことに関係している。２０２１年の調査でも、スロヴァキア共和国市民の5・4％が、「民族」についての回答を「回避」した。「民族」について問うことの意味を、改めて考えさせる数値である。同時に、２０１１年以降の国勢調査における「民族」や「母語」の調査結果は、厳密な数値ではなく、程度の差はあれ「概数」を示すものであることを念頭に置かなければならない。

表3は「あなたの母語はなにか」の設問に対する回答の結果である。「母語」についての設問には、スロヴァキア語、マジャール語、ロマ語、ルシーン語、チェコ語などの選択肢が列挙されて、「母語とは、あなたが家庭で幼い頃に話していた最初の言葉である」と定義されている。

表2　第二の民族

	2021	
	総数	%
	306,175	5.62
スロヴァキア系	55,496	18.13
マジャール系	34,089	11.13
ロマ系	88,985	29.06
ルシーン系	39,810	13.00
チェコ系	16,715	5.46
ウクライナ系	1,586	0.52
不明	35,588	11.62

注：これらの数値（30万6175人、5.62%）は、第二の民族についての設問に回答した者の総数と、それが全体の総数のなかで占めるパーセンテージを示す。

表3　母語

	2021	
	総数	%
	5,449,270	100.0
スロヴァキア語	4,456,102	81.77
マジャール語	462,175	8.48
ロマ語	100,526	1.84
ルシーン語	38,679	0.71
チェコ語	33,864	0.62
ウクライナ語	7,608	0.14
不明	312,364	5.73

表3の数値を表1と比較してみると、①スロヴァキア語を母語としない10万人強（市民の2％）が、「スロヴァキア系」を選択している。②マジャール語を母語とする者のうち、約4万人が「マジャール系」を選択していない。③ロマ語を母語とする3万人強が、「ロマ系」を選択していない。④ルシーン語を母語とする者の約4割が、「ルシーン系」を選択していない。

「民族」と「母語」のあいだのこうした「ねじれ現象」は、なにを意味しているのだろうか。「民族」を選択する際、大半の人々は「母語」によって決定する。だがマイノリティに属する人々（の一部）は、マイノリティ側に留まるか、マジョリティ側に移行するかという、ある種の「葛藤」の前に立たされるように見える。今回の国勢調査で「第二の民族」に申告した30万人（市民の5・62％）は、このカテゴリーに属する人々だと考えることができるだろう（表2参照）。

冒頭の問いかけに戻れば、現代における「スロヴァキア人」とは、母語がスロヴァキア語である人々と、母語はスロヴァキア語ではないが、民族籍として「スロヴァキア系」を選択した人々の総和ということになるだろう。2021年の国勢調査によれば456万7547人（市民の83・8％）がそれに相当するが、民族籍を申告しなかった30万人近くの人々のなかにも、多数の「スロヴァキア系」がいると想定できるので、「スロヴァキア人」の総数はスロヴァキア共和国市民の85〜86％、つまり463〜469万人ほどではないかと推測される。

（長與進）

スロヴァーク／スロヴェンカの「非対称」の謎

コラム10

長與進

スラヴ諸語には人間を指す名詞で、男性形／女性形を区別するという面白い特徴がある。たとえばスロヴァキア語で「チェコ人」はČech/Češka、「アメリカ人」はAmeričan/Američanka、「日本人」はJaponec/Japonkaのように、ジェンダーの差異に応じて使い分けている。お気づきのように女性形は、男性形から規則的に派生される。

ところが奇妙な例外がある。それが自称「スロヴァキア人」を意味するSlovák/Slovenkaである。規則通りに派生させれば、SlovákからはSlováčka（この語はモラヴィアのスロヴァーツコ地方の女性をさす）という女性形ができるはずであり、一方SlovenkaはSlovenという男性形を想定していることになるが、そうなっていない。「非対称」なのである。

なぜこのような「非対称」が生じたのだろうか。今日のスロヴァキア言語学と歴史学の定説によると、紀元6世紀以来、大ドナウ盆地の北部山岳地帯に定住したスラヴ系住民（今日のスロヴァキア人の祖先とされるエスニック集団）は、14世紀以前はたんに「スラヴ人」Slovenと呼ばれていた。今日では「スロヴァキア人」を意味するSlovákという名称は、「スラヴ人」を意味する語のヴァリアント（変種）として生まれ（接尾辞 -ák は住民名を形成するが、蔑称だった可能性もある）、文献における初出は14世紀後半とされる。

つまりスロヴァキア地域では14世紀後半から18世紀末まで、民族名「スラヴ人」と「スロヴァキア人」は、意味を厳密に区別することなく、両義性を帯びて用いられていたと考えられている。11世紀から18世紀末までのスロヴァキア地域の、文献に残された語彙を収録した『スロヴァキア語歴史辞典』第5巻（ブラチスラヴァ、2000年）の民族名 Slovák の項目には、「スロヴァキア民族の構成員」と、「スラヴ人」という2つの語義が並列されている。

スロヴァキア地域において、民族名 Slovák が両義的でなく、今日の意味における「スロヴァキア人」を指すことが、知識人のあいだで広く了解されたのは、おそらく18世紀末から19世紀初頭にかけてのことと思われる。現代スロヴァキアの言語学者ヤーン・ドルリャは、男性形と女性形のあいだの「非対称」に関連して、「時とともに Slovák という形態は、もっぱら今日のスロヴァキア人をさす名称として残った。派生的な女性形 Slovenka……は、（「スラヴ人」Sloven のかたちからの）より古い語幹を保っている」と述べている。

こうした「複雑な」歴史的事情を踏まえない他のスラヴ諸語では、19世紀以降に、今日の意味での民族名 Slovák が導入されたために、たとえばロシア語で словак/словачка、ポーランド語で Słowak/Słowaczka などのように、女性形は男性形から規則的に派生されている。

34

スロヴァキアの宗教

★宗派分布の成り立ちと「信心深さ」★

国勢調査の中の宗教

２０２１年の国勢調査では、スロヴァキア住民の55・８％がローマ・カトリック信者だと申告している。この割合は、プロテスタントに括られる福音派（いわゆるルター派）の５・３％や、改革派（いわゆるカルヴァン派）の１・６％を大きく引き離す。正教会の典礼を保ったままローマ・カトリック傘下に入ったギリシャ・カトリック（４％）も目をひく。その信者数は東方正教会とあわせると約５％となり、プロテスタント２宗派に次ぐ。一方、「宗教信仰なし」と回答した人々は23・８％だった。２００１年の国勢調査時と比べると、「宗教信仰なし」の割合は20年間でほぼ倍になった。それでも、いずれかの教会に属すると答えた者の割合は、ＥＵ加盟国の多くと比べるとなお高い。総じて、国勢調査からは、国民の宗派帰属意識が比較的明瞭であり、カトリックが優勢だが、他のキリスト教諸派も一定の勢力を維持する国、というイメージが浮かぶ。

スロヴァキアの８つの県別のデータも見ておこう（表１参照）。カトリック信者は、ブラチスラヴァ県で「宗教信仰なし」の高い割合におされているが、それでもすべての県で多数派だ。一方、

表1　2021年国勢調査結果に見られるスロヴァキアの宗派分布（％）

	カトリック	福音派	ギリシャ・カトリック	改革派	正教会	その他	宗教信仰なし
全体	55.8	5.3	4.0	1.6	1.0	8.5	23.8
ブラチスラヴァ県	42.6	4.1	1.1	0.4	0.5	11.4	39.9
トルナヴァ県	61.4	3.4	0.6	1.7	0.2	8.0	24.7
トレンチーン県	58.1	7.2	0.5	0.1	0.1	7.6	26.4
ニトラ県	61.0	2.6	0.6	3.6	0.1	9.1	23.0
ジリナ県	65.8	7.9	0.6	0.1	0.1	6.2	19.3
バンスカー・ビストリツァ県	50.2	9.5	1.1	1.5	0.2	8.7	28.8
プレショウ県	60.3	4.4	14.1	0.1	3.3	7.2	10.6
コシツェ県	48.4	3.7	9.5	4.8	1.9	11.0	20.7

出典：スロヴァキア共和国統計局ウェブサイトより作成。数値は小数点第２位で四捨五入

他の教会では地域的偏りが目立つ。ギリシャ・カトリック信者の多くは東部２県（プレショウ14・1％、コシツェ9・5％）に集中し、他の6県では１％前後にとどまる。信者が東部に集中する傾向は、正教徒の場合も同様だ。また、プロテスタント信者も地域的に偏りがみられる。福音派は中央３県（バンスカー・ビストリツァ、ジリナ、トレンチーン）で全国平均を超える7〜9％を占め、改革派は南部２県（コシツェ、ニトラ）で4・8％、3・6％と全国平均を大きく上回る。

このようなモザイク状の宗派分布の背景として、まず、宗教と民族の関わりが考えられる。ギリシャ・カトリックの信者が多い東部は、ルシーン系やウクライナ系の意識を持つ人が多い地域と重なる。一方、改革派が多い南部２県は、ハンガリー系としての意識を持つ住民が多い地域と重なっている。ただし、ギリシャ・カトリックの信者は東部のスロヴァキア系などの間にも一定数みられる。またハンガリー系住民全体をみると、改革派はカトリックにおされて少数派だ。宗教と民族意識は重なるようにみえて、一致しているわけではないのだ。

宗教と民族の結びつきが意識されるのはせいぜい最近２００年のことだ。だから、民族との関わりで説明がつかないことも多い。な

ぜカトリックは多数派になったのか、中央部に福音派が集中するのはなぜか、ギリシャ・カトリックが東方正教会を上回る信者をもつのはなぜかなどの疑問が浮かぶだろう。これらに答えるには、ハンガリー王国内での1000年あまりの教会制度の歩みをたどってみるのがよい。

カトリックと正教会

スロヴァキアでは、モラヴィア国が支配した9世紀頃に、フランク王国とビザンツ帝国からキリスト教布教が行われた。その後、ハンガリー王国の成立に伴いカトリック教会制度が整えられ、スロヴァキアにはエステルゴム（ハンガリー北部の都市）大司教区、ニトラ司教区、エゲル（ハンガリー北東部の都市）司教区がおかれて、網目のように教区教会が作られた。当初は王国各地にビザンツの典礼にのっとった修道院も作られ、スロヴァキア国境近くのヴィシェグラード周辺は彼らの拠点のひとつとなった。もっとも、初期の正教会組織は13世紀半ば頃までにほぼ消滅したようだ。今日の正教会やギリシャ・カトリックの基礎は、モンゴル侵攻による荒廃の後、東方から流入した人々がもたらしたと考えられている。

福音派と改革派

福音派が中央部に、改革派が南東部と南西部に集中するのは、16世紀のプロテスタントの宗派形成の経緯によるところが大きい。スロヴァキア中央部や北部の山間部は、ハンガリー王国で最初期に福音派が教会を形成し、宗派拠点となった地域だ。プレショウ等の5つの王国自由都市同盟やクレムニツァ等の鉱山都市の指導層にはドイツ語話者が多かった。彼らは16世紀半ばに、アウクスブルク信仰告白に沿った信仰告白書を定め、国王の認可も得て、周辺一帯も含めた信仰統一をはかった。一方、遅れて流入した改革派は、福音派の組織化が遅れた南部を中心に幅広い支持をえた。スロヴァキア南東部からハンガリー北東部の一帯にはティサ（スロヴァキア語ではチサ）右岸改革派管区が置かれ、貴族らが組織づくりを支援したこともあって、改革派教会の重要拠点となった。スロヴァキア国境にほど近いシャーロシュパタク（ハンガリー北東部）は牧師育成の拠点となり、コメニウスが招かれ教鞭をとるなど、周辺から若者を惹きつける場となっていた。

再カトリック化

カトリック優勢が定まるのは18世紀頃だ。17～18世紀にかけ、ハンガリー王国全域で多くの大貴族が再改宗し、カトリックの勢力挽回が進んだ。ただし、プロテスタントの信仰も法律で認められており、中小貴族や都市指導部の一部はプロテスタントに留まった。このため、ウィーン宮廷から遠く離れ、宗派拠点が築かれていたスロヴァキアの中央から東部では、プロテスタントが勢力を残した。

ギリシャ・カトリック信者の急増もこの頃だ。再カトリック化を推進したイエズス会の仲介もあり、コシツェの東約100キロに位置するウジホロドやムカチェヴォ（いずれも現ウクライナ）で、17世紀半ばに正教会とカトリックの合同が約され、組織が整えられた。また、ハンガリー王国からオスマン帝国が撤退した後、王国全域で移住・入植の動きが活発化する中で、18世紀には王国北東部のギリシャ・カトリックの教会網が拡張した。

こうしてスロヴァキアにおける宗派構成は、各教会が有力者の支持を受けながら拠点形成と教会網拡大を進めることで、18世紀までに大枠が定まった。宗教と民族の結びつきが強く意識されるのは、その後のことだ。時々耳にする「改革派信者はすべからくハンガリー系かスロヴァキア化した元ハンガリー系だ」といった言説は、的外れなのである。

19世紀から聖職者たちが、民族／国民形成のための政治的・文化的運動の担い手として活動したことは、教会と民族意識の結びつきを強めた。また、1918年のチェコスロヴァキア成立でかつての教会組織が国境線で分断されると、この結びつきの重みは増した。カトリックでは司教がスロヴァキア人に交替し、新たな課題としてチェコのカトリック教会からの独立性が意識された。またハンガリー系住民の間では、母語での礼拝も危ぶまれた。一方、改革派の組織拠点は南の隣国へと切り離された。第二次世界大戦後には東部のポトカルパツカー・ルスがウクライナに編入されたため、スロヴァキアのギリシャ・カトリックも同じ運命を辿った。改革派とギリシャ・カトリックでは、隣国同胞との関係を維持しながら、新生国家の枠内で教会組織を再編・維持し、信徒の結束を再構築することが課題になったのである。

スロヴァキアで宗教帰属の意識がEU諸国の中で高いことは、先に指摘した。その理由は、この国の誕生に伴う政治変動のなかで各教会が難題と取り組み、生き残りをかけ格闘してきた歩みと無関係ではないだろう。

（飯尾唯紀）

35

スロヴァキア人のほろ苦い首都

★多民族都市のあとかたに生きるブラチスラヴァ★

スロヴァキア共和国の首都、ブラチスラヴァ旧市街区の東端と西端には、ともに18世紀末に設けられた市で最も古い共同墓地がある。東端のオンドレイスキー墓地はカトリック信者に、西端のコズィア・ブラーナ墓地はプロテスタント信者に割り当てられてきた。敷地が広いオンドレイスキー墓地のほうは、公園としても市民に憩いの空間を提供している。その遊歩道と木々の間に点在する墓標を眺めて歩くと、スロヴァキア系、チェコ系と並んで、ドイツ系やマジャール系の名前が数多く刻まれていることに気づかされるだろう。実は現在でこそスロヴァキア系が全住民の85％以上を占めているものの、この町はかつて典型的な多民族都市であったのだ。住民の多くは複数の言語を話し、市の名称も18世紀後半から公式に、ドイツ語でプレスブルク、ハンガリー語でポジョニ、チェコ語でプレシプルク、スロヴァキア語でプレシポロクと使い分けられてきた。１９１８年のチェコスロヴァキア建国時には、民族自決の原則から同国の独立を支持したアメリカ大統領の名にちなんで、ウィルソノヴォ・メスト（ウィルソン・シティー）の名称も取り沙汰された。ブラチスラヴァの名は、19世紀のスラヴ系文化人が好んで用いたとされるブレチスブルク、あるいはブラチスラウに基づいて、1919年に定められたものである。

スロヴァキア系住民のこの都市に対する態度には、やや屈折した心情が伺われる。というのも、スロヴァキア人がそこで政治経済はもとより、文化的にも主導的な役割を演じていた形跡が、20世紀以前にはほとんど見出し難いからだ。スロヴァキア人の間にナショナルな意識が育まれていった19世紀を通じて、住民の過半数は常にドイツ系が占め、スロヴァキア人を含むスラヴ系は人口の20％に満たない少数派に過ぎなかった。スラヴ風のブラチスラヴァに名称が一本化された1919年時点においてすら、その民族別人口構成比は、ドイツ人36・25％、チェコスロヴァキア人（チェコ人とスロヴァキア人は、それ以前に存在していなかった「チェコスロヴァキア人」を形成することで、他民族を抱え込む新国家の主導権を握ろうとした）が33・03％、マジャール人28・99％であった。1930年にはチェコスロヴァキア人が48・61％とほぼ過半数に近づく。しかし、そのうちの半数近くはチェコ系だったとされる。両大戦間期、スロヴァキア地域の行政や教育の担い手として、多くのチェコ人が移住してきていたのだ。また、当時は、ユダヤ系住民がチェコスロヴァキア人として申告するケースも多かったと言われている。

19世紀半ば以降、スロヴァキア系文化人の活動拠点となっていたのは、中部地方の小都市トゥルチアンスキ・スヴェティー・マルティン（現マルティン）だった。彼らはチェコスロヴァキア成立後、徐々にブラチスラヴァに移り住むようになったが、そのひとり、作家のティド・ガシパルは「ブラチスラヴァはスロヴァキア人の街ではなかった」と回想している。スロヴァキア人がスロヴァキア地域の中心都市で、実質的に主役の座を手にしたのは、第二次世界大戦前夜にナチス・ドイツとの密接な連携下に成立した「独立スロヴァキア国」の時代だった。

ブラチスラヴァ市の紋章
出典：ブラチスラヴァ市役所のホームページ　https://bratislava.sk/

第二次世界大戦後に復活したチェコスロヴァキアの枠組みの中で、長い間ブラチスラヴァは、行政上、プラハに次ぐ第二の都市という位置づけ以上の存在ではなかった。１９６８年に連邦法が成立すると、晴れてスロヴァキア側の首都として認められ、共和国政府や議会が置かれるようになった。さらに、１９９３年以降はチェコとの連邦解体を受け、一独立国家の都となった。しかしながら、この20世紀末に誕生した首都が、歴史や文化の重みに欠けているわけでは決してない。

ブラチスラヴァの歴史を簡単に振り返ると、10世紀末頃からこの地をマジャール人が治めるようになったのち、１２９１年にハンガリー国王アンドラーシュ3世から市の認証を受け、１４０５年には国王自由都市となって発展の基礎を固めている。城郭の門の上に3つの塔が並ぶ市の紋章は、１４３６年から使われている。16世紀から18世紀にかけての繁栄には特筆すべきものがある。それは、モハーチの戦い（１５２６）に勝利したオスマン軍の北進という状況下、ハンガリー王国議会が１５３６年にブダ（現ブダペシュトの西側部分）からブラチスラヴァに移され、以後１７８４年まで置かれていたことに負うところが大きい。また、１５６３年から同地の聖マルティン大聖堂でハンガリー国王の戴冠式も執り行われ、１８３０年までにマリア＝テレジアも含めて11人の国王が、聖イシュトヴァーン（ハンガリー初代国王でローマ教皇から冠を授かった）の王冠を戴いている。ブラチスラヴァはおよそ2世紀半にわたり、ハンガリー王国の実質上の「首都」であったのだ。

それなりに華やかな歴史をとどめる市を首都としながら、その歴史を自民族の過去として独占できないほろ苦さ。加えて、スロヴァキア系住民にとっては、社会主義時代に歴史的建造物の保存をなおざりにしたばかりか、積極的破壊にまで手を染めてしまった事実が、ある種の民族的トラウマになっているようだ（もっとも、その破壊行為に対する批判が、1980年代後半に、反体制運動の一翼を担うことになったのだが）。9世紀に礎が築かれて、18世紀に、現在見られるような、四隅に塔を持つ方形の姿となったブラチスラヴァ城（1811年の火災で廃墟化していたが、1960年代に改修）の真下のドナウ河畔には、1960年代末までユダヤ人街が広がり、シナゴーグが立っていた。城側の旧市街から団地が林立する対岸のペトルジャルカへと、ドナウ川を越えていくモダンな自動車道建設のために、それらは破壊・撤去され、戴冠教会だった聖マルティン大聖堂のすぐ脇を、自動車が疾駆する羽目になった。現在、その跡には往時のシナゴーグの絵が描かれ、ホロコーストの記憶を留めるための記念碑も建てられており、スロヴァキア人が負の歴史に向き合おうとしている姿勢が見てとれる。

旧市街とブラチスラヴァ城
出典：2008年、筆者撮影

2021年の国勢調査によれば、国内でスロヴァキア系住民が人口に占める割合は83・8％である。

ブラチスラヴァ旧市街
出典：2008年、筆者撮影

マジャール系を筆頭に、少なくない他民族系住民を抱えており、異なる言語や文化が共存していく以外にありようのない国であることがうかがえる。その意味で、複数の民族によって築かれてきたブラチスラヴァは、むしろ首都として相応しいと言えるのかもしれない。（木村英明）

36

スロヴァキアのハンガリー系マイノリティ

★その歴史・文化・生活★

ハンガリー系住民は、現在のスロヴァキア南部の領域に、マイノリティとして自律的な共同体を形成している。ハンガリー人がマイノリティとなったのは、1920年のことである。この年、第一次世界大戦の終結に際して新たに建国されたチェコスロヴァキアとハンガリーとの間に国境が画定された（トリアノン条約）。当時、チェコスロヴァキアに含まれた領域には、約100万人のハンガリー系住民が暮らしていた。この人々は、言語と文化のうえでハンガリー人とみなされながらも、チェコスロヴァキアで生活を送ることになったのである。

現在、ハンガリー系マイノリティが居住する領域は、歴史的に何度も係争地となった。1918年にチェコスロヴァキアが独立を宣言するものの、ハンガリーとの国境線はまだ確定していなかった。この領域は長らくハンガリー王国に属していたからである。前述のトリアノン条約を経て、チェコスロヴァキア共和国を構成する一地域となったが、1938年のウィーン裁定により、ハンガリー系が居住する領域の大部分がハンガリーに譲渡された。1945年には再びチェコスロヴァキアに合併され、1993年以降はスロヴァキア共和国に属している。

2021年の国勢調査によると、スロヴァキアに居住するハンガリー系は42万2065人である。その多くは、国境に近い村や小さな都市に住んでいる。ただし、このハンガリー系マイノリティの実数と総人口に占める割合は現在減少傾向にある。その理由として、スロヴァキア系への同化や南部以外の地域・国への移住のほか、死亡による自然減などが挙げられる。とはいえ、地域によっては、たとえば、ドゥナイスカー・ストレダ／ドゥナセルダヘイ、コマールノ／コマーロム、ガランタ／ガラーンタなどのように、むしろハンガリー系がマジョリティを形成している地域もある。

スロヴァキアのハンガリー系のもっとも重要な民族的属性は以下の2つである。つまり、ハンガリー語へのアイデンティティならびにハンガリー文化への帰属意識の有無である。ハンガリー系コミュニティは、幼稚園、初等・中等学校、そして大学へと至る学校網を有しており、これを活用することができる。ハンガリー語を授業語としているこれら教育機関の園児・生徒・学生の数は、約4万8000人である。なお、スロヴァキアのハンガリー系は、6歳からハンガリー語とスロヴァキア語の両方を学んでいる。

1989年の体制転換以降、ハンガリー系コミュニティは独自の政党を持つようになった。政党の構造や人的構成は頻繁に変化しているが、理念的には2つの傾向が存在する。第一は、ナショナルな原理のうえに立つ主張をする党派である。他方、第二の潮流に属す党は、スロヴァキア系の政治エリートとの協調の必要性を主張している。

現在、スロヴァキアに暮らすハンガリー系は一般に、スロヴァキア社会のマジョリティの日常生活に、ビジネスマン・専門家・科学者・スポーツ選手などとして、かなりの程度溶け込んでいる。これ以外にもあらゆる生活圏で、ハンガリー系の人々を目にすることができる。それには、スロヴァキア国内の政治・経済分野の要職に就く人も含まれる。宗派の観点に立つと、ハンガリー系の多くはローマ・カトリックを信仰しており、スロヴァキア人の宗派状況と同様である。このほか、ハンガリー系の社会的統合度の高さを物語るのが、民族間結婚（パートナーが異なる民族に属す婚姻のこと）の多さである。

　ここからは、ハンガリー系コミュニティの内奥に迫ってみよう。その特徴は、言語の運用や社会生活、また、政治的な活動を行う際の「二重」性である。この二重性とは、ハンガリー系マイノリティがスロヴァキアとハンガリーという2つのシステムに「同時に」帰属していることを意味する。

2004年にスロヴァキア在住ハンガリー系マイノリティのために創設されたシェイェ・ヤーノシュ大学
出典：筆者撮影

　ハンガリー系住民は確かにバイリンガルのコミュニティに属すが、他方で、例えば自治体の議会において、また、公共の標識の表記などにおいて母語の使用を要求するなど、バイリンガルでありながらハンガリー語の使用に強いこだわりをもっている。この事実が、スロヴァキアの国家権力との間に対立の原因を形作ることがある。国家権力のほうも、マイノリティの言語権を縮小しようとすることがある。

　以前から専門家が指摘していることではあるが、ハンガリー系が住むスロヴァキア南部は、一般にインフラ整備のための資金が十分でなく、長らく放置されていた地域も多い。現在、ハンガリーが観光や農業の分野で、ハンガリー系マイノリティを支援する経済プロジェクトを立案しているのは、このような背景があるからである。スロヴァキアとハンガリー双方からの他の資金援助の例は、学校や文化団体である。これらの機関はスロヴァキア国内のネットワークの一部であるにもかかわらず、自国だけでなくハンガリーからの財政支援を歓迎している。資金援助がいずれハンガリー語と文化的アイデンティティを維持するのにも役立つと、肯定的に捉えているからである。

ハンガリー系住民は、スロヴァキア共和国市民として、スロヴァキア政治の一部となっている。正規の有権者として、スロヴァキア共和国国民議会選挙、地方議会選挙、欧州議会選挙、国民投票などに参加している。２０２３年現在、ハンガリー系マイノリティは、スロヴァキア共和国国民議会に独自の代表を送っていない。しかし、地域レベルでは、地方議会議員、市長、町長など、比較的強力な政治代表者を輩出している。南部では相対的に多数派であることは、多くの地方議会の議席がハンガリー系の議員に占められているという事実にも反映されている。

ハンガリー系コミュニティはまた、ハンガリー本国の政治動向を追い、ハンガリーからの政治的インパクトに反応することがある。文化的な帰属意識が存在するということは、テレビやラジオなどのマスメディアのほか、ソーシャルメディアから情報を摂取し、ハンガリー本国の政治に直接に触れることを意味する。２０１０年にハンガリー政府は、「在外ハンガリー人地位法」の制定によって、ハンガリー国民の歴史的・文化的一体性を宣言し、スロヴァキア在住のハンガリー系だけでなく、近隣諸国に居住するその他のハンガリー系にも二重国籍を取得する資格を与えた。ただし、スロヴァキアの現行法は二重国籍を認めていない。つまり、スロヴァキア共和国市民がハンガリー国籍を取得した場合、スロヴァキア国籍を喪失してしまうのである。このためにスロヴァキア国籍を喪失したケースは、数百件と見積もられている。

（ヴァイダ・バルナバーシ／中澤達哉訳）

コラム11

スロヴァキア南部の民族混住地域に生きる人々

神原ゆうこ

スロヴァキアでは、民族的マイノリティが人口の15％以上を占める自治体では、役場でのマイノリティ言語の使用や、地名などの二言語表記が可能となる。したがって、南部スロヴァキアの町や村では、スロヴァキア語とハンガリー語の両方が記された地名表記や店舗の看板をよく目にする。スロヴァキアのハンガリー系は現在全人口の約８％だが、スロヴァキア南部に集住しているため、この地における存在感は非常に大きい。さらに、１９９８年以降、ハンガリー系政党は何度か与党として政権の一翼を担っていたので、その政治的発言力も決して小さくはない。それゆえ、スロヴァキア系とハンガリー系の民族間関係については、これまで様々な問題が指摘されてきた。

たとえば、１９９５年の国家語法によりスロヴァキアの「国家語」はスロヴァキア語と定められ、２００９年の国家語法の改訂により、スロヴァキア国内でスロヴァキア語以外の言語を使用する際は、スロヴァキア語の併記とその優先が義務付けられた。このとき、ハンガリー系政治家は激しく異議を唱えた。このようなマイノリティの文化的権利の保護を求めるハンガリー系と、それに反発するスロヴァキア民族主義者との間の軋轢（あつれき）は、広く報道されてきた。政治の場以外でも、二言語の地名表示のどちらか片方を消すといった落書き、民族を理由としたインターネット上の中傷や、嫌がらせの経験談は珍しいものではない。

やや古い時代の調査ではあるが、民族間関係

「文化会館」という看板がスロヴァキア語（上）とハンガリー語（下）で記されている
出典：2016年、筆者撮影

については、非常に興味深い調査結果も出ている。1990年に実施された全国規模の社会調査では、「スロヴァキア系とハンガリー系の関係」について、スロヴァキア系の70・5％、ハンガリー系の52・2％が「どちらかといえば悪い」「とても悪い」と回答していた。しかし、「スロヴァキア系とハンガリー系は共生できない」という文言に賛成できるスロヴァキア系は、ハンガリー系が1％以下の土地では51％を占めるのに対し、ハンガリー系が50％以上の土地では21％に留まっていた。実際のところ、民族混住地域で暮らす人々は、日常生活における民族間関係は悪いものではなく、平和に暮らしている、と話すことが多い。彼／彼女らは、南部スロヴァキアは、隣国ハンガリーの失地回復主義的ナショナリストや、他地域に住むスロヴァキア民族主義者に振り回されている状況にあると説明する。それらの言説に同調する地元の人がいないわけではないが、多くの住民は、その土地でともに生活する者として、互いに衝突を避ける努力をしていると語る。なお、この地域のハンガリー系の多くはスロヴァキア語での意思疎通に問題はなく、言語の相違が基本的なコミュニケーションの妨げになっているとは考えにくい。

加えて、スロヴァキア系とハンガリー系の民族間結婚が少なくないことも、平和的共生のひとつの理由として指摘できるだろう。スロヴァキア系の親戚を持つハンガリー系は珍しくなく、逆のケースも多い。ハンガリー系やスロヴァキア系という民族帰属自体が、誰にとっても明瞭な分類とは言えなくなるようなハイブリッドな状況も生じつつある。また、ハンガリー系の人々は、隣国ハンガリーに進学、就職という選択肢もあるので、スロヴァキアを離れる者も少なくないのは事実であるが（第30章参照）、スロヴァキアで生きてきたハンガリー系の人々すべてが、ハンガリーに対して、南部スロヴァキア以上に愛着を抱いているわけではない。その意味では、南部スロヴァキアで生活する人々は、民族混住地域としての新たなひとつの文化を共有していると言えるかもしれない。

ハンガリー国境沿いの町コマールノの駅の2言語の地名表記。スロヴァキア語のKomárnoとハンガリー語のKomáromの両方が記されている
出典：2022年、筆者撮影

37

スロヴァキアにおけるロマの人々

★共生への長い道のり★

ロマの人々は、ヨーロッパ各国で長く異質な「他者」とみなされてきた。かつては「ジプシー（スロヴァキア語ではツィガーン）」と呼ばれ、放浪する人々というイメージで語られることが多かったが、現在は多くの国で定住生活を送っている。本章では後述する国際ロマ連盟における呼称にしたがって、彼／彼女らの一人称に基づく「ロマ」という民族名を使用するが、外部から「ジプシー」と呼ばれてきた人々の内部は、かなり文化多様性に富んでいる。スロヴァキア国内に居住するロマも、いくつかの文化的特性を持つグループに分かれており、言語についても、第一言語がロマ語という者も10万人程度いるとはいえ、スロヴァキア語やハンガリー語を第一言語とする者も多い。

スロヴァキアで２０２１年に実施された国勢調査によると、民族籍をロマと答えた人は６万７１７９人で1・2％に過ぎない。２番目の民族籍としてロマを選択した人は８万８９８５人であり、合計しても人口の2・9％である。しかしながら、欧州評議会やロマを支援するＮＧＯなどの推計によると、実数はその４～５倍にあたる50万人程度と見積もられている。音楽の分野や自営業者として社会的に成功している人々も多くいるが、

第37章
スロヴァキアにおけるロマの人々

経済格差や教育格差などの深刻な問題も抱えている。そのため、様々な社会的偏見が付随する「ロマ」という民族名に、ロマ自身も否定的な感情を持つことも多く、民族籍をロマとは名乗らない者が多数いると考えられる。

ロマの人々のルーツはインドにあるといわれるが、もっとも早い時期の記録としては、14世紀に現在のスロヴァキアの地域に到来していることが確認されている。当時のヨーロッパ社会でマジョリティから異質とみなされたロマの人々は、財産を没収されたり、暴力行為にさらされたり、奴隷として働かされたりなど、各地で迫害を受けた。18世紀の啓蒙専制君主の時代以降、オーストリア＝ハンガリー帝国領内では、ロマに対して「寛容」な政策がとられるようになり、定住化が促進された。しかし、第二次世界大戦中はスロヴァキアのロマへの迫害が再び強化され、公共交通機関の使用や都市への立ち入りが制限されたほか、多くの人が労働収容所に収容された。ホロコーストの犠牲になった者も少なくない。戦後、収容所から解放されたロマはスロヴァキア各地に戻っていくが、このときスロヴァキアからチェコのズデーテン地方に移住したロマも多かった。

社会主義時代のスロヴァキアのロマ出身の重要な人物として、1971年に世界で初めて組織された国際ロマ連盟と第1回世界大会組織者のひとりであるヤーン・ツィブラ（1932〜2013年）がいる。彼は、リマウスカー・ソボタの北西の小さな町クレノヴェッツ出身で、スロヴァキアのロマとして初めてブラチスラヴァの医学部で学び、学位も取得した。その後、1968年の「プラハの春」の時期には、スロヴァキア・ツィガーン＝ロマ連合の結成に関わった。同年スイスに亡命し、その後は国際ロマ連盟の結成に尽力した。なお、1989年の体制転換期には、スロヴァキアにおけるロマの人々の政治活動も活発化した。1990年の国政選挙では、ロマ市民イニシアティヴで活動していたアンナ・コプトヴァー（1953〜）がスロヴァキア国民議会に、ゲイザ・アダム（1951〜）がスロヴァキア選出の連邦議会の議員に選ばれた。

ロマの若者の高等教育進学率は高くはないが、1990年には、ニトラ大学の教育学部にロマ文化学科が設置され、ロマの若者の教育に新たな可能性をもたらした。この学部では初等学校の教員免許を取ることができ、ロマ出身の教員の養成が本格的に目指されるようになったからである。なお、このロマ文化学科は、現在、同大学のソーシャル・ワーク学部のロマ研究センターに改編されている。

スロヴァキアのロマの文化や歴史に関する研究は、人口比率を考慮に入れて、ハンガリー系、ルシーン系、ユダヤ系などほかのマイノリティと比較すると、決して多くはない。ニトラ大学以外のロマ研究拠点としては、中部スロヴァキアのマルティンにある国立のロマ文化博物館も注目に値する。この博物館は、2002年に設立され、展示スペースは、スロヴァキア各地の村落家屋が集められた国立のスロヴァキア村落博物館の一角にある。2022年に筆者が学芸員に聞き取り調査を行ったところ、この博物館は調査研究と教育に特化しており、ロマ系の人々が多い地域の学校や役場などの要望に応じて、収蔵資料から特別出張展示を作成する活動も行っているという。

なお、ロマ文化博物館の学芸員によると、スロヴァキアのロマ関係の古い資料の多くは、チェコ共和国のブルノにある私立のロマ文化博物館が所蔵しているという。体制転換後、有志によって、チェコスロヴァキアで初のロマ文化博物館が構想され、連邦解体前の1991年にその準備室がブルノに設置された際に、個人で資料を集めていた人々がそちらに寄贈したからである。このブルノのロマ文化博物館の展示室は2005年にオープンし、チェコとスロヴァキアにおけるロマの人々の生活について、充実した歴史展示が組まれている。筆者は2023年に訪問したが、スロヴァキアで撮影された写真や、スロヴァキアで収集された物品が、展示のなかに散見された。この施設には、ロマの人々を対象としたワークショップのためのスペースなども併設されており、コミュニティ拠点としての役割も果たしている。チェコ国内に限らず、スロヴァキアからも、ロマの多い地域の学校教員や学生のグループの訪問があるという。

スロヴァキアにおいて、ロマの人々は、マイノリティとして独自の文化を持つ存在である一方で、貧困や教育、失業など喫緊に対応すべき問題を抱えている。短期間での解決は難しいが、ロマをとりまく環境は、ロマ自身および支援するマジョリティ側の人々の働きかけにより、少しずつ変化しつつある。その一方で、ロマへの「人種差別的な」発言を繰り返す極右政党が、選挙で一定の支持を得るなど、予断を許さない状況も続いている。

（神原ゆうこ）

チェコ共和国のブルノにあるロマ文化博物館の外観。ロマの生活が壁画に描かれている
出典：2023年、筆者撮影

38

スロヴァキアのユダヤ人

★包摂と排除の歴史★

スロヴァキア各地の、ある程度の大きさの町では、ユダヤ教の教会であるシナゴーグの建物を目にすることができる。もっとも、それらのほとんどは廃墟と化しているか、他の目的に転用されており、現在でもユダヤ教の宗教施設として用いられている例はごくわずかである。この事実は、かつてスロヴァキアの各地に多くのユダヤ人が居住していたこと、そして現在ではその数は極端に少なくなっていることを示している。

現在のスロヴァキアの領域は、中世から第一次世界大戦末期のチェコスロヴァキア独立に至るまでハンガリー王国の一部であり、「上部地方」と呼ばれていた。このハンガリー王国に、チェコやオーストリアなどの周辺地域からユダヤ人が移住を開始したのは、11世紀のこととされている。中世のヨーロッパでは、十字軍運動や疫病流行などをきっかけとするユダヤ人迫害が、各地で繰り返し行われていた。その一方でポーランドやハンガリーなどヨーロッパの東部諸国の君主は、自国の商業や金融業の発展に貢献させる目的で、迫害を逃れてきたユダヤ人を積極的に受け入れた。その後17世紀から18世紀にかけて、ハンガリー王国と同じくハプスブルク帝国に属していたモラヴィア

（現在のチェコ東部）や、ガリツィア（現在のポーランド南部およびウクライナ西部）などから、多くのユダヤ人が上部地方に流入した。この動きをおもに支えたのは、自領で生産される商品の流通・売買に従事するユダヤ人商人を必要とした大貴族たちであった。

こうしてハンガリー王国に定着したユダヤ人には、その職業や服装、居住地などについて様々な規制が課されていた。しかし、ユダヤ人にたいするこうした法的差別は、1781年に皇帝ヨーゼフ2世が「寛容令」を発して以降、19世紀を通じて段階的に除去されていく。1840年にはユダヤ人の都市居住にたいする規制が解除され、さらに1867年にはキリスト教徒と同等の市民的権利が認められた。そして1895年には、ユダヤ教を含む全ての宗派の法的同権が実現するに至った。この過程で、それまで主に農村部に居住し、貴族所領の管理、商店・居酒屋経営、行商などに従事してきたユダヤ人たちの多くが、首都ブダペシュトをはじめとする都市部に流入し、そこで金融業や商工業などに携わるようになった。そのなかからは、やがて産業資本家や医師・弁護士などの知的専門家として社会的成功を収める者も現れた。ハンガリー王国におけるユダヤ人（ユダヤ教徒）の人口比率は1910年に約5％（91万人）であったが、金融機関の85％、商社の54％、工業系企業の12・4％がユダヤ人所有であり、医師・弁護士の約半数がユダヤ人であった。

ユダヤ人中産市民層の台頭は、上部地方においても顕著であった。1900年には人口1万人以上の5都市のうち、ポジョニ（現ブラチスラヴァ）、コシツェ、ニトラ、トルナヴァでユダヤ人口が10％を超えていた。こうして新たに形成されたユダヤ人都市市民層のあいだでは、言語面での同化である「ハンガリー化」が著しく進展した。すなわち、それまで主に使用していたドイツ語やその派生言語であるイディッシュ語に代えて、国家公用語であるハンガリー語を主要な言語とする人の数が、しだいに増えていったのである。当時の統計調査によれば、「母語」をハンガリー語とする上部地方のユダヤ人の数は、1880年の約6万人（全体の約4割）から1900年には約9万人（全体の5割強）に増加した。ユダヤ人がこうしてハンガリー化を受け入れていった理由としては、かれらが新興の事業経営者や知的専門家として成功を収めていくための合理的手段として、少なくとも公的な場においては、支配的な言語であるハンガリー語の使用を選択するようになったことが考えられる。ただし、一言に「ユダヤ人」といっても、その内実は多様であった。たとえば、都市部に居住するユダヤ人中産市民層の多くが、ユダヤ教の改革派に属し、またハンガリー化を積極的に受け入れたのにたいし、農村部にとどまり商店・居酒屋経営などの伝統的な職業に従事する人々は、改革に否定的な正統派に属し、ハンガリー化には消極的な態度を取る傾向があった。

1918年11月の第一次世界大戦終結に伴うハプスブルク帝国の解体により、上部地方は「スロヴァキア」として、新たに成立したチェコスロヴァキア国家の東半分を占めることとなった。同地に居住するユダヤ人たちの多くは、こうした状況変化にどうにか対応しようと努力した。すなわち、かつてハンガリー化を受け入れ、ハンガリー王国の多数派社会に同化しようとしたユダヤ人の多くが、今度は新たに形成されたチェコスロヴァキア国民の一員として、新国家に忠誠を尽くす道を選んだのである。またこの時期にはユダヤ人社会の内部で、自分たちの社会的権利の向上に取り組む政治運動や、イスラエル国家の建設を志向するシオニズムも一定の広がりを見せた。

両大戦間期に権威主義的な体制が確立されたハンガリーやポーランドで、以前から存在していた反ユダヤ主義的風潮がいっそう強まっていたのにたいし、議会制民主主義がそれなりに機能していたチェコスロヴァキアでは、この傾向はさほど目立たなかった。しかし1939年3月にチェコスロヴァキアがナチス・ドイツによって解体されたことにより、ユダヤ人を取り巻く状況は急激に悪化した。ナチの保護下で成立した独立スロヴァキア国では、ファシズム的傾向を帯びたフリンカ・スロヴァキア人民党による一党支配のもと、公的生活からの追放や財産没収などのユダヤ人迫害が開始された。スロヴァキアのユダヤ人の、アウシュヴィッツをはじめとする絶滅収容所への大規模移送は、人民党政府の協力のもとで1942年と1944年に実施された。この結果、スロヴァキア（1938年にハンガリー領となった南部地域を除く）に居住していたユダヤ人のうち、7万人以上がホロコーストの犠牲となった。

スロヴァキア西部の町ビチャ（Bytča）に残るシナゴーグの建物
出典：2017年、筆者撮影

第二次世界大戦の終結直後、スロヴァキアにはなお約3万人のユダヤ人が残っていた。しかし1948年の共産党による権力獲得、また1968〜1969年の「プラハの春」の挫折に際して、かれらの多くがイスラエルや北米、オーストラリアに移住し、現在ではわずかに4000人程度が居住しているにすぎない。かつてブラチスラヴァの城下に広がっていた大規模なユダヤ人街は、壮麗さを誇った改革派のシナゴーグを含め、1960年代末に実施された幹線道路建設工事によって破壊されてしまった。今では、「ユダヤ人通り」の名称やシナゴーグ跡を示す壁画に、その名残をとどめているのみである。こうして、現在では著しく縮小してしまったスロヴァキアのユダヤ人社会ではあるが、ブラチスラヴァに本部を置くユダヤ教自治体中央連合（ÚZŽNO）をはじめとする諸団体が、そのコミュニティと文化的伝統を維持する活動に取り組んでいる。

（井出匠）

ÚZŽNO事務局長のマルティン・コーンフェルド氏
出典：2023年、筆者撮影

39

スロヴァキアのルシーン／ウクライナ系マイノリティ

―― ★同一コミュニティの引き裂かれたアイデンティティ★ ――

スロヴァキアは5つの隣国と接し、出自の異なるエスニック集団がマイノリティとしてスロヴァキア人と共生している多民族国家だ。この中にロマと同様、独自の国家を持たないルシーン人も含まれる。ウクライナのザカルパッチャ地方に隣接する国境近辺やハンガリー、ルーマニア、セルビアなどにも彼らのコミュニティが点在している。

スロヴァキアの総人口545万人のうち、ルシーン人は2万3746人（2021年度国勢調査）で全体の0・5％ほどである。第一の民族籍（ナショナリティ）としてスロヴァキア系を選んだものの、言語や信仰など文化的背景を理由に、第二の民族籍としてルシーンを選択した人々を含めると、6万3556人だ。ルシーン／ウクライナ系住民はほとんどスロヴァキア北東部に集中的に居住している。

一般にキエフ・ルーシ建国とキリスト国教化（988年）とに関わったガリツィアの東スラヴ民族の中からルシーンの先祖が現れたとするのが通説だ。14世紀に牧羊を生業とするヴァラフ系住民が南東方面から流入しカルパチア山脈の農耕に不向きな高地の暮らしに適応した。彼らはスロヴァキアの領域で土着化する。この中にキエフ・ルーシと深い絆がある正教徒で、かつロシア語に近い東スラヴの方言を話す人々が多数含まれていて、これがルシーン・エスニック集団の起源といわれる。

最初にルシーンの政治的要求が形となって現れるのは1848年、ハプスブルク帝国内各地で諸民族の抵抗運動が高まる中だった。知識人たちは政府に対してエスニック集団の社会的認可や学校と役場でのルシーン語の導入、また他の少数民族と同様の生存権、新聞など出版活動への財政的支援を求めた。一般のルシーン人は長らく開拓農民として暮らし独自の民俗文化を育んだ。1890年代には西欧や新大陸への移民が相次いだ。一方、地元に残った住民はマジャール化が進んだ。

第一次世界大戦後、ザカルパッチャがポトカルパツカー・ルスとしてチェコスロヴァキアの領土に編入された後も、ルシーン人の居住地域は近代化から取り残された。両大戦間期にスロヴァキア人一般の政治的・社会的・文化的地位が大きく向上したこととは対照的である。ルシーン人の大半は農業従事者で失業率も高かった。

両大戦間期には脱マジャール化とともにロシア、ウクライナ、そしてルシーンを志向する3つのグループが形成された。ロシアやウクライナを志向する人には正教徒が多いが、ルシーン人の精神的支柱はおもにギリシャ・カトリック教会だ。また文化団体の創設が相次ぎ、知識人を中心にエスニック・アイデンティティ高揚の試みがなされるも、ウクライナへの回帰運動は一般には広まらなかった。続く独立スロヴァキア国時代（1939～1945年）もルシーン人やウクライナ人が置かれた社会的状況に変化の兆しは見られなかった。

しかし1945年、生活改善と社会的地位の向上を求めて東スロヴァキアに住むルシーンとウクライナ系住民の代表者会議が開催され、3月に政治組織「プレショウ・ウクライナ民族評議会」が発足する。この年末までに「ウクライナ学校」がルシーン人の住む多くの居住地に設けられた。教員の中には1930年代にソ連から亡命してきたロシア人も多く、ウクライナ学校といいつつも授業はロシア語で行われた。また新聞や機関誌、新設のウクライナ民族劇場（1990年、アレクサンデル・ドゥフノヴィチ劇場に改名）ではおもにロシア語が用いられた。1948年、チェコスロヴァキア共産党が権力を掌握すると、ウクライナ民族評議会は共産党に協力することで中央への影響力を強めようとするが、結果的に人々が政治的に自治権を持つことはなかった。

やがてルシーンを取り巻く環境は厳しくなっていく。まず、1950年にギリシャ・カトリック教会の活動が禁止され、正教会への帰順が政府によって強制された。さらにウクライナ民族評議会は1951年に分裂し、チェコスロヴァキア政府の肝いりで「チェコスロヴァキア・ウクライナ労働者文化協会」として再出発する。これは完全な非政治組織で、強くルシーンを志向する人々を「ウクライナ人」として統合することが目的だった。ルシーンというエスニック集団の存在は公式には否認され、すべてウクライナ人とされた。ルシーンの学校ではウクライナ語が導入され、またウクライナ人としての自覚を促すため、優秀な若者たちはおもにキエフで高等教育を受けた。こうしてルシーンのウクライナ化が促進された。

1968年6月、いったん禁止されたギリシャ・カトリック教会が再び合法化された。しかし、正教会とは礼拝に使用する建物の取り分けをめぐって、またスロヴァキア人聖職者とは礼拝で使う言語や司祭の配属をめぐって混乱が生じ、さらにはギリシャ・カトリック教会が正教会へ帰属するか否かで激しく対立した。このためギリシャ・カトリック教会は民族アイデンティティ統合の象徴にはならなかった。1989年まで散発的に抗議運動が起こり、聖職者たちが地下活動を通して抵抗を試みるなど、ルシーン・アイデンティティそのものが潰えることはなかったが、社会経済的にはルシーン／ウクライナ系の双方が発展から取り残され、スロヴァキア人への同化が進んだ。社会主義時代の40年間はひとことでいえば「脱ルシーン化」の時代だった。

2003年にプレショウで開催された世界ルシーン人会議の様子（A・ドゥフノヴィチ劇場）
出典：筆者の友人による撮影

社会主義体制が終焉を迎えた1990年代になると新しい動きが見えてくるようになる。ルシーンの「脱ウクライナ」化だ。1995年、初めてルシーン語が国によって正式に認可された。ただ「脱ウクライナ」も政治問題化せず個人のレベルに止まり、むしろスポーツや芸術、フォークロアの祭典などの文化行事でアイデンティティが発揮される。ルシーン・アイデンティティを強く推奨する人々が集まる世界ルシーン人会議でさえ、政治的主張は支配的テーマではない。筆者が現地で知己を得た人々はこの会議の当事者であろうとなかろうとルシーンとウクライナの関係に関して多様な意見を持っていた。東スロヴァキアのルシーン、ウクライナ、スロヴァキア、マジャールやロマの人々は相互に依存した社会を構築している。国のないルシーン人の場合は現実の世界を受け入れ、土地に対する愛着や誇りの表現としてカルパチアに「ルシニア」というユニークな想像上の越境的世界を生み出した。スロヴァキア国内のルシーンやウクライナの人々が自己のアイデンティティを形成し、民族籍を選ぶ経緯は社会環境に左右されやすく、極めて状況選択的だといえる。

（近重亜郎）

1851年、自作の詩に「わたしはかつても、そして今後もルシーンである」と記し、ルシーン人の民族意識の覚醒を促したアレクサンデル・ドゥフノヴィチの記念像（プレショウ）
出典：2023年、筆者の友人による撮影

40

カルパチア・ドイツ人

★スロヴァキア諸都市の栄華と追放の歴史★

タトリ山脈を望むスピシ地方の町々、中部スロヴァキアに点在する鉱山都市、それらはみな中・近世の面影をとどめて、瀟洒(しょうしゃ)な佇まいを見せている。静かな街路にハンガリー王国自由都市の栄華の名残を感じることもできるし、レヴォチャの聖ヤクプ聖堂やバルジェヨウの壮大な木造教会には、国境を越えて展開した交易の痕跡を見ることもできる。これらの山あいの町々は、かつてハンガリー王国の富を支える国際都市だった。しかしその立役者たちの末裔はもはやここにはいない。「カルパチア・ドイツ人」と称された人々である。

「カルパチア・ドイツ人」は20世紀初頭に造られた語で、元来はガリツィア、ブコヴィナ、北部ハンガリー（今日のスロヴァキア）、モルドヴァなどカルパチア山地周辺に暮らすドイツ人を指していたが、すぐにもっぱら北部ハンガリーのドイツ人たちを意味するようになった。ハンガリー王国内には「ジーベンビュルゲン（トランシルヴァニア）・ドイツ人」が存在したが、この2つが歴史的に有力なドイツ人社会をなしていた。チェコスロヴァキア成立後には、チェコのドイツ人を「ズデーテン・ドイツ人」と呼ぶのに対応して、スロヴァキアのドイツ人を「カルパチア・ドイツ人」というようになった。ハンガリー王国時代、北部ハンガリー諸都市のエリートはもっぱらドイツ語を話しており、スピシ地方、クレムニツァ（クレムニッツ）など中部の鉱山都市、そしてブラチスラヴァ（プレスブルク、ポジョニ）周辺の3つがその中心だった。都市住民のマジャール化が進んだ19世紀末になってもその傾向は強く、1910年の国勢調査によれば、ブラチスラヴァでは人口の42％がドイツ語を、40％がハンガリー語を常用語としており、この時代にはスロヴァキア語でも、町はドイツ語名にならってプレシポロクと呼ばれていた。町に「ブラチスラヴァ」という名が与えられるのは1919年のことである。

特に有力だったのはレヴォチャ（ロイチャウ）、ケジマロク（ケースマルクト）などスピシ地方のドイツ人社会である。彼らの祖先はモンゴルのハンガリー侵攻のあと、13世紀前半にハンガリー国王が農業開発、都市建設、商業網の発展、鉱山開発のために招聘した人々で、ツィプス・ザクセン人（ツィプスはスピシのドイツ語名）と呼ばれた。ただし出身地はライン地方、バイエルン、シュレージエンが主で、「ザクセン人」という名称は彼らの都市が、ザクセン・シュピーゲルに由来するドイツ都市法によって運営されたことによる。トランシルヴァニアに植民したドイツ人たちは、1224年にハンガリー国王アンドラーシ2世から勅許をえて都市自治権を獲得し、「ザクセン公」と称する代表を自ら選出して国王裁判からも自立した。ツィプス・ザクセン人も1271年に同様の特権を国王に認められ、ドイツ都市法に基づく法規範、伝統・慣習や言語を維持した。15世紀初めにはレヴォチャなど5つの王国都市は「五都市同盟（ペンタポリターナ）」を結んで、王権からも自立して強勢を誇った。

スピシ諸都市の繁栄が頂点を迎えるのは15世紀後半から16世紀のことである。銀、銅、鉛などの採掘によって中央ヨーロッパ有数の企業家となるトゥルツォ（スロヴァキア語ではトゥルゾ）家が、事業の基礎を築いたのは、バンスカー・ビストリツァ（ノイゾール）をはじめとする北部ハンガリーの鉱山都市であった。トゥルツォ家はやがてトランシルヴァニア、ボヘミア、さらにクラクフ、ニュルンベルク、アウクスブルクに進出して、フッガー家とも共同事業を展開した。トゥルツォ家はハンガリーの人文主義のパトロンでもあった。バルジェヨウ（バルトフェルト）の人、レオンハルト・シュテッケルはコシツェ（カッシャウ）、ヴロツワフ（ブレスラウ）で学んだのち、ヴュルテンベルク大学でルターやフィリップ・メランヒトンに学び、1546年には「アウクスブルクの信条告白」に倣って「ペンタポリターナの信条告白」を起草して、北部ハンガリー諸都市のルター派信仰の基盤を固めた。それは国王や領主の権力から自立した五都市同盟の強い自負を示している。

こうした経済ネットワーク、知的・文化的交流をあざやかに伝えるのは、北部ハンガリー諸都市に残された数多くの祭壇、聖像画だ。とりわけレヴォチャの聖ヤクプ聖堂を飾る祭壇、後期ゴシックの一大傑作がその代表である。制作者は「レヴォチャのパヴォル（パウル）」として知られる人物で、クラクフの聖マリア聖堂の祭壇を制作したニュルンベルクのファイト・シュトースの下で修行した彫刻家だったとされる。パヴォルはおそらくニュルンベルクなど南ドイツを遍歴した後、クラクフで活動し、そしてバンスカー・ビストリッツァ、さらにレヴォチャにやってきたのだった。

19世紀、ハンガリー語文化の「復興運動」が始まると、ハンガリー王国のドイツ系市民にはそれに共鳴する者が多かった。ハンガリー貴族に並んで都市民がハンガリー王国の政治に積極的な役割を果たせる道が開かれたからである。彼らはドイツ語文化を維持しながらハンガリー語を習得し、新しく生まれたハンガリー語の文芸、ジャーナリズムを支えた。1848年革命ではツィプス・ドイツ人はハンガリー革命を支持する傾向が強く、19世紀末にはハンガリー王国に対する愛国主義からやがてハンガリー・ナショナリズムに傾倒する者も現れた。

第一次世界大戦中、北部ハンガリーのドイツ人たちの政治運動は最後までハンガリー王国の領土的一体性を守ろうとした。チェコスロヴァキア建国後もこの流れは続き、新たに結成されたツィプス・ドイツ人党（ZDP）はハンガリー志向を強く示して、ドイツ人の都市エリートから大きな支持を集めた。しかし1920年代後半になると、チェコスロヴァキア国家を積極的に受け入れるカルパチア・ドイツ人党（KdP）が台頭し、ZDPはハンガリー人政党（ハンガリー国民党）に吸収されて消滅する。1930年代になるとKdPにはチェコのズデーテン・ドイツ人党の影響が及んで、ナチズムも浸透した。この党はスロヴァキア国の独立を支持した。

第二次世界大戦後、チェコスロヴァキアからは300万人近いドイツ人が追放された。1946年10月、チェコスロヴァキアからのドイツ人追放の「完了」が宣言されるまでに、スロヴァキアからは3万2000人あまりの「カルパチア・ドイツ人」が追放された。このほかスロヴァキアからは1944年から45年にかけて多くの人々が難民化して西方に移動したので、1930年、スロヴァキアにはドイツ人が約15万人居住していたのに対して、1946年に残っていたのはわずかに約2万7000人だった。現在、スロヴァキアの国勢調査で「ドイツ人」を自認する人々は3000人あまりにすぎない。

それでもスロヴァキアの町々を訪ね、街路を逍遥し、教会の主祭壇の前に佇めば、「カルパチア・

ドイツ人」の歴史を偲ぶことができるかもしれない。かれらの声を伝えるのはいまや町々に宿る地霊だけである。

（篠原琢）

41

近隣諸国のスロヴァキア系コミュニティ

―――★マイノリティとして生活するスロヴァキア系の人々★―――

スロヴァキアの在外スロヴァキア人局の推計（２００８年）によると、およそ２２０万人のスロヴァキア人およびスロヴァキアにルーツを持つ人々が、スロヴァキア国外に居住しているという。スロヴァキアにルーツを持つ人々を含んだ推計ということで、この数字は過大に見積もられている可能性はあるが、それでもスロヴァキアに縁を持つ人々が世界に多数いることがよくわかる。現在であれば、ＥＵ域内、域外に限らず、スロヴァキアからの移住というのは、それほど珍しいことではないかもしれない。しかし、現在のスロヴァキア領域からの移民の歴史は長い（第12章参照）。スロヴァキアの人々は、海を渡った地域だけでなく、ハンガリーやセルビア、ルーマニアなどにも移民しており、これらの地域でも数世代にわたってスロヴァキア系の人々のコミュニティを維持してきた。スロヴァキアの文化組織であるマチツァ・スロヴェンスカー（第8章参照）は、このような在外スロヴァキア系コミュニティの歴史や文化にも関心を持っており、１９７１年に創刊した学術雑誌『外国のスロヴァキア人』は、現在も刊行を続けている。

前述の在外スロヴァキア人局の推計の内訳をみると、ハンガリーに11万人、セルビアに6万人、ルーマニアに1万8000人、ウクライナに1万7000人が居住している。これらのスロヴァキア系の多くは、チェコスロヴァキアが成立する以前の時期に移民していった人々の子孫である。16世紀に現在のハンガリーの領域にまで支配を広げていたオスマン帝国の勢力は、17世紀後半以降、衰え始め、同帝国が撤退した後の土地には、新たな入植者が求められた。現在のスロヴァキアにあたる北部ハンガリー地域は、当時、相対的に人口密度が高かったわりに、農地に乏しかった。そのため、オスマン帝国の勢力拡大時に現在のスロヴァキアに移住してきた領主の貴族が、領民をつれてオスマン撤退後の土地に再移住したり、撤退後の土地を治める者が、魅力的な条件を提示して移住者を集めたりと、様々な理由で移住が推奨された。この南方への移住は、経済的な動機だけでなく、特にプロテスタントの人々にとっては宗教的自由の獲得が動機となることもあり、18世紀初めから20世紀初めにかけて、何度かの移民の波が繰り返された。

現在のハンガリーの領域への移住は18世紀初めから始まり、現在のブダペシュトの北側から北東部と、南西部のベーケーシュ地方に、スロヴァキア系の人々のコミュニティが建設された。18世紀後半以降になると、セルビア、ルーマニアなどへも移住先は広がったが、当時はこの地域もハンガリー王国の版図内であった。現在のセルビア北部のヴォイヴォディナは、オスマン帝国と国境を接する前線となる地域（いわゆる軍政国境地帯）であり、スロヴァキア系だけでなく、ハンガリー系、ドイツ系、ルシーン系、ルーマニア系など多様な民族がこの地に入植した。そのため、ヴォイヴォディナは現在でも、民族的多様性が非常に高い。この地に移住してきた人々のなかには、周辺の地域から再度移住した者もおり、この地域の移民にとって移住は1回限りのものではなかった。これらの移住の波を経て、19

世紀末の時点で、現在のハンガリー、セルビア、ルーマニア地域にはおよそ14万人のスロヴァキア系がいたといわれている。

しかしながら、第一次世界大戦が終わると、オーストリア＝ハンガリー帝国は崩壊し、国内移住をしたはずの人々は、別の国の居住者となった。自発的にスロヴァキアに帰る者もいたが、特に第二次世界大戦後のチェコスロヴァキアは人口減少に悩んでいたため、積極的な帰国奨励政策を実施した。1950年までに、チェコスロヴァキアは17万人近い帰国者を受け入れ、このうち半分がスロヴァキア人と推測されている。それでも現地に残った人々とその子孫は、いまも各国でスロヴァキア系マイノリティとして生活している。

現在、ハンガリーもセルビアも、スロヴァキア系住民が多い地域ではスロヴァキア語で教育を受けることが可能であり、文化活動も行われている。一般的に、都市化した地域よりも農村地域のほうが、マジョリティに同化せず、マイノリティのコミュニティが維持されやすいといわれているが、筆者がハンガリーで行った聞き取り調査によると、就業機会を求めて多くの人々が集まるブダペシュトのスロヴァキア系文化施設や学校のほうが、人口流出が激しい地方よりも、マイノリティのコミュニティ拠点としての機能が維持されているという。

一方、ウクライナのスロヴァキア系コミュニティは、以上に述べたような南方のスロヴァキア系コミュニティとは、やや事情が異なる。というのも、ウクライナのスロヴァキア国境地域周辺には、少数ながらもスロヴァキア系の人々がもともと住んでいたからである。ウクライナのザカルパッチャ地方は、1919年以降、ポトカルパツカー・ルスと呼ばれ、チェコスロヴァキアの一部となったため、

ハンガリー南東部の町サルヴァシュにあるスロヴァキア語を教授言語とする初等学校と幼稚園。入り口にはハンガリーとスロヴァキアの国旗が掲げられている
出典：2014年、筆者撮影

この地域に住む人々は、１９３８年から39年にかけて再度ハンガリー領となるまでは、同じ国に帰属していた。チェコスロヴァキア建国後、この地域には役人や教師などとしてチェコ人やスロヴァキア人が転入してきたので、チェコスロヴァキア時代のポトカルパツカー・ルスには、１９３８年の時点で、１８８校もの「チェコスロヴァキア語」（当時はチェコ語とスロヴァキア語をまとめてこう呼んだ）で授業を行う初等学校があった。

第二次世界大戦後、この地域はソ連領となったが、スロヴァキア語での教育もスロヴァキア文化関係の団体設置も認められなかった。ソ連解体の１９９１年以降、スロヴァキア系が多い自治体の初等学校で、スロヴァキア語を選択科目として教えることが可能になり、１９９３年には国境の町ウジホロドにマチツァ・スロヴェンスカーの支部が設立された。ウジホロド国立大学にはスロヴァキア語学科もあり、２０１９年の時点ではウクライナ人の教員だけでなく、スロヴァキアから派遣された教員も教育に携わっていた。ただし、このとき同大学とマチツァ・スロヴェンスカーで行った聞き取り調査によると、ウジホロド大学のスロヴァキア語学科は、必ずしもスロヴァキア系の学生が多いわけではなく、初等学校でスロヴァキア語を学ぶ機会があったスロヴァキア系の若者は、隣国スロヴァキアの大学に進学することが多いという。

（神原ゆうこ）

42

スロヴァキアにおけるジェンダー問題

★活躍する女性政治家の陰で★

一般的に、スロヴァキアをはじめとするヨーロッパの旧社会主義国において、女性の社会進出は進んでいたといわれる。なぜなら、社会主義時代において労働は国民の義務であったため、女性も仕事を持ち、働くことが当然とされてきたからである。したがって、当時は子どもを持つ母親が働くために、乳幼児を預けるための施設も整っていた。しかしながら、女性が職場に進出しても、男性の家事育児への参加が必ずしも進んだとは限らず、女性は家庭と職場で「二重の負担」を強いられていたことが、しばしば指摘されている。また、社会主義時代は、男性が就業することの多い製造業や建設業の熟練労働者の賃金が、教育を受けた女性が就業することの多い教育や医療関係の専門職の給与に比して、割高だったこともあり、結果的に学歴よりもジェンダーによる賃金格差が目立ちやすかった。

スロヴァキアに限らず他の旧社会主義国にも共通することであるが、体制転換後、労働は義務ではなくなり、人々は失業のリスクに直面した。このとき、女性には「家庭に戻る」という選択肢が提示されるようになった。これは、財政的な理由で社会主義時代よりも保育所が少なくなり、女性の育児休業が長期化したことで、再度仕事を探すことが困難になり、労働市場から退出せざるを得なくなった場合も含む。実際には、インフレーションが進行する不安定な経済状況下で、多くの女性は収入を確保するために、仕事を続ける必要があった。スロヴァキアの場合、体制転換後の失業や貧困の男女差は、隣国のポーランドほどは大きくなく、女性の雇用は相対的には維持されていたが、1990年代にスロヴァキアの少子化は急速に進行し、将来に不安を抱いて、出産を見合わせた人々は多かったと考えられる。一方で、これもスロヴァキアに限った話ではないが、経済状態が不安定だった1990年代は、旧社会主義国で経済的に脆弱な状況に置かれた若い女性を狙った人身取引が、国際的に問題視された時期でもある。現在は、国際的な取り締まりの強化と、この地域の政治的、経済的安定により被害者数は減ったと言われているが、そもそも被害の全貌が把握しにくい状況に変わりはなく、女性の尊厳に関わる深刻な問題が完全に解決されたとは言い難い。

体制転換は、スロヴァキアに民主主義と市場経済をもたらしたが、女性の権利に関する問題は、社会主義時代に「解決済み」とみなされていたこともあり、体制転換期に大きな社会的関心を呼ばなかった。体制転換を主導した人々のなかには、女性の活動家も政治家もいたが、政治活動が男性中心であったことについては、一部の研究者からすでに批判されている。女性議員の割合は、1970年代から80年代の社会主義時代は約30％だったのに対し、体制転換後の1990年代から2000年代は約15％に減少しており、社会主義時代よりも「後退」していたが、それほど問題視されてこなかった。

ただし、近年のスロヴァキアでは、女性の政治リーダーの活躍が目立っている。スロヴァキアでは2010年に初の女性首相が誕生した。スロヴァキア民主キリスト教同盟（SDKÚ）のイヴェタ・

ラジチョヴァーは博士号をもつ社会学者であり、社会政策や家族政策を専門としていた。体制転換期の市民運動にも携わっていたが、本格的に政治家として活動していたのは２００５年から２０１２年と短く、非営利のシンクタンク、研究所、大学などで幅広く活躍した。その後、２０１９年には初の女性大統領も誕生した。ズザナ・チャプトヴァーは、コメンスキー大学法学部卒業後、市役所勤務を経て、１９９０年代後半から市民活動分野で頭角を現した。２０１８年に当時のフィツォ政権への腐敗批判が高まる中で、政治腐敗反対を強く訴えたチャプトヴァーが大統領に当選した。

２０２２年に世界経済フォーラムが発表したジェンダーギャップ指数をみると、スロヴァキアは67位であり、隣国オーストリアの21位と比べると見劣りするが、そのほかの隣国であるチェコ（78位）やポーランド（77位）、ハンガリー（88位）と比較すると、やや高めの評価である（日本は１１６位）。しかし、この順位の内訳をみると、女性の政治リーダーが登場しているわりには、議員や閣僚の男女比が評価対象となる政治参画の順位は、83位と高くない。ＥＵ加盟国のみを対象としているジェンダー平等指数を参照しても、スロヴァキアは、他のＥＵ諸国と比較すると、女性政治家や閣僚の割合、銀行や有力な公的組織で意思決定権を持つ女性役員の割合が少なく、権力に関するジェンダーの不均衡は、まだ解消されていないことが指摘されている。

スロヴァキア初の女性大統領ズザナ・チャプトヴァー
出典：首相官邸ホームページ https://www.kantei.go.jp/jp/98_abe/actions/201910/21kaidan_01.html

ラジチョヴァーやチャプトヴァーの経歴にも共通するが、体制転換後のスロヴァキアにおいて女性の活躍は、市民活動分野で目立っている。体制転換期にはあまり注目されていなかった女性運動に関しても、1993年にブラチスラヴァで、スロヴァキアで初めてのフェミニスト団体である「アスペクト」が結成された。西欧や北米のフェミニズムの議論に関心をもつ人々の勉強の場として活動が始まり、大学でもジェンダーに関する研究があまり行われていなかった時代の情報発信拠点となった。

ジェンダー問題に関連しては、スロヴァキアにおけるLGBTQ+（性的指向に関して多様性を持つ人々）の社会的包摂の問題にも、最後に言及しておきたい。欧州には同性婚が合法化されている国がいくつかあるが、スロヴァキアは認めていない。隣国のポーランドやハンガリーほど、LGBTQ+に対して、スロヴァキア政府が否定的な見解を示しているわけではないが、幅広い層の市民がLGBTQ+に寛容であるとは言い難い。2022年10月12日には、首都ブラチスラヴァのLGBTQ+の人々が集まるバーの前で、LGBTQ+とユダヤ人へのヘイト発言を繰り返していた若者が銃撃事件を起こし、2人が亡くなる事件が起きた。この事件の後、スロヴァキアのLGBTQ+コミュニティは、追悼集会などを定期的に開催しているが、これが世論を動かすような運動につながるかどうかは、今後の動向に注目したうえで判断する必要がある。

（神原ゆうこ）

43

スロヴァキアにおける日本研究の発展

★その現状と課題★

スロヴァキアにおける日本研究は、1986年9月、スロヴァキア科学アカデミー東洋学研究所の協力のもと、コメニウス（コメンスキー）大学人文学部（ブラチスラヴァ）に新たな専攻として日本科が開設されたことにより発足した。これに先立ちスロヴァキア共産党中央委員会は、1985年8月にスロヴァキアで初となる日本研究部門の設置を公式に決定していた。それ以前、チェコスロヴァキア社会主義共和国における日本研究は、プラハのカレル大学のみで可能であった。

スロヴァキアでは、この種の研究部門の開設はこれまでに経験がなかった。したがって新設の日本科の運営は、当初は英米学科が担っていた。このため、最初の数年間、学生たちは専門として日本語以外に英語も学んでいた。しかし日本語固有の難しさを考慮するならば、このような二言語学習は理想的でないとみなされ、90年代後半に日本科は一言語学習へと移行した。そして現在でも、同科では一言語学習が行われている。

日本科の学術顧問（odborný garant）を務めたのは、スロヴァキア科学アカデミー東洋学研究所の東洋学者・言語学者・翻訳家であったヴィクトル・クルパ（1936～2021年）である。

彼がスロヴァキア語に翻訳した多くの日本文学、たとえば古事記や川端康成の小説などは、スロヴァキアの読者層によく知られている。日本科のコンセプトは、その開設当初から、日本語の教育・研究はヨーロッパ諸語の教授における講義中心モデルとは本質的に異なる、という前提に立っていた。それゆえ、独自のカリキュラムを策定する必要があった。そして日本研究のなかのひとつの専門分野に特化することは適切でないとされ、学際的な性格の教育を導入することが決められた。しかし実際には、教育におけるこの学際性は、最初の20年間は徹底されなかった。スロヴァキアには長らく日本研究の専門家がおらず、そのため日本科のカリキュラムにおいては日本語学習が支配的な位置を占めた一方で、他の分野、すなわち日本文学や日本史といった語学以外の科目は軽視されてきた。また、90年代初頭に日本科の卒業生を優先的に専任教員として雇用する決定がなされたことや、学外の、たとえばチェコ人専門家の雇用に消極的であったこと――チェコの日本研究はカレル大学における長い伝統を有するにもかかわらず――も問題であった。こうして、スロヴァキアにおける日本研究には、当初から専門家が不足していた。さらに最初の数年間は、常勤日本人講師の確保が課題であったが、これは１９９１年に日本人講師によってサポートされる専任教員体制が整えられたことにより解決した。１９９２年には教育におけるスロヴァキア科学アカデミーとの協力関係が終了し、以後は日本科の卒業者のみが教員として雇用されるようになった。

90年代初頭の日本科は、講師の雇用問題に加えて教材や設備の問題も抱えており、人文学部の校舎内に独自の教育・研究施設を有していなかった。これらの問題は、日本政府の財政支援と国際交流基金の補助金により、１９９２～１９９３年に日本語学習用の最新設備を備えた５つの教室が新設されたことで解消した。日本科は、1988年に開設された中国科とともに、1994年に独立した学科（katedra）として東アジア言語・文化学科（Katedra jazykov a kultúr krajín Východnej Ázie）を立ち上げた。2008年に東アジア研究学科（Katedra východoázijských štúdií）へと改称した同学科は、日本関連書籍のスロヴァキア最大のコレクションを有する図書室を備えている。

日本科の修業年限はもともと6年間に設定されており、これは通常5年間である人文学分野のなかでは例外的であった。1992年に5人の学生が日本科の課程を終え、最初の卒業生となった。当初の計画では、スロヴァキアにおける日本語関係の労働市場が比較的小さいことを理由に、日本科の定員は最大10名とされていた。しかし、1993年入学の第2期生の定員はこれより増やされ、1999年に21名が卒業した。2004年まで、日本科の新入生の受け入れは5年または6年に1回のみであった。スロヴァキア共和国は2005年にボローニャ・プロセスに参加し、これにより高等教育が3つの課程（学士・修士・博士）に分けられることとなったが、これは日本科にも影響を及ぼした。日本科は4年間の学士課程と2年間の修士課程に分けられ、2010年に最初の学士課程修了者を出した。学士課程を修了するには、日本語能力試験（JLPT）N2レベル（N1が最高レベル）の合格が必要条件とされている。新入生受け入れの間隔も変更され、2006年以降は2年ごとに入学試験が実施されている。このように、日本科の学生の受け入れが毎年行われていないことから、日本について学びたいスロヴァキアの学生が、しばしばチェコをはじめとする外国の大学に流出するという長期的傾向が生じている。

コメニウス大学は、公式認定された日本研究のカリキュラムを適正に実施しているスロヴァキアで唯一の大学であり、また現在のところ、日本研究に従事する唯一の専門機関である。2010年からは語学学習に加え、日本の文学、歴史、また宗教にかんする恒常的な教育も開始された。コメニウス大学はまた、交換留学プログラムとして、日本の多くの大学と緊密な協力関係を結んでいる。そのうち最も古くから提携しているのは、早稲田大学とフェリス女学院大学である。そのほかにも、龍谷大学、静岡大学、城西大学などとも協力関係にある。さらに、2002年1月にスロヴァキアに開設された日本大使館とも協力を行っている。

日本科の開設以来、その卒業者は100名を超えたにもかかわらず、スロヴァキアでは日本研究の専門家が慢性的に不足しており、いくつかの分野はほとんどカバーされていない。日本文化の学術的研究にたいする相対的な関心の低さは、2000年代初頭にスロヴァキアに浸透し、こんにち若者のあいだで比較的強力なサブカルチャーを形成している、アニメやマンガの流行現象と部分的に関係している。ブラチスラヴァをはじめとするスロヴァキアの各都市では、日本のマンガ、アニメ、そしてコスプレのファンの祭典が毎年開催されているが、日本科に入学を希望する者の多くは、まさにこうしたサブカルチャーのファンなのである。現在では、日本科の学生の半分以上を、サブカルチャーの愛好家である「オタク」が占めている。長期的な観点からは、こうした傾向を有する学生たちのなかに、アニメやマンガ、あるいは語学に限定されない日本への関心を育むことが課題となっている。とはいえ、日本科の卒業生のなかには小規模な翻訳家のグループが存在し、日本文学の翻訳と紹介に取り組んでいる。そのなかでも特に重要なものとして、スロヴァキアで初となる松尾芭蕉俳句集の抄訳（2019年）が挙げられる。スロヴァキアの読者層は、すでに数十年のあいだ、チェコ語訳――チェコとスロヴァキアの統一された書籍市場において自由に入手できる――を通じて日本文学に親しんできたが、一方で多くの日本人作家の作品が、すでにスロヴァキア語に訳されている（川端康成、三島由紀夫、安部公房、遠藤周作、有川浩、村上春樹、吉本ばなな、川上未映子、小川洋子）。スロヴァキアでは近年、日本や日本文化への関心の高まりが見られ、それはスロヴァキア各地でますます多くの文化イベントが開催されている事実にも表れている。このポジティブな傾向は、いっそう強まりつつある。

（フランチシェク・パウロヴィチ／井出匠訳）

2019年1月にコメニウス大学日本科において開催された、国際学生交流会の様子。コメニウス大学、マサリク大学（チェコ・ブルノ）、龍谷大学（京都）の学生が参加した

44

日本在住のスロヴァキア人

★国際結婚、留学やライフスタイルのために来日する人々★

日本に住むスロヴァキア人の数は決して多くないが、1990年代から増え続けてきた。増加の背景には、政治的な理由（スロヴァキアの渡航規制緩和と日本の入国管理の規制緩和、二か国間協定締結等）、経済的な理由（賃金格差や企業の影響等）や文化的な理由（スロヴァキアにおける日本文化の普及等）が複雑に絡み合っており、多数のパターンが存在する。筆者自身もスロヴァキア人であり、10年以上在日ヨーロッパ人の研究を続けてきた中で、数多くのスロヴァキア人に出会った。本章では、これまでの研究の成果に基づき、日本在住スロヴァキア人はどのように、そしてなぜ来日して居住するに至ったかを紹介したい。

現代の状況を説明する前に、まずスロヴァキア共和国の独立以前の時代について触れておきたい。スロヴァキアという国ができる以前から、現在のスロヴァキア領域の出身者は日本に立ち寄ったり、居住したりしていたからだ。スロヴァキア出身のベニョフスキー伯爵が鎖国時代にすでに日本に立ち寄り（第4章参照）、1918年秋にはミラン・ラスチスラウ・シチェファーニクが1か月滞在した（コラム4参照）。日本に長期滞在した人々として、20世紀前半に日本に渡った4人のサレジオ会の宣教師

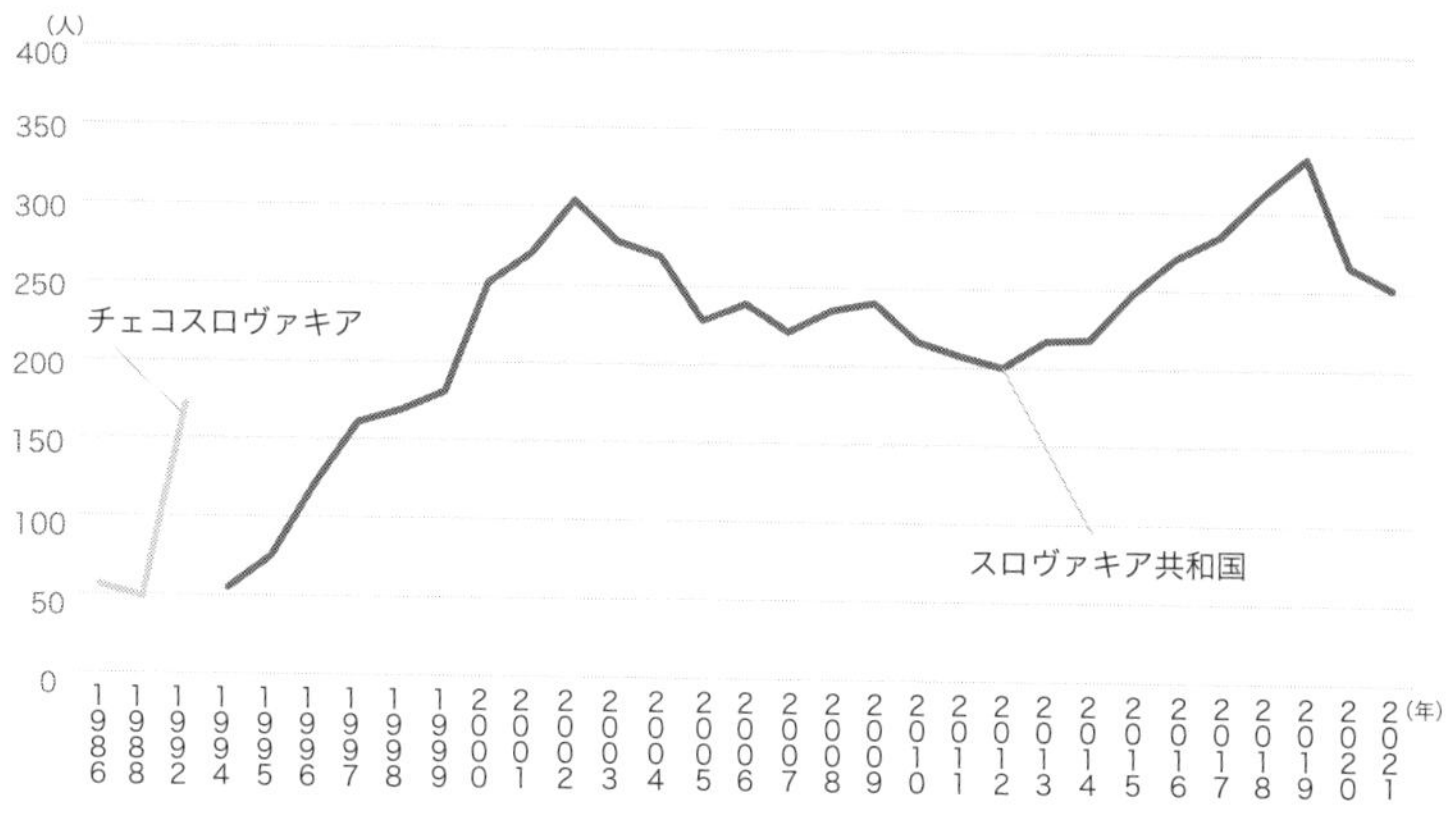

日本在住スロヴァキア人の推移（1994〜2021年）
出典：在留外国人統計（旧登録外国人統計）のデータより筆者作成

が比較的知られている。１９３６年にフォルネル氏とフィグラ氏、１９４９年にフォルティーン氏、そして１９５６年に来日したスハーン氏らは、生涯のほとんどを日本で過ごし、主に東京と別府でキリスト教の布教を行い、日本に骨を埋めた。この４名の宣教師以外にも、１９８０年代まで少数のスロヴァキア人が日本に在住していた。

１９９３年の独立以降、日本在住のスロヴァキア人の数が正確に把握できるようになり、新型コロナウイルスの流行前は３５０人近くに上っていた。１９９０年代以降、国際結婚、仕事、留学や研究のために来日するスロヴァキア人の数が徐々に増え続け、最近はワーキングホリデーのような新しく可能になった制度を利用するケースも増えている。それと同時に、一部の人が定住化したことも、在住スロヴァキア人の数が増えた理由である。数はそれほど多くないかもしれないが、来日のパターンは比較的多様であるため、以下ではそのいくつかを紹介したい。

まず留学があげられる。１９９０年代は、スロヴァキアからの留学ビザ保有者は毎年数人程度しかおらず、スロヴァキアから日本へ留学する機会も少なかった。しかし、２０００年代には20〜30人まで増え、2018年には50人を超えた。その背景には、スロヴァキア（あるいはその他の国）の大学と日本の大学の交換留学を含む協定の増加や、日本語教育の普及（第43章参照）がある。加えて、短期間の滞在だけではなく、日本で就職して住み続ける人も増えている。人手不足に悩まされている日本企業が、留学生を積極的に受け入れるようになりつつあるため、日本で留学経験があるスロヴァキア人のなかには、日本企業や多国籍企業または自営業など、様々な形で活躍している人もいる。

もうひとつの主な来日理由としては、国際結婚があげられる。日本人の配偶者のためのビザをもって日本に滞在しているスロヴァキア人は50人前後である。さらに、100人ほどの永住者ビザ保有者のなかにも、日本人と結婚しているスロヴァキア人は多い。そして、その数の増加のみならず、国際結婚は非常に多様化しているという特徴がある。まず、留学、仕事やワーキングホリデーのために来日し、日本人のパートナーと出会ったケースがある。また、現在日本在住であっても、もともとは日本でなく、スロヴァキアあるいは第三国で出会うケースもよくある。このようなケースは日本からスロヴァキアへの移動の増加とも関連しているが、日本でもスロヴァキアでも若者の渡航先として人気があるオーストラリア、カナダやイギリスで知り合ったケースもしばしばみられる。つまり、国際結婚の増加は、様々な目的で来日するスロヴァキア人の増加のみならず、日本人の若者の海外渡航が増えたことも深く関連している。

国際結婚は、移住する人々が直面する「在住国の選択」という問題を浮き彫りにする。国際結婚の場合、日本とスロヴァキアという選択肢以外に、第三国（例えば、2人の共通言語が英語であれば英語圏の国等）を選ぶこともある。どこに住むかを選ぶにあたっては、経済的（就職と共働きの可能性、賃金や生活費)、文化的(語学力、居心地)、社会的(教育制度、治安や年金制度)、個人的(家族事情や年齢)要因が複雑に絡み合うため、十人十色のストーリーがある。その中で、日本に生活基盤を置く理由としては、日本への憧れと生活環境(自然環境、都会の生活や治安)がよくあげられる。つまり、外国人男性、または女性にとっても、仕事とキャリアの可能性に多数の課題が残されているが、それでも日本社会の中で自分の居場所を見つけ、スロヴァキアと異なった文化的・地理的環境を楽しむという、いわゆるライフスタイル移民はスロヴァキア人にもみられる。

若者のライフスタイルと関連して、最後にワーキングホリデー(以下、WH)について触れておきたい。日本は2010年代からWHの2か国協定の数が急増し、2016年からスロヴァキアと日本の間でもWH制度を利用することができるようになった。その結果、2019年には日本でWHビザを利用したスロヴァキア人の若者が51人まで急増した。観光関係(ホテルやリゾートの従業員やツアーガイド)やそのほかのアルバイト的な仕事に従事しながら、日本での生活や旅行を楽しむというWH従事者の中から、その後就職して異なるビザを取得し、日本での滞在を続けるケースも現れている。

このように、両国の出入国管理の緩和と加速するグローバル化の可能性を生かして、来日するスロヴァキア人が増え、さらに長期的に在住する人も増えている。パンデミックの影響により、特に留学とWHを利用する若者たちが激減し、日本在住スロヴァキア人の数は一時的に減少したが、今までの推移を考えれば、その数はふたたび増加して、このような人々を通して日本とスロヴァキアの関係はさらに深まると考えられる。

(ミロシュ・デブナール)

IV

暮らしの風景

45

地方生活の密やかな愉しみ

★四季の風物詩★

スロヴァキアでは9月1日が憲法制定記念日で国家の祝日にあたるため、新学年の始まりは9月2日になる。学齢期の子を持つ親は総じて気忙しいが、加えて農村部ではジャガイモや飼料用トウモロコシ、リンゴ、ブドウなどの収穫に追われる。そのような秋季、一息入れるかのように各地方で行われるのが、夏に収穫して脱穀等も終えた小麦をはじめとする穀類などの収穫祭ドジンキだ。麦の穂で編んだリースを戸口に飾り、町や村の広場などでは、各地固有の食べ物と酒類が振る舞われ、歌や踊りが披露される。また、西スロヴァキアではヴィノブラニエ（ヴィーノはワインを指す）と呼ばれる、ブドウの収穫祭がある。ブドウのつるで編み、ブドウの房で飾ったリースを先頭に掲げ、住民が行列して町村内を練り歩き、女性たちが大樽に投げ込まれたブドウを、昔ながらに裸足で踏み潰す儀式がある。儀式後の祝い方はドジンキの時と同じだ。キリスト教の祭日である11月1日の「諸聖人の日（万聖節）」は、国民の休日に定められている。親族の墓参りのために家族が集う、晩秋の静かな行事である。

「諸聖人の日」から冬の終わりを告げる謝肉祭の時期まで断

第45章
地方生活の密やかな愉しみ

続的に続く、パーラチキと呼ばれる家政行事は、農村の女性が楽しみにしているもののひとつだ。女性たちが交互に誰かの家に寄り集まり、夏以降ためておいたガチョウの羽根から、羽毛をむしり取る仕事である。手は忙しなく動かしながらも、にぎやかに近隣の昔話や噂話に花を咲かせる。クリスマスに先立つ12月6日には、「聖ミクラーシの日」がある。実在した司教、聖ミクラーシ（サンタクロースの起源とされる）の扮装をした大人が、子どもたちにお菓子を配って歩く。クリスマス前の1か月は魔女を始め超自然の不穏な力が強まる時期であり、その力が最高潮に達するのが12月13日の「聖ルツィアの日」とされてきた。この日には顔を白塗りにし、白い衣服をまとってルツィアを装った女性が、家々を訪ねて回る。積もった悪しき力を取り除く意味を込めて、ほこりを払うなど掃除の仕草をして立ち去る。この日は全国的にニンニクを食べる習慣があり、玄関の戸の取っ手に魔除けのニンニクを十字形になすりつける地域も見受けられる。

12月24日は夕刻まで少量の食べ物しか口にしない。家庭でクリスマスツリーが飾られるのは、このクリスマス・イヴの日から1月6日までである。12月24日の晩餐には、翌年の豊作を祈願してテーブルの真ん中に穀類を盛り、健康を願って各自が1個ずつのリンゴを家族の人数分切り分け、それを家族で互いに交換して食べる（リンゴがみずみずしければ、翌年の健康が保証されるという）。ほかに「聖ルツィアの日」の翌日から焼かれるオブラートキと呼ばれる薄いゴーフルやクッキー、細長い編みパンのヴィアノチカ（クリスマスはスロヴァキア語でヴィアノッツェ）などが食卓に揃い、主菜には鯉のフライが供されることが多い。この日、井戸がある家では上質の水が出るようにと、塩やクルミ、リンゴなどを投げ入れる習慣が全国的に見られる。晩餐後には教会などで、キリスト生誕にちなんだ「ベツレヘムの劇」

が、子どもたちによる実演か、あるいは人形を使って演じられるのが習わしだ。その後、深夜のミサが行われる。

12月25日から1月6日の「三王来朝の日（東方三博士礼拝の日）」のクリスマス期間を除き、冬場の年中行事のひとつに、ザビーヤチカと呼ばれる豚の屠殺がある（結婚式など祝いごとが控えている際には、夏場にも行われる）。もも肉は塩漬けにしてハムに、脂身は茹でたのちに燻製にしてベーコンに、洗浄した腸に挽いた肉と血と香辛料を詰めてソーセージに、という具合に、保存のきく加工肉を作るのがおもな作業である。新鮮な血と大麦を混ぜた粥、ジョブラーツカ・カシャ（「物乞いの粥」の意味）はザビーヤチカの場で供される。

「三王来朝の日」から移動祝祭日である復活祭（3月下旬から4月上旬）の40日前までは、社交の娯楽が目白押しの謝肉祭（ファシアンギ）である。仮面舞踏会を含むダンス・パーティー、晩餐会が頻繁に催され、家庭では子どもたちのためにたくさんのドーナツ（スロヴァキア語でシシキ）を焼く。謝肉祭の終わりにあたる「灰の水曜日」には、宴の席で演奏をしてきた楽器のひとつ、コントラバスの擬似葬儀を執り行って、陽気な日々に別れを告げる。「灰の水曜日」以降の斎戒期第5週目の「死の日曜日」には、「モレナ送り」という習慣が広く定着している。モレナは冬＝死のシンボルであり、若い女性を模した人形として形象化されている。19世紀前半を代表する詩人ヤーン・コラールは『民謡集』（1834～1835年）の中で、「私たちのモレナ／どこで過ごしていたの？／村の家の中で／新しい井戸の中で」という歌を紹介している。モレナを掲げた女性たちが歌いながら村を歩き回り、最後にそれを焼き捨てるか、川に流す。春＝新しい命を迎える復活祭の先ぶれとなる行事である。

第45章

地方生活の密やかな愉しみ

復活祭の日曜日に先立つ木曜日は「緑の木曜日」と言われ、伝統的にホウレン草のスープを、また土曜日は「白い土曜日」と言われ、かつてはぜいたく品だった、混じり物のない真っ白い小麦粉で焼いた菓子類を調理する。多産豊作の願いを込めた彩色タマゴやウサギの飾り物を準備するのは、キリスト教国共通の習わしだが、スロヴァキアの彩色タマゴの模様は藁で作って貼り付けるのが特徴的である。日曜日にはタマゴ料理やザビーヤチカで保存した肉類が振る舞われる。翌月曜日には、女性の美と健康を願い、男性たちが女性に水を掛け、柳の枝で尻を打つため、快活な歓声があちこちに響く。

春から夏にかけては農繁期である。4月24日の「聖ユライの日」までには、羊飼いが羊を引き連れて高原牧場へ旅立つ。5月25日の「聖ウルバンの日」以降は、ブドウ畑の手入れが忙しい時期に入る。牧羊が盛んな地域では「聖ユライの日」に、ブドウ栽培地域では「聖ウルバンの日」に、祝宴が開かれる。また、この季節、若者たちにとってとりわけ胸躍る催しが、4月30日に、丈の高い木の柱を立てる祭りである。スロヴァキアでは、この祭事に触れた最古の記述が1255年の文書に見られる。かつては、男性が女性の家の前に柱を立てると、交際や結婚の申し込みを意味していた。6月24日には、聖ヤーンの火祭りがある。自然の力がピークに達すると考えられてきた夏至とこの日が結びつき、太陽の生命力を体内に取り込もうと、聖ヤーンの火と呼ばれる焚き火の上を若い男女が飛び越える。

都市化やグローバリゼーションの波が押し寄せる現在、年中行事は村おこしやツーリズム、あるいは商業的な目的が前面化し、多くの場合、変容を余儀なくされている。それでも、自分たちの生活の密やかな愉しみのために、年中行事を大切に続けている地方社会がスロヴァキアにはまだ少なくない。

（木村英明）

コラム 12

東スロヴァキアの魅力

近重亜郎

スロヴァキアは西部、中部、東部の3つの地域に分かれる。北は高タトラ山脈麓のポプラト市、低タトラ山脈東端のスピシ地方、南部ゲメル地方のロジニャヴァ市に代表される地点から東側が東スロヴァキアと呼ばれる。険しい山岳地帯となだらかな丘陵地帯が印象的だ。ポーランドからハンガリーへ縦に抜ける街道と、ドイツやオーストリアとウクライナ方面とを横に結ぶ街道が走っていて、コシツェやプレショウなどは交通の要衝の町として発展した。東スロヴァキアにはユネスコの世界遺産リストに登録されている文化遺産（レヴォチャ歴史地区とスピシ城、バルジェヨウ市街保護区、木造教会群）と自然遺産（スロヴェンスキー・クラスの洞窟とブナ原生林）があり、国内に9つある国立公園のうち5つが存在する。自然保護区にも指定されているスロヴェンスキー・ライ（スロヴァキア・パラダイス）は代表的な国立公園で、洞窟や渓流が点在し自然散策に最適だ。近年はサイクリングロードの整備が進み、欧州各地から集まる観光客にはこうした各所をめぐるサイクルツー

ヘルヴァルトウ村の木造教会（ユネスコ世界文化遺産）
出典：2016年、筆者撮影

東スロヴァキアの魅力

リズムも人気となっている。

美しい山や湖の風景もさることながら、そこで営まれている人々の生活に根ざした文化も興味深い。地方文化を身近に感じることができる家庭的な郷土料理も多彩だ。中部以東の山岳地帯にはサラシと呼ばれる羊飼いの建物を利用したレストランがあり、毎年5月に採れる新鮮な羊乳から作ったカッテージチーズ「ブリンザ」を使った全国区の国民食ブリンゾヴェー・ハルシキが人気だ。しかし、東スロヴァキア特有のレシピとして、地元で収穫されたそばの実を生地に練り込んだ水餃子タタルチャネー・ピロヒや、ザワークラウトの漬け汁に小麦粉、刻んだキノコ、牛乳などを混ぜて煮込んだマチャンカと呼ばれるルシーンのスープ料理もある。

また、東スロヴァキアの社会を構成している様々なエスニック集団がそれぞれ受け継いできた言葉にも特色がある。例えばコシツェ地方のカルパチア・ドイツ系のマンタークと呼ばれる言葉、ポーランドとスロヴァキアが国境を接する辺りで話されるゴラル（ポーランド語ではグラル）の言葉、ルシーン／ウクライナ系の東スラヴ民族の言葉、それらとはまったく異なるロマ語などだ。これらの多様な言葉の影響は各地の方言にも現れる。東スロヴァキアは決して広い地域ではないが、大まかに列挙してもスピシ方言、シャリシ方言、ゼンプリーン方言、アボウ方言などがある。学校や役場で使われるのはもちろん公用語の標準スロヴァキア語だが、日常生活では老若男女の別なく互いに方言を話すことが多い。例えば主食の「ジャガイモ」のことを標準スロヴァキア語で「ゼミアク」と呼ぶのに対して、地域ごとに呼び方がいちいち異なるが、一般的に東スロヴァキアでは「バンドゥルカ」といえば通じる。歴史的に関わりが深いマジャール語やウクライナ語、ポーランド語など近隣の言語も方言と同様に、それぞれの国に近い場所で生まれ育った人は、民族的出自に関係なく大抵理解することができる。筆者はシャリシ地方のいくつかの民族舞踊団と親しく付き合ったが、団員は子どもから大人まで皆シャリシ方言だけでなく、ルシーン語やロマ語でも流暢に歌うことができた。スロヴァキアはまた民族舞踊がとりわけ盛んで、夏になると各地で祭典が催される。東部スロヴァキアの代表的な民族舞踊は、高タトラ山脈の麓で開かれるヴィーホドナーのフォークロア・フェスティバルで見ることができる。

屈託のない笑顔を見せるロマ人集落の子どもたち
出典：2001年、筆者撮影

ロマの踊りの練習をするシャリシ地方の民族舞踊団の女の子たち
出典：2011年、筆者撮影

46

スロヴァキアの家庭の味

★慎ましいけれど幸福感の源★

スロヴァキアの国土面積は日本の九州程度だが、山間部と平野部の地形や天候の差に応じて、収穫される農産物の種類と量はかなり違う。伝統的な家庭料理は、地元で入手しやすい食材を使って工夫されてきたため、同じ名前の料理でも食材や味付けが地域によって異なることがある。加えて、民族構成や主要な信仰であるキリスト教の宗派も多様な国であるため、文化的な影響も食の地域差に反映されている。

スロヴァキア人は食事に取り掛かる際に「胃を温めることが大事」とよく口にするが、これはスープをいただくことを指している。歴史上、長らく慎ましい生活を送ってきたスロヴァキアの住民にとって、スープは食生活の中心を占めていた。まず、全国的に家庭で食べられている（スロヴァキア語でスープは「飲む」ではなく「食べる」）のは、インゲン豆類やレンズ豆のスープ、ジャガイモのポタージュ、そして春のホウレン草や夏の根菜（ニンジン類）など季節の野菜を用いたスープである。ニンニクのスープと夏に作り置きするトマトピューレのスープは、年間を通じて食卓に上がる。味付けは基本的に塩と胡椒、それに粉パプリカといたってシンプルだ。日曜祭日には、それらに肉類（トリ肉、豚肉、牛肉）が入る。

温暖なスロヴァキア南西部では、冷たい果物のスープが子どもたちに人気の一品だ。イチゴやモモ、チェリー、あんずなどをミルク、砂糖、塩を加えて煮込み、コーンスターチでとろみをつける。甘酸っぱい風味が暑い夏の日にふさわしい。牧羊が盛んだった中部の山岳地域では、羊乳チーズのブリンザやサワークリームを用いたスープ「デミカート」が春を代表するスープである。好みに応じて肉やジャガイモを入れるが、作り方が簡単で素早くできるため、童謡に「1回、2回、ネコがデミカートを作ってる……魔法なんかじゃないよ」と歌われている。クリスマスから年末にかけて供されるのは、カプストニツァと呼ばれるザワークラウトのスープで、サラミなどの燻製肉または脂身の多い豚肉が必ず使われ、中部スロヴァキアではさらに乾燥キノコや乾燥プルーンも加えて煮込む。カトリックの家庭では年末に、プロテスタントの家庭ではクリスマス・イヴに食べることが多かった。東スロヴァキアでは、特にギリシャ・カトリック教徒が多いルシーン人の家庭において、ザワークラウトの汁に乾燥キノコを加えたマチャンカが、クリスマスの伝統的なスープとされている。

スープとパン以外に日常的によく口にされるものに、ジャガイモや小麦粉を材料に作るパスタの一種で、1センチ大の団子状または四角形状に形を整えたハルシキ、そして5センチ前後の細長い形状にカットしたレザンツェがある。ブリンザをからめて、よく炒めたベーコンをまぶしたブリンゾヴェー・ハルシキは国民食として名高い。ほかに、炒めたキャベツで和えたカプストヴェー・ハルシキ、また茹でたジャガイモとタマネギを混ぜ、粉パプリカで味を引き立てた学生食堂の定番のハルシキであるグラナディーールなどがある。レザンツェは、クリームチーズやケシの実、クルミの実などで和え、粉砂糖をまぶして主食として、またおやつとして食べるのが一般的だ。

肉類は豚肉、トリ肉を中心に焼く、煮る、揚げると、様々な調理法で食べられる。豚肉は家庭ではカツとして揚げることが多い。学生が週末に実家に帰省するとよくカツを何食分も持たされるため、彼らが寮に戻る日曜日夕刻の列車やバスの中では、食欲をそそる匂いが漂っていたりする。肉の煮込み料理であるグラーシは、家庭だけでなく祭りなどのイベントでも大鍋で煮て、参加者に振る舞われる。

スロヴァキアの国民食であるブリンゾヴェー・ハルシキ
出典：2017年、筆者撮影

トリ肉はスロヴァキアで昔から好んで食べられ、ニワトリ以外に、アヒルやガチョウ、七面鳥のグリル料理がおもに家庭の祝いごとの食卓に上がる。トリのグリル料理には、たいてい甘酸っぱく味付けした蒸しキャベツと薄焼きのジャガイモのパンケーキであるロクシャが添えられる。フサツィナと呼ばれる骨付きのガチョウのグリルは、特にワイン造りが盛んな西スロヴァキアで、まだ発酵初期の甘みのあるワイン「ブルチアク」を飲みながら楽しまれる。

近隣の中欧諸国にも共通するが、魚料理はクリスマス・イヴに鯉のフライを食べるのが有名である。ちなみに、トリ肉が人気のあるスロヴァキアであっても、「幸福が飛んでいってしまう」と言って、こ

クリスマスのお菓子であるシチェドラーク
出典：2022年、筆者撮影

の時期にトリ肉を食べることは避ける。渓流が多い中部から東部では、マスがソテーやフライで食べられてきた。海の魚は輸入に頼ることになるが、蒸したタラをマヨネーズで和えてタマネギとニンジンを加えたサラダを、20世紀半ばになぜか菓子職人が考案し、そのレシピが家庭に広まって愛好されるようになった。タラはスロヴァキア語でトレスカと言い、サラダ自体もその名で呼ばれている。小腹が空いた時など、ロフリーク（ロフは動物のツノ）という15センチメートルほどの細長いパンを添えて食べる。

　菓子類は家庭で頻繁に焼かれる。ケシの実やクルミのペースト、あるいはクリームチーズを生地に包み込んで焼く菓子パンは、それぞれマコヴニーク（マクはケシの実）、オレホヴニーク（オレフはクルミ）、トヴァロホヴニーク（トヴァロフはクリームチーズ）の名で呼ばれ、スロヴァキア人にとって家庭や故郷と結びつく最も懐かしい味と言っていいだろう。もともとクリスマスの菓子として焼かれ、現在では年間を通して食べられるようになったものに、ヴィアノチカ（ヴィアノツェはクリスマス）がある。ロープ状に生地を編んで、干しブドウなどのドライフルーツを入れて焼き上げたパンだ。またクリスマスにだけ焼かれるシチェドラーク（シチェドリー・ヴェチェルはクリスマス・イヴ）は、プルーンのジャムやクルミのペースト、クリームチーズを何層かに重ねて焼き上げた手間のかかるケーキである。蜂蜜とシナモン、クローブの風味が一体となったクッキーのメドヴニークも、もともとはクリスマスの菓子だった（地域によっては復活祭にも焼かれた）。日持ちがするので、クリスマスツリーの飾り付けに使われてきた。スロヴァキア発祥の菓子として忘れてならないものに、スカリツキー・トルジェルニークがある。現在は中欧諸国の街角で気軽に売られているが、西スロヴァキアの都市スカリツァの修道院で焼かれたのが最初と伝わっている。金属や木の棒に生地を巻きつけて回転させながら焼き上げ、砂糖と砕いたクルミをまぶす。家庭では空き缶や丸めたアルミホイルなどに生地を巻きつけて、棒の代用にしたりする。

代表的なものではあるが、ここで紹介したのは、スロヴァキア料理のほんの一部にすぎない。でも、生活の幸福感を支えているとても大切な一部だ。

（木村アンナ）

47

ワインと首都のマリアージュ

★ブラチスラヴァ首都圏の小カルパチアに根付くワイン造りの伝統★

首都ブラチスラヴァの中央駅から列車に乗って、西スロヴァキアの主要都市トルナヴァ方面に向かうと、駅を出発してすぐ左手に、小カルパチア山麓一帯に広がるブドウ畑が見えてくる。小カルパチア山脈の南東麓は、スロヴァキア最大のワイン生産地域であり、粘土砂岩質などの土壌、適度な降水量、南向けの斜面、昼と夜の気温差といった、ブドウ栽培に適した自然環境に恵まれている。主要なワイン産地はブラチスラヴァ及びその近郊に集中しており、特にラチャ（ブラチスラヴァ市を構成する17街区のうちの1つ）、スヴェティー・ユル、ペジノク、モドラに多くのワイナリーが集まっている。

ヨーロッパのブドウ栽培の北限に位置する小カルパチアでは、白ワイン用のブドウの栽培が盛んである。特に、ヴェルティーンスケ・ゼレネー（ドイツ語ではグリューナー・ヴェルトリーナー）や、リズリンク・リーンスキから作られるワインが名高い。赤ワイン用のブドウでは、フランコウカ・モドラー（ドイツ語ではブラウフレンキッシュ）が特に有名だ。ハプスブルク家の女帝マリア＝テレジアは、ラチャ産のフランコウカ・モドラーを愛飲したという。その他にも、シャルドネ（白）やカヴェルネ・ソーヴィニョン（赤）のような国際品種のブドウや、ジェヴィーン（白）やドゥナイ（赤）といったスロヴァキアの固有品種のブドウが栽培されている。近年では、ロゼワイン、オレンジワイン（白ブドウの皮や種を果汁と一緒に発酵させたオレンジ色の白ワイン）、オーガニックワインを作るワイナリーも出てきており、小カルパチアでは実に多様なワインを堪能することができる。

ブドウ収穫の様子
出典：2022年、筆者撮影

小カルパチアにおけるワイン造りの歴史は古く、紀元1世紀頃に古代ローマ人がブラチスラヴァ近郊で始めたとされるが、紀元前7〜6世紀にケルト人によってすでにワインが作られていたという説もある（小カルパチアで、ケルト人が利用したとされるブドウ収穫用の道具とワイン貯蔵用の土器が発見されている）。中世になると、キリスト教の普及に伴ってワイン生産が盛んになり、ドイツ人などの入植者によって様々なブドウの品種が持ち込まれた。小カルパチアのワインは、周辺諸国に輸出され、ブラチスラヴァなどの都市の繁栄に少なからず貢献した。

社会主義時代には、農業集団化政策により、小カルパチアのブドウ畑とワイン農家は「統一農業組合」（JRD）と呼ばれた農業協同組合に統合された。農業協同組合は、大規模で画一的なワイン生産を実現したものの、これまでの伝統的な家族経営に基づくワイン造りが一時的に途絶えることになった（ただし、主に自家消費を目的とした家庭菜園でのワイン生産は黙認された）。

1989年の社会主義体制崩壊後、体制転換期の混乱に伴う耕作放棄と、都市郊外の宅地化により、ブドウ畑の作付面積は激減した。その一方で、農業協同組合の解体と、元所有者及びその子孫に対する農地返還を契機として、民間のワイナリー業者や個人経営のワイナリーが誕生し、品質を重視した多様なワイン造りが行われるようになった。特に、個人経営ワイナリーは、（ブドウをスロヴァキアの別の地域から仕入れるのではなく）できるだけ自家栽培ブドウの利用にこだわり、造り手ごとに個性豊かなワインを世に送り出しているという点で特筆に値する。

小カルパチアの個人経営ワイナリーの多くは、100年以上前から先祖代々ワインを造っており、社会主義時代の断絶を乗り越えて、国から返還されたブドウ畑を元手に商業的なワイン造りを再開した。ワイン生産に必要な資金を調達するため、あるいはワイン販売のみでは不足する所得を補うため、農業用品販売などの副業を続ける者も珍しくない。各ワイナリーは、他人が所有するブドウ畑を賃借して栽培面積を拡大させているが、借地料は「ワインの現物支給」で済む場合もある。繁忙期には人手が必要になるため、アルバイトを雇うワイナリーもあるが、ブドウ収穫の手伝いを家族や友人に依頼するケースも多い（筆者も、ブラチスラヴァに住んでいた時に、知り合いのワイナリーのブドウ収穫に何度も参加した）。大人数でワインを飲みながら和気藹々（わきあいあい）とブドウ摘みに興じる様子は、初秋を迎えた小カルパチアの風物詩と言える。個人経営ワイナリーは生産量が少ないため、スーパーマーケットのような大型小売店にはワインを卸していないものの、直売、通信販売、飲食店やワイン専門店への出荷など様々

家族経営ワイナリーのワインセラー
出典：2022年、筆者撮影

な形で販路を確保している。「小カルパチア・ワイン街道」という生産者組合が開催するワイン関連イベントも、個人経営ワイナリーにとって貴重な収入源になっている。

小カルパチアで最も大きなイベントは、毎年5月と11月に開催される「ワインセラー開放デー」である。このイベントでは2日間にわたり、約100軒のワイナリーが一般開放され、参加者は好きなだけワインを試飲することができる。また、毎年9月にはブドウ収穫祭「ヴィノブラニエ」が各地で開催され、新酒やブルチアクという濁り酒（ドイツ語ではフェーダーヴァイサー）が振る舞われる。ブルチアクはアルコール度数5％前後の発酵途中のワインで、糖分が完全にアルコールに変わっていないため甘味があって飲みやすい。ヴィノブラニエでは、食べ物や民芸品を売る屋台、コンサート会場、移動遊園地も出現するため、ワインを飲まない人でも楽しむことができるだろう。

小カルパチアのワイン産業が今後も発展していく上で、首都ブラチスラヴァとの近接性は極めて重要だ。小カルパチアのワインの多くはブラチスラヴァで消費され、ワイン関連イベントには多数のブラチスラヴァ市民が訪れ

ワイン祭りの様子。この店はスロヴァキア語（上）とチェコ語（下）で「ラチャのブルチアク」と表示している。
出典：2022年、筆者撮影

る。一方で、首都に近すぎることにより、ブドウ畑が宅地化の波に飲み込まれるリスクが潜在的に存在する。小カルパチアのブドウ畑を守るためには、土地利用計画に対して一定の権限を有している地方議会の役割も重要である。ブラチスラヴァの隣町スヴェティー・ユル市では、市議会議員の半数以上がワイン農家を兼業しており、ブドウ畑を保護するための政策を維持しているという。小カルパチアでは耕作放棄地の解消も大きな課題であるが、その観点では、近年相次いでいる個人経営ワイナリーの新規参入が注目される。耕作放棄地を整備して、再びブドウを栽培できる状態にするためには、多くの資金と労力が必要であるが、ワイン造りを志す人々にとって、首都のすぐ近くにあって生活にも便利な小カルパチアは、魅力的な移住先になっているのだ。「ワイン」と「首都」の共存に、今後も期待したい。

（増根正悟）

48

国境をまたぐことになったワイン産地

★スロヴァキアのトカイ・ワイン★

スロヴァキアでは、２００９年の「ブドウ栽培とワイン醸造に関する法律」により、国内に6つのワイン生産地が定められている。本章はその1つである南東部のトカイ・ワイン産地の成り立ちを国境線の向こう側、ハンガリーに広がる同名のワイン産地との関係にも着目しながら紹介する。

一説によると、「トカイ」の語源は、西ローマ帝国滅亡後に入植したスラヴ人の集落“Stokaj”（彼らの言葉で「2つの川の合流点」の意味）に由来するという。ゼンプリーン山脈の南東側、ボドログ川とチサ川（ハンガリー語ではティサ川）とが合流するこの地域一帯では、13世紀頃までにはワインの製造が始まっていたとされる。大陸性気候のこの地域では、ブドウの実が徐々に熟していく8月と9月の初め頃は空気が乾燥し、さらに秋から冬にかけての朝方、ブドウ畑は霧に包まれる。この独特の気候が、ボトリティス・シネシア菌によるブドウの実の貴腐化を促す。貴腐化したブドウの実を木の樽でゆっくりと熟成させることにより、強い甘みが特徴の貴腐ワインが作り出される。主に栽培されているのは、フルミント、リポヴィナ、ムシカート・ジルティーの3種で、これらはいずれも白ワインの品種である。

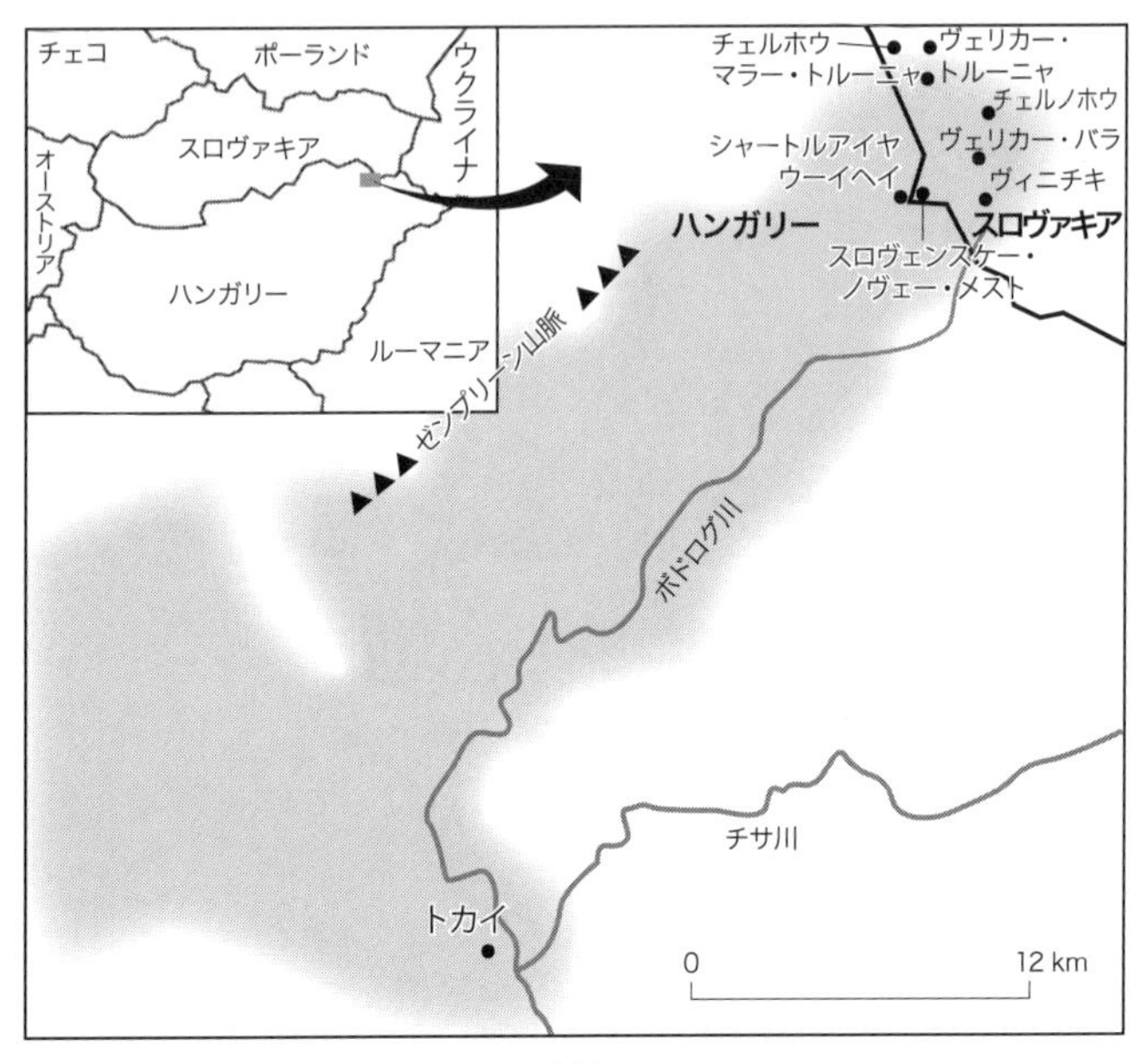

二国間にまたがるトカイ・ワイン産地

トカイ・ワイン産地は、1737年カール6世の勅令により、原産地呼称統制の認定を受けた世界史上最初期の事例の1つと言われている。すなわち、産地内で生産されるワインだけが「トカイ・ワイン」を名乗ることが許可された。オーストリア＝ハンガリー帝国時代の1908年には、産地の範囲が計30の自治体で構成されることが法律で定められた。しかしながら、第一次世界大戦後1920年のトリアノン講和条約によって、新たな国境線が旧ハンガリー王国領のトカイ・ワイン産地内を通るように引かれたために、マラー・トルーニャ、ヴィニチキ、スロヴェンスケー・ノヴェー・メストの3つの自治体を含む175ヘクタールがチェコスロヴァキア領となった。なお、スロヴェンスケー・ノヴェー・メストはそれ以前は現ハンガリーのシャートルアイヤウーイヘイと単一の自治体を形成していた。1959年にはヴェリカー・トルーニャ、チェルホウ、ヴェリカー・バラ、チェルノホウの4つの自治体が新たに追加され、産地の範囲は703ヘクタールに拡大し、さらに連邦解体後、1996年には908ヘクタールに拡大した。

トカイ・ワインは、16世紀にはすでにヨーロッパ各地の王侯貴族の間でも知られていた。フランスのルイ14世が「王のワイン、ワインの王」と讃えたことに始まり、ロシア・ロマノフ王朝のピョートル大帝や、ハプスブルク家の女帝マリア＝テレジアなども愛飲していたと伝わっている。その名が知られるようになる一方、トカイ・ワイン産地外（フランス、イタリア、米国、オーストラリアなど）で「トカイ」の産地名を冠したワインが生産・販売されるようにもなっていた。ハンガリーは「トカイ」の呼称を、自国内のトカイ・ワイン産地で生産されたワインのみに適用させようと尽力してきた。たとえば、「原産地名称の保護及び国際登録に関するリスボン協定」（1958年採択）や、二国間の協定などによる解決が試みられてきた。2004年のEU加盟後は、原産地呼称保護（PDO）への登録を通じ、EU圏内および協定相手国において、ハンガリーによる「トカイ」のワインの呼称使用が保護されるようになった。

しかしながら、スロヴァキアにおける「トカイ」のワインの呼称については、近年までハンガリーとの間で争点となっていた。先述のように1920年のトリアノン講和条約により、かつてのトカイ・ワイン産地の一部がチェコスロヴァキア領となって以降も、こんにちのスロヴァキア側では産地の範囲を拡大しながら、「トカイ」のワイン生産の伝統が引き継がれていた。呼称保護をめぐって初めて両国間に争いが生じたのは1965年、チェコスロヴァキアが自国で生産したトカイ・ワインをオーストリアへ輸出しはじめたことに、ハンガリーの国営貿易会社が反発したことが発端である。数年に

マラー・トルーニャのワイナリーTokaj & COの「トカイスケー・サモロドネー」
出典：2023年、筆者撮影

わたる交渉が重ねられた結果、ハンガリーがチェコスロヴァキアからトカイ・ワインを一定量購入することが取り決められ、一旦は終結したとみられた。１９９０年にこの取り決めが失効すると、争いは再燃することとなる。２００４年にスロヴァキアとハンガリーの両国がＥＵに加盟すると、以降は欧州委員会が仲介することとなった。欧州委員会は両国のトカイ・ワイン産地で同一の製法を定める規則を遵守することを求め、ハンガリーが作成した規則に適合するよう、スロヴァキアがトカイ・ワインの醸造法や製品仕様を変更することとなった。これを条件に、ハンガリーはスロヴァキアのトカイ・ワイン産地の５６５ヘクタールで生産されるワインに「トカイ」の呼称を使用することを認めた。こうした流れの中、２００６年には、両国がそれぞれの国内法で規定する「トカイ・ワイン産地」がともにＰＤＯに登録された。

その後２００９年にＥＵのワインに関する電子データベースである“E-Bacchus”が導入されると、争いが本格化する。ハンガリーは、スロヴァキア側では２００４年の合意時に条件とした同一の製法規則が遵守されていないとし、翌２０１０年に欧州司法裁判所に対し、“E-Bacchus”からのスロヴァキア側の「トカイ・ワイン産地」の登録抹消を求めて提訴したが、２０１２年に敗訴した。２０１３

年にハンガリーが控訴したものの、２０１４年同裁判所により完全に却下された。こうして約半世紀に及んだ争いはついに収束し、「トカイ」のワインはＥＵの原産地呼称保護制度のもと、スロヴァキアとハンガリーの両国で生産され続ける。

なお、少し時代をさかのぼること２００２年、ハンガリーの提案により「トカイ・ワイン産地の歴史的・文化的景観」がユネスコ世界遺産リストの文化遺産カテゴリーに登録された。ただし、その対象地域は現在のハンガリー国内に限定され、スロヴァキア側は含まれなかったため、国境を越えた拡大に向けて両国で協力を継続することが世界遺産委員会により勧告された。しかしながら、２０２３年８月現在、進展は見られていない。

最後に余談ながら、スロヴァキア産のトカイ・ワインは、日本のネット通販などでも入手することができる。読者諸氏もぜひその味わいを試してみてはいかがだろうか。

（倉金順子）

49

ヴァラフと呼ばれた羊飼い

★典型的なスロヴァキア人イメージとなった人々★

14世紀から17世紀にかけて、ヴラフ人と称された人々が、東南ヨーロッパから三日月状に西北に伸びるカルパチア山脈沿いに、現在のスロヴァキア地域に移動してきた。ヴラフとは、ラテン化されたケルト人の部族名を指すゲルマン祖語の walhaz に由来するとされるが、スラヴ系住民のあいだでは、バルカン・ロマンス語（現在のルーマニア語の源流）を話す人々に対して用いられるようになった。ルーマニア南部ワラキアの地名のいわれも、このゲルマン祖語に基づく。一方で、10世紀以前から続く彼らの生業がおもに羊の放牧であったため、スラヴ諸語ではもっぱら半遊牧の羊飼いを意味する語として使われるようになった。スロヴァキア語ではヴァラフ（valach）と呼ばれる。このような半遊牧民のスロヴァキアへの到来は、東スラヴ系のルシーン人が最初であり、1317年に東部地方ゼンプリーン県とシャリシ県に集落を形成した記録が残る。本来のヴラフ人から受け継いだスキルを、ルシーン人羊飼いがカルパチア北東部の地にもたらしたと考えられている。

中世期以降、羊の群れとともに移動する彼らの諸権利と義務を保証したのは「ヴラフ人の法」という、13世紀にカルパチア南部で始まった慣習法だった。スロヴァキア地域では、カルパチア北部のタトラ山脈に面して広がるオラヴァ県とリプトウ県にやってきた彼らに、1417年ハンガリー国王マーチャーシュ1世が適用したのが最初である。当時の農民に課せられていた教会への10分の1税納付や、領主地での賦役を免れる代わりに、必要に応じて国境と街道の警備に就くことが命じられた。しかし16世紀以降、隷農制の拡大や現地農民との混住が進み、1764年にマリア＝テレジアが発した領主と農民の経済関係を見直す改定法を受け、「ヴラフ人の法」は実質上無効化された。諸権利が廃止になった後も、スロヴァキアでは当時の独特な牧羊のスタイルが継続して、現在まで受け継がれるなか、民俗文化やスロヴァキア人の自己イメージ形成に大きな影響を与えることになった。

彼らの牧羊スタイルは「サラシ経営」と名付けられるものであり、サラシとは高原の牧場を意味している。ヴラフ人がもたらしたこの言葉は、スロヴァキア語をはじめ西スラヴ諸語に共通することから、タトラ山脈を挟んで南側のスロヴァキアから、北側のポーランドと西側のチェコ諸邦のモラヴィアに至るまで、同種の牧羊が広がっていたことがわかる。羊飼いは春から秋にかけてサラシに住み、羊を放牧するとともに羊の乳製品を作る仕事に携わった。キリスト教の暦に従い、平地の村から高地への出立は、原則として4月24日の聖ゲオルギウス（スロヴァキア語で聖ユライ）の前、村へ戻るのは遅くとも10月26日の聖デメトリウス（同じく聖デメテル）までとされた。ユライとデメテルそれぞれの俗称がジュロとミトロであることから、サラシでの活動期間をよく「ジュロからミトロまで」と言い表す。出立前、羊飼いは家々から預かる羊に識別の印（おもに耳）をつける作業等に追われ、一方で村の女性たちは、彼らのために食料品や金銭を集めて回った。羊の群れを率いて村を出る際、羊飼いは長い鞭を空中に振って魔を払う音を響かせ、女性たちは彼らに水をかけて先々の幸運を祈った。高原での放牧が始まると、良質の牧草を求めて何度か山のより高い場所に移動を繰り返し、それをやはりかつてのヴラフ人の言葉でレディクと呼んだ。移動の先々には、同じくバルカン・ロマンス語系に由来するコリバという、羊飼いのための簡素な山小屋があった。

コリバは2部屋からなり、大きめの正面の部屋にはかまどが置かれ、そこが乳製品を作る作業場兼寝室になっていた。奥の小さい部屋はチーズを熟成させたり、出来上がった乳製品を保管したりする場で、そのための棚が据え付けられていた。この棚も一般に「棚」を示すスロヴァキア語ポリツァとは異なるポジシアルという、コリバのみで通用する語が使われていた。羊飼いが攪拌する羊乳から、最初期段階に生じる純白色をした脆いチーズのブリンザは、現在EUが特定の地理的起源を有する高品質の製品に与える表示保護を受け、スロヴァキアを代表する伝統食材に数えられている。ブリンザを取り出した後の羊乳は、ジンチツァという名前の酸味の強いサラシ特有の飲料になり、またジンチツァからはバターも作られた。かつてブリンザは長期保存目的に塩を多量に用いて、ブロックのように硬くかためられており、ウィーンの市場で売られる際には荷車に据えられたまま、強い力で叩くように切り取らなければならなかったという。そのため、ドイツ語の動詞 schneiden シナイデン（「切り取る」の意）から šnajdka シナイトカという呼び名があった。19世紀末には塩に代わる溶液が考案され、軟らかいままのブリンザが販路に上がることになった。

羊飼いがブリンザの後に作る、やはり熟成させずに塊を半硬質のままスモークして、カタツムリの殻のような丸い渦巻き状にしたパレニツァ、また羊飼い自ら手彫りした卵形の木の容器に羊乳を入れて寝かせ、凝固した塊を熱した塩水に半日浸けてから、1週間ほどスモークした日持ちのするチーズ、オシチエポクも、同じようにEUの保護対象品に指定されている。

乳製品以外に、羊毛の刈り取りや、また多くはないが肉や皮を提供することも、羊飼いの仕事だった。肉は前出のミトロの日に、高原からの帰還を祝って行われる祭りミトロヴァニエのおりに、村人に振る舞われたり、春の復活祭に備えて塩漬けにされたりした。

第二次世界大戦以前まで続いていたサラシ経営は、国の社会主義化とそれに伴う農業の集団化政策のもとで、大きな変容をみせた。国営の乳製品企業がブリンザを含めたチーズ生産を独占し、羊はしだいに集団農場に集約された。バチャと呼ばれた牧人頭とそれに従う羊飼いヴァラフも、ほとんどが集団農場に所属することになり、彼らへの支払いは農場からの給与という形式が一般化した。しかし社会主義体制からの転換を経た現在、再び個人のサラシ経営が広まり始め、羊乳製品の質が向上したことに加え、山間の自然環境保全と観光資源の両面から評価されている。

サラシ経営そのものは現代社会で大きく変容したとはいえ、羊飼いから生まれた服装や

羊乳を飲む容器、チルパーク
出典：***Slovenské ľudové umenieII***,Tatran, 1954

民族楽器フヤラを吹く人たち
出典：2011年、筆者撮影

民具は、スロヴァキアで国の文化として強い継承力を持ち続けている。帆布のような厚手の麻や綿で織られたシャツとズボン、幅広な革ベルト、太く長い羊毛で編んだグバと呼ばれるベスト、革の肩掛けカバン、ヴァラシカと呼ばれる手斧等々は、典型的スロヴァキア人像がイメージされる際の必須アイテムでもある。また、2メートル程に及ぶものもある羊飼いの木製の縦笛フヤラは、スロヴァキアの民族楽器を代表し、放牧の合間の手すさびに手彫りされたジンチツァ用の容器であるチルパークは、スロヴァキア土産の定番のひとつになっている。（木村英明）

スロヴァキアの針金細工師

コラム13

木村英明

周辺諸国と比べてスロヴァキアの造形芸術は、絵画や彫刻に代表されるような、いわゆるファイン・アートの伝統に乏しい。一方で、農民や職人が生計の糧として手作りし、また日常の道具として用いてきた多種多様な工芸品は、各地域に連綿と伝えられている。東部のバルジェヨウ市には1475年に陶器職人の組合ができ、西部に移った彼らの技術が今でも人気が高いモドラ市のマヨルカ焼きを生んだ。同じく、すでに15世紀には組合があり、18世紀から19世紀にかけて各地の衣装に独自の模様を残した刺繍(ししゅう)業、また農民や木こり、羊飼いなどに道具を提供した中部地方の木工細工なども、現在に至るまで土産品あるいは実用芸術として受け継がれている。そのような工芸のなかで、ユネスコの無形文化遺産に指定され、とりわけ地域固有の価値を評価されているのが針金細工である。

針金細工師は組合を結成しなかったため、職業としての成立年代は詳らかにされていない。針金細工師を意味する語「ドロタール」(drotár)が確認できる最古の文献は1714年とされるが、これは職人の個人名であった。普通名詞としては、カトリック司祭で言語学者であったアントン・ベルノラークが、18世紀末に編纂した『四か国語対照スロヴァキア語辞典』(出版は1825年)に登録されている。彼ら職人の出身地は、北西スロヴァキアに位置する現トレンチーン県からジリナ県にかけての、極めて狭い地域に限定されていた。隣接するシレジアで16世紀から盛んであった金属加工業の影響を受けて始まった職種と考えられるため、遅くとも17世紀中にはその活動が始まっていたようである。また、針金を指すスロヴァキア語のdrôtは、同義のドイツ語Drahtに由来している。

初期の針金細工師のおもな仕事は、水瓶や壺などの陶製雑器、また農具の修繕や補強だった。日本の鋳掛屋（いかけや）に似た営みと言っていいだろう。道具箱を背に、農業に適さない貧しい故郷を出立し、その当時スロヴァキアが属していたハンガリー王国内を遠く旅し、家々の前に腰を下ろして頼まれた品の修繕をし、針金でこしらえたささやかな小物を売って歩いた。よく知られた民謡では「針金細工師さん、針金細工師さん、まるで野生のガチョウさん、この広い世界をさすらうお勤めさん」と歌われている。その旅は次第に国境を越えて、モラヴィアとチェコ、オーストリア、プロイセン、ポーランドなどの隣国から、フランスやベルギーにまで及んだ。１８２０年にはハプスブルク帝国皇帝のフランツ1世から、自作製品を行商する正式な許可を受けている。19世紀半ば以降、その製品の人気の広がりに加えて、用具と技術の向上があり、数名の職人からなる小さな工房が、故郷の西北スロヴァキアを中心に立ち上がってくる。行商から製作活動に重点が移りはじめ、果物皿や鍋敷、アイロン台、泡立て器などの台所用品、さらに鳥籠、ネズミ捕り器、衣類用ハンガーなど様々な日用品が針金を使って作り出されていく。

19世紀末から20世紀初頭にかけては凶作が続いたこともあり、農村部から海外への移民が大量に生じた。この時期、針金細工師もまた海外に活路を求めて欧米各国に工房を設立し、最盛期には、両大戦間期にかけて世界中で３７０を超す工房が存在していた。ニューヨークやシカゴを拠点としたアメリカでは、スーパーの買い物かごや葬儀用の献花台など実用品を、ヨーロッパ各地では玩具、装飾品、さらには針金のみで作られた家具など趣味性が高い製品を制作して、成功を収めている。組合や互助制度も作られ、前近代的な農村社会出身の職人衆が、資本主義の商工業社会へ順応していった様子がわかる。しかし、第二次世界大戦後はプラスチックなど、より効率的な新しい工業素材が広まり、針金細工師とその細工物は人々の日常生活の前面から姿を消していった。彼らの往時の姿は、19世紀半ばに活躍した画家ペテル・ミハル・ボフーニや、20世紀スロヴァキアを代表する画家マルティン・ベンカの絵画をはじめ、チェコの作家ボジェナ・ニェムツォヴァー、スロヴァキア民話集の編纂(へんさん)で知られるパヴォル・ドブシンスキーらの物語のなかにうかがわれるのみとなった。

針金細工師(P.ソハーニ、撮影20世紀初頭)
出典:Vladimír Ferko, ***Svetom,moje,svetom***, Tatran,1978

土産品を製作する針金細工師
出典:2011年、筆者撮影

50

コマールノのトート人

――★「山の民」？「森の民」？それとも「川の民」？★――

旧ハンガリー王国の北部地域は、ハンガリー大平原に代表される南に広がる平野部に対し、山がちな地形を有しており、そのため古くから「上部地方」ないし「高地地方」と称されてきた。現代国家スロヴァキアの国土は、ほぼこの「上部地方」に重なると考えてよいであろう。

従って、スロヴァキアという国家は、一義的には「山の国」であり、そのことはスロヴァキア人自身が「山の民」との自己アイデンティティを持つことにもつながっている。「山の民」の中でも、移動を旨とする羊飼いや山賊の存在は、ナショナル・ヒーローの創出として結晶化し、18世紀半ば以降、自民族のイメージを表象するヤーノシーク像が生み出されるようになっていった。実在の山賊ユライ・ヤーノシーク（1688～1713年）の存在とは別に、立ち現れつつあった近代スロヴァキア人意識が、自己像をより直接表す何らかの具体像を求め、それがヤーノシーク像として結実していったということであろう。

しかし、「山の国」の住民は移動を旨とする羊飼いや山賊ばかりではない。多くの住民は、ことさらに移動することもなく、一村落に定住し、日々の生活を送ることが通常であった。その

第50章
コマールノのトート人

際、標高の高い峰々や人里離れた山でなく、近隣の里山や森こそが、一般的な「上部地方」の住民にとっての生活圏であった。その意味で、「上部地方」に住むスラヴ系住民（ハンガリー語では、「トート人」と呼ばれた）は「山の民」である以上に、「森の民」でもあった。

スロヴァキアの森には、良質のモミやトウヒが生育していた。そして、それらの木材に対しては、中世末から、船材や建材としての需要が高まり、特に、深い森を持たないハンガリー王国平野部の諸都市の渇望は甚大なものがあった。そのため「森の民」は、木々を伐採し、必要に応じて製材し、要求のある諸都市までそれらを搬送することを生業とするようになっていった。

木材を欲していた旧ハンガリー王国の諸都市は、「上部地方」から見て、全てが南に位置する、カルパチア盆地の底にある大規模都市であった。ことに造船業や木工業が盛んで、木材の集散地にもなっていたコマーロム（コマールノ）はその代表的な都市であった。

ちなみに、ドナウ川の両岸を市域としていた中世来のコマーロムは、第一次世界大戦後に、そのドナウ川がハンガリーと新生国家であるチェコスロヴァキアを分ける国境となったことから、2市に分裂し、旧市街地はチェコスロヴァキア領のコマールノとなり、他方、市の郊外にすぎなかった区域は、ハンガリーによって新たに整備され、コマーロムとして生まれ変わった。川には二者を「つなぐ」特性と、二者を「隔てる」特性があると言われている。次に見る筏による木材の運搬が、「上部地方」の森と低地の諸都市を「つなぐ」例であったとするならば、引き裂かれたコマーロム／コマールノ市の例は、川が何かを「隔てる」実例に他ならないであろう。

「森の民」の生業は、「川の民」としてのトート人をも生み出した。重い丸太は、地上をわずかに移

トート人の筏師たち
出典：*Vasárnapi Ūjság*, 1892.11 sz. Mar.13.

動させるだけでも重労働である。ましてや、それを数十、数百本の単位で運搬するとなると、馬による牽引でも気が遠くなるような作業である。賢明な選択は地上を運搬するのではなく、河川を活用して、大量かつ一気に木材を運搬する方策である「筏下し」を試みることであった。幸いスロヴァキア地域の主たる河川は、ポプラト川を唯一の例外として、全て南に向かって流れていた。中でも、ヴァーフ川（ハンガリー語では、ヴァーグ川）は木材の産地であるリプトー県やトゥローツ県やトレンチェーン県（県名は、ハンガリー王国時代の呼称）を貫流し、その後、南流してドナウ川に注ぎ込んでいる。ヴァーフ川がドナウ川に注ぎ込む地点が、他ならぬコマーロム市であった。

伐採された木材は、冬場に河川の支流に集められたり、場合によっては小さな筏に組まれたりして、「筏下し」の始まる春を待った。コマーロムを始めとした流域の諸都市にも、「筏下し」に関する史料は断片的なものしか残っていないが、その歴史は少なくとも16世紀にまでさかのぼることができる。最盛期の19世紀末には、コマーロムに年間で2万床の筏が下されたと言われており、20世紀初頭の正確な史料でも1万床前後の筏の到来が伝えられている。丸太の数で言えば、最盛期のコマーロムには、数十万本単位の丸太が流れ下ってきていたことになる。

通常、筏はそれのみで下されることはなく、板材や柿板（こけらいた）などの木工製品が積み込まれ、筏と共にコマーロムに届けられた。また、言うまでもないが、筏が無人で１００キロメートルを超える距離を流れ下ってくるわけもなく、最低でも２人の筏師がヴァーフ川の急流を操っての「筏下し」であった。

第50章
コマールノのトート人

到着した筏は、コマーロムで売却されるものもあれば、そこでさらに大きな筏に組み直されて、ブダペシュトやベオグラードといったドナウ川下流の都市を目指すものもあった。

「川の民」としてのトート人たちが、実感していたか否かは定かではないが、山間のリプトー県などから下流のコマーロム市に流れ下っているうちに、筏は知らず知らずのうちに「民族境界線」をも越えていた。もちろん、スラヴ系の住民とハンガリー系の住民を截然と隔てる境界線が目に見える形で存在していたわけではないが、「上部地方」では一般的に、南に下れば下るほどハンガリー系住民の比率が高まるのは事実であった。コマーロム市も、中世期以来、市民の根幹はハンガリー系とドイツ系の人々が成していた。

しかし、事実上のハンガリー人とドイツ人の街コマーロムに、トート人たちが400年以上にわたって、筏師として訪れ続けていた事実を私たちは知っている。しかも、コマーロムに流れて来たトート人たちは筏師としてだけの存在ではなく、市場で家族への土産や生活必需品を購入する人々であったり、広場でスラヴ語で談笑する人々であったりもした。積み重なった年月が、そうした彼らの姿を、コマーロム市民にとってもごく日常的なものとしていったように思われる。

近代においても、2万床の筏をコマーロムにもたらした、のべ4万人に上る筏師の数が、当時1万5000人の街であったコマーロムにとって、どれほどの意味合いを有していたのかは容易に想像することができよう。近代以降に広まる「スロヴァキア人」という用語がどこか政治的で、外部からもたらされた異質なものとの実感を、当時のコマーロム市民が抱くのも無理はなかったように思われる。コマーロム市民にとって、トート人はトート人であり続けたからである。

（戸谷浩）

51

私の故郷ヤソヴァー

★スロヴァキア南西部の小さな村★

私が生まれ育ったのは、首都ブラチスラヴァからおよそ100キロ離れたスロヴァキア南西部に位置する小さな村ヤソヴァーである。ニトラ県のノヴェー・ザームキ郡に属し、人口は、村役場の統計によれば、2022年12月31日現在で、1146人である。ドナウ平原北辺の肥沃な農業地帯にあり、私の記憶の中の故郷は、小高いところに広がる小麦畑とひまわり畑に囲まれたささやかな窪地のなかにある。スロヴァキア南部にはスロヴァキア人とハンガリー人が混住しているが、都市部は別として、村々は基本的に民族ごとに住み分けされている。私の村は、スロヴァキア系の村としてはニトラ県のいちばん南端に位置している。したがって、ドナウ川に面したコマールノ市（対岸はハンガリーのコマーロム市）に向けて、隣のドゥブニーク村（ハンガリー名はチューズ村）からはハンガリー語が日常語としてはもちろん、公用語として使われる地域だ。社会主義時代は農業が集団化され、村人の多くは「赤旗」という名の集団農場で働いていた。集団農場は、ヤソヴァー村、スロヴァキア系のセメロヴォ村、そしてハンガリー系のドゥブニーク村の三村合同で作られ、本部はいちばん人口の多いドゥブニーク村に置かれていた。

考古学調査によると、村内にある鉱泉近辺には、ローマ皇帝マルクス・アウレリウスの軍が宿営地を置いていたことがわかっている。村について残るもっとも古い記録は、ブダペシュトの古文書館にある貴族の領地所有権に関する書類で、1434年のものだ。村の名称はチェコスロヴァキア建国後の1920年までヤースファル（Jászfalu）であり、ハンガリー語で弓の射手を意味するイーヤス（íjász）が語源という説が有力である。チェコスロヴァキア時代にヤーソヴァー（Jásová）が正式名称になり、1938年のウィーン裁定によりハンガリー領土に組み込まれると再びヤースファル、戦後再びヤーソヴァーとなった後、1996年からスロヴァキア語の響きとしてより自然なヤソヴァー（Jasová）に改名された。

スロヴァキア人とハンガリー人の関係については、住人同士がいがみ合うような事態を私は目にしたことがない。私の実家の隣人はハンガリー系だったがとても親しくしていたし、都市部の高校では、スロヴァキア人とハンガリー人が一緒に机を並べるため、友人の半数はハンガリー人だった。授業はスロヴァキア語で行われていたけれど、休み時間には両言語がごく自然に飛び交っていた。共産党政府の崩壊やチェコスロヴァキア連邦制度の解体後に、両民族の対立を煽るような政治家の発言やメディアの報道が頻繁にあったが、ほとんどの住民は困惑していたように思う。

村はカトリックの伝統が強く、社会主義時代でも、年間の行事や祭りはキリスト教の暦が基本になっていて、村の中心に立つ教会が生活に占める存在感は小さいものではなかった。村が形成されるより前に、ロマネスク様式の聖ミハル礼拝堂と聖ヴァヴリニェツ教会が建てられていた。17世紀のトルコ

2015年のヤソヴァー村のホディの日のアトラクション：子どもたちのための遊覧馬車
出典：筆者撮影

戦争で村も戦火に焼かれ、礼拝堂と教会は失われたが、1736年にバロック様式で再建され、現在まで改修を重ねてきている。

教会の墓地には、スロヴァキアの民族再生期に活躍し、ヤソヴァーで神父を務めたスロヴァキアの民族運動家ユライ・ホルチェクが眠っている。彼は1849年、ウィーンでオーストリア皇帝フランツ・ヨーゼフに「スロヴァキア民族の誓願書」を上奏した代表団や、1861年、ハンガリー議会に「スロヴァキア国民のメモランダム」を提出した代表団の一員だった。村では、ホルチェクの命日である5月4日前後の日曜日に、教会で特別なミサを捧げ、その後で彼の墓前に村人が集まって敬意を表する儀式が執り行われてきた。

私たちが何より楽しみにしていたのは、ホディと呼ばれる村祭りだった。ホディは、中心となる教会に冠せられた聖人の日を記念して催される。ヤソヴァーでは聖ヴァヴリニェツの日に当たる8月10日前後の週末が中心となるが、正式な日程は神父が決定して村人に告知する。祭りは金曜日から火曜日まで続く。屋台や移動遊園地が広場にやってくるほか、隣村とのサッカーの友好試合が行われたり、オールナイトでディスコ会場が設けられたりする。もちろん教会では教会の守護聖人ヴァヴリニェツを讃えるミサがあって、ふだんは教会に通わない人たちも姿を見せる。

7月には約2週間、交代で一昼夜も休むことなく小麦の収穫が行われる。その後、ドジンキと呼ばれる収穫祭がある。ヤソヴァーでは、前述のようにホディが8月にあるため、2つが合体して、ホディの月曜日がドジンキになる習わしだ。ドジンキには刈り取ったばかりの小麦の藁で編んだリースを飾り、作りたての小麦粉でパンを焼く。また、村長が中心になって、村の男性たちが羊肉のグラーシを煮込んで振る舞うしきたりになっている。自家製のワインやパーレンカと呼ばれるアルコールの強い蒸留酒を飲み、酔った男性が歌って騒ぐ印象が強く、子どもには少し近づきにくい場でもあった。

秋から冬にかけては、村全体として行うような催しは、ほとんどない。11月1日の「諸聖人の日」、そしてクリスマスは、家庭行事の色合いが濃い。私の実家では、大勢の親族が集うのは、「諸聖人の日」だった。日本のお盆のように、故人の墓参りをする日なので、嫁いだ姉たちの家族をはじめ、めったに顔を合わせない叔父や叔母が、遠方から訪ねてきた。そのため、数日前から、菓子を何種類も焼いたり、ガチョウを何羽もつぶしてグリルしたりと、供応の準備に、楽しいけれど忙しい時間を過ごした。

クリスマスや元日を家族だけで静かに過ごした後で、村が活気付くのは、2月にピークを迎える謝肉祭の時期だった。ヤソヴァー村では、親と子、祖父母の三世代の参加を条件とした「歌う家族」というコンクールが、「文化の家」(公民館のような施設)で行われていた。歌の下手な私や姉は出場を尻込みして聴きに行くだけだったので、歌の得意な父はそのことをいつも悔しがっていた。またこの時

ヤソヴァー村の遠景
出典：2015年、筆者撮影

期、「文化の家」では村の若者たちによる芝居も上演された。

しかしながら、少子高齢化と人口減少が進み、維持できない行事が出てきた。上記の「歌う家族」もそうだ。２０００年代以降、村の初等学校（日本の小学校から中学校に相当）入学者が10人に満たない年もある。たったひとりという年まであったと聞く。都市部への移住者も後を絶たない。故郷が記憶の中にしかない日がやって来ないように願っている。

（木村アンナ）

V

文学・芸術・文化遺産

52

伝説の義賊 ユライ・ヤーノシーク

★スロヴァキア民衆文化の一大モチーフ★

概括的な言い方をすれば、かつて共同国家を形成していたチェコ（特にボヘミア地方）では、19世紀以降の近代化の過程で、スラヴ的な習俗や土臭い農民文化が顧みられなくなる傾向にあったのに対して、スロヴァキアでは産業の発展と、それに伴う都市化が遅れたうえ、地理的に小さな村が山々に分断されていた事情などから、比較的素朴さが損なわれないままに民衆文化が保たれてきた。構造主義を代表する民俗学者のひとり、ロシアのピョートル・ボガトゥイリョーフによるスロヴァキア地域の民話採集や民俗衣装の機能研究は世界的に名高いが、何よりその成果は、研究素材が生活の中でまだ豊かに息づいていたことに負う面が大きい。またスロヴァキア人自身、今でも、ナショナル・アイデンティティの所在を、歌謡や舞踏、手工芸などの伝統的芸能、技能の中に積極的に求めていく傾向が強いように思える。そこには、20世紀に至るまで彼らが、民族の誇らしい歴史をそこに重ね得るような、自前の国家を持った経験がない事実が、少なからず影響しているのかもしれない。

現在のスロヴァキア社会を考える際にも、民衆文化は無視できない大きな地歩を占めているのだが、その多岐にわたるジャンルを横断して目につく、ある独特なモチーフが存在している。カルパチアの山々に囲まれて居住してきた民にとって、最も地域色豊かな仕事といえば牧羊であった。したがって、何よりよく歌われ、語られ、描かれているのは羊飼いの生活に関わるものだ。しかし、スロヴァキアの民衆文化に際立って異色の彩りを添えているのは、羊飼いよりむしろ、同じく山々を闊歩する生業でありながら、モチーフとしてはずっと剣呑であった存在、山賊（スロヴァキア語でズボイニーク）であろう。すでに17世紀には民衆譚の中などで山賊の形象は取り上げられていたものの、18世紀半ば以降、それがひとりの若者に集約されていく。実在した山賊で、タトラ山脈沿いの地域で活躍したユライ・ヤーノシーク（1688～1713年）である。スロヴァキア人が自民族の形象を歴史上のヒーローに表象しようとする際には、真っ先にこのヤーノシークが想起されるようだ。第二次世界大戦中に組織された反ファシズム闘争、スロヴァキア民族蜂起のパルチザン部隊にも彼の名が冠せられていた。

若くして処刑され、目立った足跡を歴史に残したわけではない一介の盗賊の彼に（実際に仲間を率いて盗みを働いた時期は2年に満たない）、なぜ民衆がそれほど深い愛着を寄せるようになったのか、明瞭な答えを得るのは難しい。ただ、その人気の最大の要素である「富めるものより奪い、貧しきものに与えた」と伝えられる義賊ぶりは、逮捕後の審理記録にも残されており、まったくのフィクションとばかりは言えないようだ。その記録によれば、最大の罪過として殺人罪が問われているが、ヤーノシークはそれを否定している。記載された掠奪品は武器、衣装、カツラ、貴金属とわずかな金銭であり、貴金属と金銭を故郷のチェルホヴァー村で女性たちに配っている。社会主義期には、封建体制下で自由を希求する隷農のシンボルのように評されることが多かったが、当時の隷農の名簿には彼の名前が見出せない。土地に縛られず、納税や賦役を免れる特権が与えられていた、スロヴァキア語でヴァラフと呼ばれる半遊牧の羊飼いだった可能性も指摘され、後世の図像イメージは多くの場合に羊飼いのそれに近い。いずれにしても、ハプスブルク家支配に対するハンガリー人の蜂起であったラーコーツィ戦争（1703～1711年）を始めとする戦乱に喘ぐ、貧しい庶民の憧れを掻き立てる存在だったであろうことは想像に難くない。ヤーノシーク自身、ラーコーツィ戦争に蜂起軍側で従軍し、ハプスブルク皇帝軍の捕虜となった監獄で、ある山賊の首領と出会ったことが、山賊家業に足を踏み入れるきっかけだった。処刑後ほどなくして、ヤーノシークにまつわる小話や歌謡は、官憲が目を光らせていたにもかかわらず民衆の間に広がっていった。それらの中では「世の中を平等にする山賊」という言い回しがしばしば使われている。造形ジャンルでは、その死からわずか15年後の1726年に、ワイン壺の絵柄にヤーノシークが描かれていたことが確認されている。

19世紀になると、ロマン主義世代の詩人がこぞって、「スロヴァキア民族が渇望する自由の体現者」という視点から、青年義賊を称揚する詩を創作した。ヤンコ・クラーリ『ヤーノシーク断章』、ヤーン・ボト『ヤーノシークの死』等々、文学史上の秀作は枚挙にいとまがない。それらの作品がさらに民話に還流されて、民衆の想像力によるヤーノシーク譚をいっそう豊かに膨らませていった。怪力の源であるベルト、何物も断ち切るヴァラシカと呼ばれる手斧、隠れ蓑の機能を持つシャツなど、服装にも意味が与えられた。

さらに19世紀には、本来宗教的なテーマが描かれていたガラス絵に、義賊ヤーノシークとその配下が彩色豊かに登場し始めた。皿など陶磁器の絵柄としても好まれるようになる。典型的な図柄は、仲間に囲まれた彼が、手斧を手に焚き火の上を飛び跳ねる姿であった。陶磁器はおもに西スロヴァキアで製作されたが、中部から東部の地域にかけては、代表的伝統工芸のひとつである木工品として、ヤーノシーク像が彫られるようになった。

ヤーノシークとその仲間を描いた19世紀前半のガラス絵
出典：*Jánošík-obraz zbojníka v národnej kultúre*, Tatran, 1988

20世紀に入って、普遍性や都市性が主要なテーマであったモダニズムの時代を迎えても、ヤーノシークのモチーフは芸術家のインスピレーションを刺激し続け、シュルレアリスムのミクラーシ・ガランダは力強い線とシンプルな面で、表現主義に傾倒したリュドヴィート・フラは弾けるような色と躍動感あふれる構図で、若々しい義賊をカンバスに定着させた。20世紀最大の民衆文化と言えるだろう映画のスクリーンに、ヤーノシークはアニメ映画を除いても、すでに4度登場している。

現在、街角の民芸品店をのぞいてみれば、絵や刺繍（ししゅう）、木彫りの手斧など、様々なヤーノシーク・グッズにお目にかかることができる。しかし、実のところ、彼がスロヴァキア系であったのかどうかははっきりしない。ポーランド系かマジャール系であった可能性も高い。しかし、彼なくして、スロヴァキアの民衆文化が成り立たなかったことだけは間違いないだろう。

（木村英明）

53

スロヴァキア語文学の茨の道

★複数言語による一国文学は可能なのか？★

20世紀最後の年2000年に、ある文芸誌がその年末号で、19世紀スロヴァキア文学で最も優れた作家の名を挙げるようにと、若手の作家と文芸評論家を対象にアンケートを行った。1位と2位には、19世紀中葉に活躍した詩人ヤンコ・クラーリと アンドレイ・スラートコヴィチが選ばれた。クラーリは民衆詩の韻律や語彙を取り込みつつ、バラード『ヴァーフ川の呪われた処女と奇妙なヤンコ』（1844年）などを執筆し、スロヴァキア・フォークロアの世界を近代文学として洗練させた。また、スラートコヴィチは叙情的叙事詩『マリーナ』（1844年、刊行は1846年）において、マリーナという女性にたいする青年の愛が、郷土や民族への愛に昇華されていく、スロヴァキア文学史上初めてと評される恋愛讃歌を格調高く詠い上げた。特筆すべきなのは、スロヴァキア・ロマン主義の確立者である両詩人が、民族運動の指導者で言語学者でもあったリュドヴィート・シトゥールにより1843年に制定されたスロヴァキア語表記法、いわゆるシトゥール語を用いて詩作したことである（クラーリは初期にはチェコ語で執筆）。このシトゥール語に改訂を加えたスロヴァキア語が、現代の標準文章語とされている。

しかし、シトゥール語はスムーズに文章語として定着したわけではない。アンケートで3位になり、代表作に小説『フヤヴァ村の2日間』(1873年)があるヨナーシ・ザーボルスキーは、シトゥール語の制定後もチェコ語で書き続けた。4位に名前が上がった詩人ヤーン・ホリーは、カトリック司祭のアントン・ベルノラークがシトゥール語に先立って考案した表記法、ベルノラーク語に基づいて執筆した。10位台には、連作詩『スラーヴァの娘』(1824、1832年)により古典主義からロマン主義への移行期を代表する詩人、ヤーン・コラールの名も見えるが、彼の記述言語はドイツ語とチェコ語であった。一般にヨーロッパ文学で、近代国民国家の形成と手を携えて進んでいく傾向にあった、「国語による国民文学」の成立が、スロヴァキアにおいては平坦な道のりではなかったことがうかがえる事例だろう。そもそも、シトゥール自身が1850年代の著作では、チェコ語に回帰している。

1870年代以降は中等教育から初等教育へと、ハンガリー語が浸透するなか、民族啓蒙団体マチツァ・スロヴェンスカーを中心に集った作家たちが、スロヴァキア語文学の命脈を細々と保った。リアリズムが文学叙述の主要な様式となったこの頃に、最も旺盛な創作意欲を示した小説家に、『赤毛の雌牛』(1885年)や『ホホリョウ村のおじさんが死んでしまったら』(1890年)で、農村の苦楽を写実的、かつユーモラスに描いたマルティン・ククチーンがいる。また詩人には、初めハンガリー語やドイツ語で執筆したが、やがてシトゥール語に移り、叙事詩『森番の妻』(1884、1886年)などで自然や社会を写実的な眼差しで表現し、国民詩人とも称されるパヴォル・オルサーグ・フヴィエズドスラウがいる。

1918年のチェコスロヴァキア国家成立後も、スロヴァキア文化人の間には文章語をめぐる軋轢が生じている。1936年に開催された第1回スロヴァキア作家会議では、スロヴァキア文学の自立性について激しい議論が繰り広げられた。1931年に定められた新たな正書法（いわゆるマチッァ慣用語法）が意図的にチェコ語に近づけられたことに対し、かねてから反感を抱いていた一派が、スロヴァキア文学をチェコスロヴァキア文学の一部とみなす会議主催者の一派（主催者側でも意見が一致していたわけではなかった）に噛みついたのである。それに対して、主催者側の一派からは、チェコスロヴァキア国家の現実にそぐわない守旧的「シトゥール主義者」と、彼らを見下す発言があった。そこには、当時の政界を二分していたスロヴァキア自治主義者とチェコスロヴァキア主義者の対立が、色濃く反映されてもいた。

これに似た対立が、1993年にスロヴァキア共和国が成立した際にも起きている。スロヴァキア最古の文芸誌『スロヴァキア展望』（1848年創刊）に、シトゥールによる標準スロヴァキア語制定にプラスの意味があったのか、その言語文化が十分な洗練や独自的発展を経てきたのか、と疑問を投げかける記事が掲載されたことにナショナル派文化人が激しく反発し、同誌は分裂して、一時、2つの『スロヴァキア展望』が発行される事態が生じた。

チェコスロヴァキア時代を通して、スロヴァキア文学は方言で書かれた一種の「地方文学」に過ぎないと捉える見方が、特にチェコ側に潜在していたことは否定できない。言語の問題はさておいても、20世紀世界文学の主要な背景である都市生活を扱う作品は確かに少なかった。しかし、それゆえに、両大戦間期から第二次世界大戦の終戦直後にかけては、山間のモダニズムとでも呼ぶべき、独特の文学世界を築いた良質な作家たちが現れ、スロヴァキア文学の魅力のひとつとなっていることも事実である。山村とそこに生きる農民を表現主義的手法で描写した『生ける鞭』（1927年）のミロ・ウルバン、ケシ粒（スロヴァキア語でマク）のような農民の半生を描き、スロヴァキア人の一典型を創造したとされる『ヨゼフ・マク』（1933年）のヨゼフ・ツィーゲル＝フロンスキー、さらに自然と人間の神秘的な交感を叙情的な散文で叙述した『マルカ』（1942年）や『高原牧場の花嫁』（1946年）のフランチシェク・シヴァントネルなどがいる。

社会主義期の50年代には社会主義リアリズムに則った図式的な作品が多く書かれたが、個人崇拝を批判したドミニク・タタルカの寓意小説『同意の悪魔』（1956年新聞掲載、1963年刊行）が転機をもたらし、60年代には実存主義の影響を受けた内省的な私小説風の作品で、ルドルフ・スロボダやヤーン・ヨハニデスが輝きを放った。しかし、70～80年代の正常化体制下では、一部の歴史小説に見るべきものがあるものの、新しい文学潮流は生まれなかった。このことが、先の『スロヴァキア展望』に掲載された、スロヴァキア標準語の成熟度に対する疑念の一因ともなっていた。

社会主義体制の崩壊とチェコ＝スロヴァキアの解体は、新たなステージをスロヴァキア文学に開いた。シトゥールの「正統な」スロヴァキア語作品と並んで、90年代最良の成果と評価されるペテル・ピシチャネクの三部作『リヴァーズ・オブ・バビロン』（1991、1994、1999年）のように、チェコ語混じりのスロヴァキア語小説もあれば、詩をハンガリー語で、小説をスロヴァキア語で書き分けるペテル・マチョウスキー、ルシーン語小説『赤い岸辺』（2016年）を書いたリュドミラ・シャンダロヴァーなどが登場した。本来、多民族・多言語のスロヴァキアに相応しい表現が、いまも模索途上にあると言えるのかもしれない。

（木村英明）

ボヘミアン作家ティド＝ヨゼフ・ガシパルの剣呑な選択

コラム14

木村英明

「たぶん私は当時のスロヴァキアで決闘を行った唯一のスロヴァキア人であったろう。（…）実はそのことは秘密に付されてきたのだが、今となっては干からびた時の記念碑であり、他の多くの過去の愚かしさとともに回想しても構わないだろう」と、ティド＝ヨゼフ・ガシパル（1893〜1972年）は回想録『黄金のファンタジー』（1969年）に記している。同書は1945年から1958年までを戦争犯罪人として監獄で過ごした作家が、その存命中に出版を許された最後の作品となった。

チェコスロヴァキア国家成立後、スロヴァキアの中心都市となったブラチスラヴァには徐々にスロヴァキア系文化人が、おもにそれまで活動舞台としていた山間の小都市トゥルチアンスキー・スヴェティー・マルティン（現マルティン）から移住してきた。ガシパルもそのひとりである。モダン都市を彩る華やかで時に退廃的な社交の場を、カフェや酒場などの遊興施設が提供することとなったが、酒場「黄金のファンタジー」はガシパルにとってそうした馴染みの店の一軒だった。彼は、1920年代から30年代にかけてひとときの平和と自由を謳歌し、「ブラチスラヴァ・ボヘミアン」と称されるようになる小説家、詩人、画家たちの旗振り役とみなされていた。ステッキを手に、いつも襟ボタンの穴に花を差したその伊達姿は、夜の交遊場でもてはやされたと同時代の詩人が追想している。

くだんの決闘事件は、ガシパルがカフェで出会った婦人と映画を見に出かけたことから、その夫との間で起こった悶着に起因している。夜明けの森でサーベルを使って行われた決闘は、ガシパルの剣の切っ先が相手の頬を傷つけ、心臓発作を起こした相手が倒れて終わった。男は、教育大臣や法務大臣を務めたスロヴァキアを代表する政治家のひとり、イヴァン・デーレルの実弟だった。命に別状なかったおかげで表沙汰にならずに済んだが、のちにガシパルは、女性を暴力的な夫から解放したいという騎士道的ロマンティシズムに駆り立てられて、他人に傷を負わせた自らの行動を恥じている。

ガシパルの著作
出典：2023年、著者所蔵・撮影

しかし、その時代遅れなロマンティシズムこそ、彼の創作全体を貫流する感性であったように思われる。幼少時から近所の小川の水が流れ着く先の海に憧れ、卒業直前にマルティンの学校を辞めて故郷を去った彼は、現クロアチアの港町プーラで船乗りとなってアドリア海と地中海を舞台に、冒険的な青年期を送っている。チェコスロヴァキア成立後に、いっとき故郷に戻ったのち、ブラチスラヴァに移住した1922年に、処女作『ハナ、そのほかの短編』、同じく短編集『死者たちの要望』を上梓したが、後者は船乗りの生活と女性への情熱、遠い内陸の故郷スロヴァキアへの愛をテーマとして扱い、作家としての地歩を固める出世作となった。その後も艦長と水兵の抗争を描いた『赤い帆船』（1925年）や、恋人が待つ陸に上がった船員の愛憎と死の物語『船乗りたち』（1933年）など、若き日の体験に基づく小説を発表している。短い段落をつらね、比喩や省略、言いよどみを多用する文体は、情緒的な物語展開と響き合って詩情豊かな世界を構築している。

30年代後半に入ると、ブラチスラヴァ・ボヘミアンたちは、スロヴァキアの自治を主張するナショナル派と共産主義に傾倒する派に分かれていった。ガシパルは前者の急先鋒となって政治の道に足を踏み入れる。民族主義政党「フリンカ・スロヴァキア人民党」党員となり、ナチス・ドイツに同調する独立スロヴァキア国の代議員に選出され、1941年から終戦まで、プロパガンダ局のトップとして、いわば「スロヴァキアの小ゲッベルス」の役割を務めた。戦後はその罪を問われ、13年のあいだ獄につながれることとなった。『黄金のファンタジー』のなかで、自分には3つの愛があったと語っている。海と女性、そして民族への愛である。決闘に臨んだ時と同様、人生を左右することになる局面において、抑え難いロマンティシズムが、ガシパルに剣呑な政治への没入を選び取らせたのかもしれない。

54

ヴラジミール・ミナーチ

――★スロヴァキア・ナショナリズムの「パンドラの箱」を開けた作家★――

ヴラジミール・ミナーチは、第二次世界大戦期に反ファシズムのパルチザンとして青年時代を過ごし、社会主義体制を経験した後、チェコスロヴァキア国家の解体を見届けた、激動の時代を生きた作家である。ミナーチは、戦後のスロヴァキアを代表する作家というだけでなく、1960年代以降にスロヴァキアで論じられたナショナル・アイデンティティをめぐる議論に積極的に加わった人物であった。彼は、チェコの政治家がスロヴァキアに自治を認めないことを一貫して批判した、スロヴァキア・ナショナリズムの「パンドラの箱」を開けた人物とも言える。しかしそれと同時に、揺れ動く時代の中でナショナリズムに対して、アンビヴァレントな葛藤を抱えた作家でもあった。

ミナーチは、1922年8月10日、スロヴァキア中部のバンスカー・ビストリツァ地方で生まれた。1932年から40年までスロヴァキア中南部のリマウスカー・ソボタと中部チソヴェツのギムナジウムに通い、1940年から44年までブラチスラヴァのスロヴァキア大学（現在のコメンスキー大学）に進学してスロヴァキア語とドイツ語を専攻した。しかし、1939年3月にスロヴァキアがナチスの庇護下で独立国家になると、彼の人生は一変することとなる。第二次世界大戦中の1944年夏、国内ではナチスへの抵抗運動、いわゆるスロヴァキア国民蜂起が起こった。ミナーチはこの蜂起に参加するが、その咎でドイツのマウトハウゼン強制収容所へ収容され、のちにダッハウ収容所へ送られた。収容所での生活を生き延びたミナーチは戦後に共産党へ入党し、国民蜂起を題材とした長編小説『死は山々を歩く』(1948年)で作家としてデビューした。スロヴァキア知識人の個々の運命を通して、スロヴァキア国民蜂起から1948年2月の共産党政権誕生に至るまでを描いた3巻からなる小説『世代』(1958、59、61年)は、ミナーチの代表作とされている。その後1960年代になると、社会主義体制下での官僚主義を批判する作品を発表している。

抵抗運動への参加、戦後の共産党入党、1960年代における体制批判、そして作家として高い評価を受けたという経歴は、同じくスロヴァキアを代表する作家ドミニク・タタルカ(コラム15参照)とある程度共通しているが、1968年の「プラハの春」とその挫折をきっかけに、両者の体制への態度は異なったものとなっていく。「プラハの春」以後も批判を続け、体制から忌避されることとなったタタルカとは反対に、ミナーチは公の場で発言することができる作家として、体制内に留まることを選んだのである。そして1968年の「プラハの春」以降、ミナーチの関心はナショナル・アイデンティティの検証へ向けられ、スロヴァキア・ナショナリズムに関する議論の中で最も重要な言論人のひとりとして数えられるようになっていく。

1960年代以降のミナーチの関心は、スロヴァキア・ネイションの価値の再評価にあったと言えるだろう。ミナーチは、1972年に発表した歴史エッセイ『残り火を吹く』において、1848年革命時のスロヴァキア蜂起の歴史から、スロヴァキアのナショナル・アイデンティティの検証を試みる。ミナーチは蜂起の歴史を振り返り、当時のスロヴァキアを統治していたハンガリー王国と対比させ、スロヴァキア・ネイションを「平民」のネイションだと捉えた。彼は、19世紀スロヴァキアにおけるネイション形成の過程を、ハンガリー人、ドイツ人、チェコ人といったより強い勢力を持つ隣人に対するネイションの解放を目指す闘いとして描き、それが社会主義への道と結びついていると主張したのである。またミナーチの議論は、ナショナル・アイデンティティの構築に対する共産党の教条的な解釈に対抗する根拠となるものでもあった。

いわゆる「ナショナリスト」としての立場を確立させたミナーチであるが、1989年の体制転換後の情勢の中でその立場は揺れ動くこととなった。体制転換後、ナショナル派の亡命知識人の言説が国内で流布するようになった影響を受け、スロヴァキア・ナショナリズムは、第二次世界大戦中の独立スロヴァキア国とその大統領だったヨゼフ・ティソへの肯定的な評価と結びつくようになる。その状況下において、ミナーチは1990年のスロヴァキア作家連盟の機関紙『文学週刊』に掲載したエッセイ『スブ・テグミ

1974年から1990年まで、スロヴァキアのナショナルな文化振興を目的とした団体、マチツァ・スロヴェンスカーで議長も務めていたヴラジミール・ミナーチ
出典：Matica slovenská（CC BY-SA 4.0）

1985年8月29日、カントルスカー・ドリナでのマチツァ・スロヴェンスカー委員会の会合に出席するミナーチ
出典：Matica slovenská（CC BY-SA 4.0）

ネ（樹下随想）』のなかで、「私は何十年もの間、スロヴァキアの経験、スロヴァキアの歴史、人物、行為、民族自決の理由を抽出しようとしてきた。これ（独立スロヴァキア国やティソの復権要求）が結果であれば、私は人生を無駄にしたことになる」と述べる。ミナーチは、第二次世界大戦中のナチスへの抵抗運動に参加している。それゆえ、ナチスの庇護下で誕生した独立スロヴァキア国への支持に基づいてスロヴァキア共和国の独立を訴えたスロヴァキア国民党の過激派や、一部の亡命知識人を含めた勢力に対して否定的な態度をとったのである。

しかしその後ミナーチは、ナショナリズムに対するアンビヴァレントな態度を取りながらも、スロヴァキアが主権を獲得することの正当化を試み続けた。ミナーチは、19世紀から訴えられてきたスロヴァキア・ネイションの主権が認められるべきだとチェコの政治家を批判すると同時に、第二次世界大戦中の独立スロヴァキア国を支持するスロヴァキア国民党支持者を非難した。このスロヴァキア主権に関する態度と、スロヴァキア・ネイションを「平民」のネイションとする社会主義期以降の叙述は、スロヴァキアの主権獲得を主張した政党、民主スロヴァキア運動（HZDS）を支持するレトリックに収斂（しゅうれん）することとなる。ミナーチは、民主スロヴァキア運動の党首ヴラジミール・メチアルこそがスロヴァキアに主権をもたらし、スロヴァキア・ネイションの「平民」の精神を体現する人物だと主張した。すなわちミナーチは、19世紀以降のスロヴァキア史に主権を求めるメチアルの政治運動を接続させたのである。ミナーチ自身は民主スロヴァキア運動に参加していないが、彼のネイションについての語りとそのレトリックは、民主スロヴァキア運動を支持する知識人たちに受け継がれ、彼らに大きな影響を与えることとなった。ミナーチはスロヴァキア共和国の独立を見届けた後、１９９６年に亡くなった。ミナーチは社会主義期にはスロヴァキア・ネイションの存在を再評価するレトリックを提示し、体制転換後には、メチアルを「平民」のネイションの体現者として描く新たなレトリックを作り上げ、スロヴァキアの主権獲得を正当化したと言えるだろう。しかし、メチアル政権が後に権威主義体制に傾いたことを考慮するのであれば、ミナーチにとっての20世紀スロヴァキア史は、スロヴァキア・ナショナリズムの発展によって独立を手に入れた栄華の歴史たり得たのだろうか。あるいは、スロヴァキア・ナショナリズムという自らが開けた「パンドラの箱」が後の権威主義体制の正当化に寄与したと悔いたのだろうか。

（佐藤ひとみ）

語るヒト「ホモ・ナラトル」、作家ドミニク・タタルカ

コラム15

木村英明

1970年代初頭から80年代末にかけてチェコスロヴァキア社会が強いられたいわゆる正常化体制のもとで、最もタブー視されていたスロヴァキア語作家といえば、誰もがドミニク・タタルカ（1913～1989年）の名前を挙げるだろう。1978年に地方出版社から、50年代に執筆した旅行記『旅する人』が点字化されてひっそりと世に出た以外に、その著作は国内の公の場からまったく姿を消していた。1968年の「プラハの春」のオピニオンリーダーとして、またワルシャワ条約機構軍のプラチスラヴァ侵攻時には、抵抗運動の組織者として活躍したタタルカは、翌69年に、第二次世界大戦中の反ファシズム蜂起を共に戦った仲間たちが要職を占めていた共産党からの離党を余儀なくされる。さらに、社会主義国家において作家活動に必須の場であった「スロヴァキア作家同盟」からも除名処分となり、事実上国内で作品を発表する手立てを失った。

30年代にプラハのカレル大学とパリのソルボンヌ大学で学んだタタルカは、当時の多くの進歩的知識人同様、コミュニズムと反ファシズムに基づく国際主義を信奉し、スロヴァキアのナショナリズムからは距離を置くチェコスロヴァキア主義者でもあった。アヴァンギャルド芸術に傾倒し、処女作の短編集『探索の不安の中で』（1942年）においては表現主義の影響を受けて、各センテンスの視点や話者が定めにくいような斬新な文体を駆使し、続く『奇跡の乙女』（1944年）では死に憧れる娘アナベラをめぐ

る、戦時下に生きる青年たちの現実と夢想が交錯するシュルレアリスティックな世界像を提示した。一方で、独立スロヴァキア国時代を風刺した『聖職者の共和国』(1948年)は、スロヴァキアにおける社会主義リアリズムの始まりを告げる小説とも評され、50年代前半にかけて大戦中の勇敢な共産党パルチザンや、社会主義建設に意欲的に取り組む労働者を主人公に据えた、平板で教条主義的なスタイルの作品を数編発表している。しかし、56年に新聞『文化生活』に掲載された『同意の悪魔』(書籍出版は63年)は、短い楽天的な夢から覚めたように、スターリニズムの個人崇拝を鋭く揶揄し批判する内容で文学界に衝撃を与え、叙述の手法も現実に追随することのない「純粋芸術」(世界と拮抗する芸術)へと回帰している。支配体制が掲げる意見に同意してきたかつての売れっ子作家(おそらくタタルカ自身)が、死後に語るという奇抜な設定のその散文を、ヴァーツラフ・ハヴェルは「誇張法的フィクションであり、ややエッセイ風、ややジャーナリスティックなテクスト」と指摘する。そうした創作技法は、パリ留学時代の体験に基づく恋愛小説の体裁をとる代表作のひとつ『籐椅子』(1963年)にもうかがわれるが、発禁作家となり、サミズダート(地下出版)や海外で出版された諸作品においては、いっそうこの傾向が強まる。『ひとり夜に抗して』(1984年)、『永遠への手紙』(1988年)、『書き散らし』(1988年)、さらには口述の回想記『語りおろし』(1988年)に至るまで、文体や構成にジャンルの混交が見てとれるが、タタルカの強靭な個性と思想は作品の統一感を損なわせない。

体制転換後の1990年以降、待ち望まれた彼の著作集出版が頓挫した一因として、版が改まるごとに本人が大なり小なり改変を加えたた

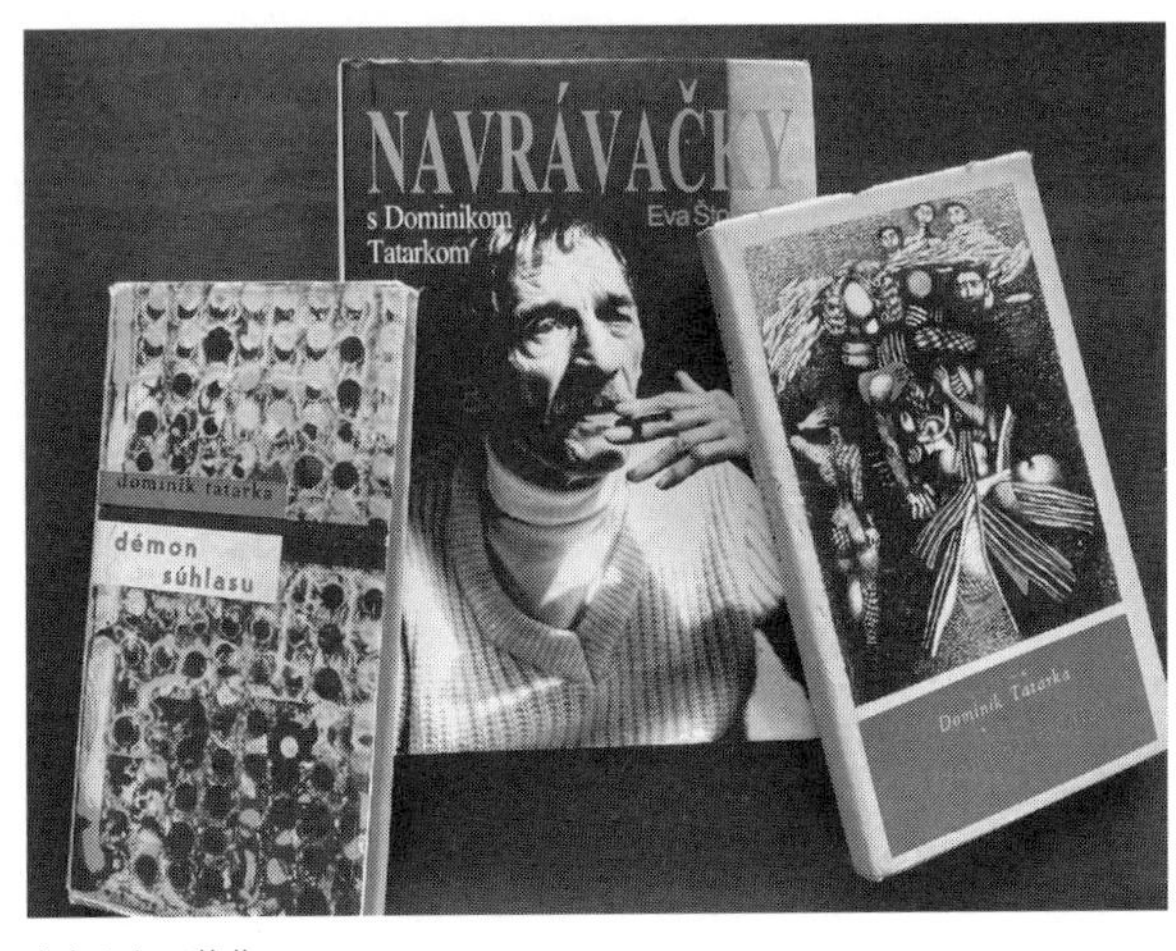

タタルカの著作
出典：2023年、著者所蔵・撮影

め、どの版を「真正な」テクストとみなすべきかの判断が難しいことが挙げられる。タタルカの長年の友人であったスロヴァキアのシュルレアリスム美術家アルベルト・マレンチーンは、彼の記憶の中のタタルカを「語るヒト」（ホモ・ナラトル）と呼ぶ。他者や自分自身との対話に没頭し、語り続ける姿を指した言葉だが、そのような姿勢は、おそらくタタルカのテクスト全体にわたって主調をなすものだろう。すなわち、同時代の社会体制や文化状況と、またすでに活字化された自著とも止むことなく対話を続け、ひとところに留まらずに動き続けることが、タタルカの生涯の仕事の根幹にあったように思われる。前述した自在なジャンルの混交も、「語るヒト」ゆえの巧まざる手法であったのかもしれない。

55

スロヴァキアと「縁」のある音楽家たち

――★ベートーヴェンの「月光」はスロヴァキアで書かれた★――

クラシック音楽の作曲家には中欧諸国出身者が比較的多い。ハイドン、モーツァルト、サリエリ、ベートーヴェン、リストはブラチスラヴァで演奏活動を行ったことがある。だが、生まれ育った場所が現在のスロヴァキア国内だという史実からみてフンメルは特筆に値する。

ヨハン・ネポムク・フンメル（1778〜1837年）は生前高名なピアニスト、作曲家、あるいは教育者として活躍した。プレスブルク（ブラチスラヴァ）のドイツ系の家庭に生まれ、旧市街地にある生家は今ではヨハン・ネポムク・フンメル博物館として一般に公開されている。父親は、女帝マリア＝テレジアの側近でハンガリー王国の宮廷顧問官アンタール・グラッサルコヴィチ公の宮廷楽団でヴァイオリン奏者だった。公の宮殿は現在スロヴァキア共和国大統領府になっている。

まだヨハンがほんの幼いときに、一家はプレスブルク近郊のヴァルトベルク（スロヴァキア名セニェッ）に移り、父親は地元の王立軍楽学校の校長になった。ヨハンは器楽演奏の才能を開花させる。1786年、7歳のとき王立軍楽学校が閉鎖されたため、一家はウィーンへ引っ越した。父親は知人を介して息子を

ブラチスラヴァ市内のヨハン・ネポムク・フンメル博物館（中庭）
出典：2023年、筆者の友人が撮影

ヴォルフガング・アマデウス・モーツァルトに紹介し、本人の前でピアノを弾かせた。当時30歳だったモーツァルトはヨハンを住み込みの内弟子扱いにして2年間無償で教えることを承諾した。フンメルは若いときから演奏や編曲を通して師の作品紹介に努めた。また、交響曲を除く舞台付随音楽、宗教音楽、協奏曲、室内楽、器楽曲の各ジャンルにまんべんなく作品を残した。ウィーン古典派からロマン派へと音楽史の潮流が変化する端境期にいたためか、伝統に縛られない柔軟な発想の持ち主だった。そのフンメルと互角に才能を競ったのがルートヴィヒ・ヴァン・ベートーヴェン（１７７０～１８２７年）だ。ピアニストとしてのベートーヴェンとフンメルは好敵手同士で、その特徴は〝剛〟のベートーヴェンに対して〝柔〟のフンメル、といったところだった。

　スロヴァキアとベートーヴェンの関わりは、いくつかのピアノ作品によって語られることが多い。その鍵となるのがブルンスヴィックというハンガリーのドイツ系伯爵貴族だ。１５９８年に先祖がスロヴァキア西部のニトラ一帯を所領し、１７５８年から１８９３年までは、ブダペシュトの南西30キロメートルに位置するマルトンヴァーシャールの町を代々治め、マリア＝テレジアから離宮を授かったという名門だ。一家は避暑のためにブダペシュトを離れてしばしばスロヴァキア西部アルソーコロンパ（スロヴァキア名ドルナー・クルパー）の館を訪れた。アンタール・ブルンスヴィックJr（1746〜1793年）と妻のアンナ（1752〜1830年）の間にはいずれもプレスブルクで生まれた兄フランツ（1777〜1849年）、姉テレーゼと妹ヨゼフィーネがいた。1795年、早くも寡婦となっていた母親アンナが、当時25歳のベートーヴェンの非凡な才能を見抜いたことがきっかけになって、ベートーヴェンはウィーンでブルンスヴィック一家と知遇を得た。さらに子どもたちの家庭教師として1800年から1806年までの間に一家が持つ各地の館に招かれた。ピアノ演奏は妹ヨゼフィーネが最も秀でていた。すでに31歳になっていたベートーヴェンが恋愛感情を抱いたことが、20世紀になって発見された手紙に記されている。だがふたりが結ばれることはなかった。

ヨゼフィーネ・ブルンスヴィック

ブルンスヴィック家と親しく付き合っていたこの頃、次々と傑作が生まれた。マルトンヴァーシャールの離宮滞在時に書いた作品が、通称「熱情」として有名なピアノ・ソナタ第23番ヘ短調 作品57（1805年）で、兄フランツに献呈されている。また、1809年に完成したピアノ・ソナタ第24番嬰ヘ長調 作品78は、姉テレーゼに献呈された。そしてベートーヴェンはドルナー・クルパーの館にも招かれている。この館で1801年に書き上げた作品が、通称「月光」としてよく知られているピアノ・

ブルンスヴィック家のドルナー・クルパーの館（ベートーヴェンが「月光」ソナタを書いた）
出典：Palickap（CC BY-SA 4.0）

ソナタ第14番嬰ハ短調「幻想曲風ソナタ」作品27―2だ。

ベートーヴェンを崇拝し、31年の短い生涯のうちに1000曲以上作曲したフランツ・シューベルト（1797〜1828年）もまたスロヴァキアと縁がある作曲家だ。かつてハイドンも仕えたハンガリーの有力貴族エステルハージ家はウィーンから200キロメートルあまり東に行ったスロヴァキア南西部の小さな町ジェリエゾウツェに館を持っていた。この一帯には今もハンガリー系住民が多く暮らしている。町はドナウ川に注ぎ込むフロン川の近くにあり、ニトラとエステルゴムの間に挟まれたようなところに位置している。

ジェリエゾウツェのエステルハージ家の館は新古典主義調の控えめな佇まいで、広い庭に囲まれて建っている。1818年7月、シューベルトは21歳を迎えた頃に家庭教師として雇われた。1824年までの6年間のうち、2度にわたり主人ヨハン・カール・ウンガルン伯爵（1775〜1834年）に仕え、館のすぐ脇の小さな建物に住んだ。そこには当時の楽器や楽譜など作曲家縁の品々が残っていて、現在、町立博物館として公開されている。ジェリエゾウツェでは「ピアノ連弾のためのソナタハ長調」D812と「創作主題による8つの変奏曲」D813が作られた。これらは誰かとピアノを一緒に弾くことを想定していたようだ。27歳のシューベルトはひと夏をジェリエゾウツェで過ごし、当時19歳になっていたカロリーネ・フォン・エステルハージ嬢に淡い恋心を抱いていた。しかし片思いは実らず、田舎暮らしにも飽きてシューベルトは秋にはウィーンへ引き返していった。その後は健康を損ない死の影にも怯えるようになったが、引き換えに傑作が次々と誕生した。

ジェリエゾウツェのフランツ・シューベルト記念館
出典：Thaler Tamas（CC BY-SA 4.0）

ジェリエゾウツェから70キロメートルほど南西に位置し、ローマ時代よりも古いケルト人の居住地に端を発する町、コマールノ出身のフランツ・レハール（1870〜1948年）が最初に成功を収めたオペレッタ「針金細工師」（1902年）は、1900年頃のトレンチーン近郊の村を舞台に始まる。若者ヤンコが商売運を試そうとウィーンへ旅立つことを決心し、将来必ず戻ってくる証にズスカと婚約する。だがウィーンのブリキ職人のところで12年修行するうちに彼女のことを忘れてしまう。共通の知人がふたりの間を取り持とうとするが、実は互いに別に好意を寄せている相手がいることが発覚するという他愛のない話だ。歌詞自体はドイツ語だが間投詞などにスロヴァキア語も登場する。

（近重亜郎）

56

スロヴァキア民謡に影響を受けた音楽家たち

―★素材の持ち味を活かして極上の料理に仕立てる名シェフたちの登場★―

今日、スロヴァキアの作曲家はヤーン・レヴォスラウ・ベラ（1843～1936年）など一部の例外を除いてほとんど知られていない。とはいえ、中欧は民俗音楽の宝庫だ。カトリック神父のカロル・メドヴェツキー（1875～1937年）が中西部ジェトヴァの民謡30曲ほどを、初めて当時最先端のエジソン型蝋管蓄音機で録音し、1905年にモノグラフにまとめて発表している。また、中部出身の作曲家ヴィリアム・フィグシュ＝ビストリー（1875～1937年）も多数の民謡を収集した。チェコのボフスラフ・マルティヌー（1890～1959年）はフィグシュ＝ビストリーの楽譜の中から、スロヴァキア南部ノヴォフラトの芝刈り歌を発見し、これを主題に「スロヴァキア民謡による変奏曲」H．378（1959年）を作曲した。

ハンガリーのバルトーク・ベーラ（1881～1945年）は、当時のハンガリー王国東部ナジセントミクローシュ（ルーマニア名スンニコラウマーレ）で生まれた。13歳の時、すでに寡婦だった母親の就職と同時にポジョニ（ブラチスラヴァ）へ転居した。1903年にハンガリー王立音楽院（後のリスト音楽院）を卒業したバルトークはピアニストとして国内外で活動する。翌年の夏、現在のスロヴァキア南部ラトコヴァー村に避暑のために滞在中、宿で当時17歳の家政婦ドーシャ・リディと出逢い、出身地であるルーマニア中心部セーケイ地方のキベード村の民謡を披露してもらった。バルトークは興味を持ったが調査手法を身につけていなかったので、新進気鋭の学者だったコダーイ・ゾルターン（1882〜1967年）を誘った。1906年、そろって民謡の調査に乗り出す。蝋管蓄音機を運びながら、トランシルヴァニア地方やスロヴァキアなど諸民族の混住地域の村々を訪ねた。バルトークはスロヴァキアで合計3223曲の民謡を採集した。また1908年から翌年にかけてハンガリーとスロヴァキアの民謡85曲を編曲しピアノ・ソロのための曲集「子どものために」Sz.42として発表した。民謡の調査は第一次世界大戦が終わる1918年まで続けられた。

ブラチスラヴァ市内にあるバルトークの記念碑。「1894年から1908年までこの建物にバルトークが住み創作活動を行った」と刻まれている
出典：2023年、筆者の友人が撮影

バルトークによると「民俗音楽」とは農村と都会の民衆的な通俗音楽をいう。農民の音楽は「古風な様式を持ち、都会文明の影響を受けていない農民生活の中に生きている音楽のすべて」（①）を指し、土地に生まれ育った者のみが歌えるとされる。次に「様式上の統一性をもたない種々の時代の音楽」（②）が存在する。ハンガリーやスロヴァキアの多くの民謡がこれに属する。労働、恋愛がテーマとなる歌詞が多く、①の古い様式による農民音楽に比べ若者があまり敬遠しない。やがて交通と通信網が発達し、兵役

農民に歌ってもらう民謡をフォノグラフに吹き込むバルトーク（1907年スロヴァキア、ニトラ地方ドラジョウツェ村にて）

義務や国民学校教育の普及など近代化が進む。ロマの職業音楽家も出現した。異なる民族同士の接触が増え、文明の様々な要素が都市から農村へ流れ込む。さらに隣接する集団の異質な音楽的要素がそれぞれの民族の音楽の中に浸透する。その結果、「新しい音楽様式による民俗音楽」（③）が生まれる。それは「新しい農民音楽」と「都会の民衆的な通俗音楽」（「新しい農民音楽に影響を受け、逆にそれらの要素を取り込んだ広い意味での〝農民音楽〟」）だ。①や②とは異なり、③は若者の支持を受けやすい。バルトークが注目した「民俗音楽」はおもに①と②に類するもので、多民族が暮らす地域の民俗音楽が激しい変動期をどのように生き抜くか、という点に関心を持っていた。彼は１９４５年に亡くなったが、当時は農業を生業としている人も多く、民俗音楽が人々の生活の中に根付いていた（①と②）。民謡や民俗舞踊はかつて家庭や村で継承されたものだが、社会主義時代になると地域の学校や職場で再評価され、アマチュアの民俗舞踊団が多く誕生し、フォークロア・フェスティバルが各地で活況を呈した。新しく生み出された「民俗音楽」（③）はメディアにしばしば登場し定着した。第二次世界大戦後に相次いで設立された民俗舞踊団「ルーチニツァ」（１９４８年設立）や「スロヴァキア民俗芸術団ＳĽＵＫ」（１９４９年設立）

などに作品を提供し、新しい民俗音楽の創造に尽力した作曲家として、アレクサンデル・モイゼス（1906～1984年）、ヤーン・ツィケル（1911～1989年）、ティボル・アンドラショヴァン（1917～2001年）、イリヤ・ゼリエンカ（1932～2007年）らが挙げられる。

職業音楽家となったスロヴァキアで最初の作曲家、ミクラーシュ・シュナイデル＝トルナウスキー（1881～1958年）は、スロヴァキア西部トルナヴァに生まれた。地元の教会で少年合唱団に所属し見習いオルガニストになった。1892年から1900年までをトルナヴァで過ごしたコダーイとは竹馬の友だ。1900年から翌年にかけてそろってブダペシュトのハンガリー王立音楽院で学んだ。その後ミクラーシュは1901年から2年間ウィーン音楽院で学んだが、学業は最終的にプラハで終えた。ウィーンでスロヴァキア出身の文人集団「ナーロト」の活動に加わり、そこで出逢った同胞のスロヴァキア語の詩に作曲し評判となった。1904年、スロヴァキア人の詩人で政治家でもあったスヴェトザール・フルバン＝ヴァヤンスキー（1847～1916年）が才能に秀でたミクラーシュに、「トルナヴァの」という意味の「トルナウスキー」という雅号を与えた。時代はハプスブルク帝国の凋落が始まっていた頃であり、スロヴァキア出身の詩人たちも民族意識の高まりを活力源としていたので、若き作曲家ミクラーシュの成功を祝したのだろう。以降、青年はトルナウスキーと名乗るようになる。

ミクラーシュ・シュナイデル＝トルナウスキー（1927年）
出典：Moravian Library in Brno,（CC BY-SA 4.0）

1905年にトルナウスキーは自身で採取した「スロヴァキア民謡集」作品7を発表した。この頃先述のフィグシュ＝ビストリーとも知り合っている。またスロヴァキアの国歌「タトラ山上に稲妻光り」はもともと19世紀半ばに広まった民謡のひとつだったが、トルナウスキーはメロディーに初めてポリフォニックな和声を施した。ちなみにハンガリーにも「私に鳩を渡さないって、あの人たち言っている」という同じメロディーの民謡があり、バルトークが1908年にまとめた「10のやさしいメロディー」Sz．39に収められている。

トルナウスキーが生涯にわたって創作に意欲を燃やしたのは声楽作品だった。一連のスロヴァキア民謡集はバルトークらが興味を示した同時代の革新的な音楽理論とは縁がなく、民謡の素朴な味わいを基調に親しみやすく情感豊かに仕上げた作品が多く、今日でも頻繁に演奏されている。（近重亜郎）

57

伝統文化継承と民族交流

★歌と踊りのフォークロア・フェスティバル★

スロヴァキアのフォークロア・フェスティバルと聞いて、どのようなものを思い浮かべるだろうか。それは、スロヴァキアの夏の風物詩と言っても過言ではなく、多くが野外で行われる。街の広場や、自然の中の野外ステージで、国内外の多彩な民族衣装、民族音楽、民族舞踊を鑑賞することができる。代表的なものは、表1にある通りだが、その内、ヴィーホドナー・フォークロア・フェスティバル、ミヤヴァ国際フォークロア・フェスティバルは、1970年にフランスで設立された、伝統文化の保護、振興、普及を目的とした国際非営利組織CIOFFの協力のもとで、開催されている。フェスティバルによっては大会形式のものもあり、参加する個人や団体の民族舞踊、民族音楽活動を活性化し、啓発を促すと共に、その認知度を上げ、若い世代の継承者育成を図っている。

今日のこういったフェスティバルは、1953年のヴィーホドナーから始まり、全国へと広まった。ヴィーホドナーはスロヴァキア中部のリプトウ地区に位置する人口約2200人の村だ。その近くを活動拠点とする舞踊団クリヴァーンのメンバーが、チェコのモラヴィア地方を代表するフォークロア・フェス

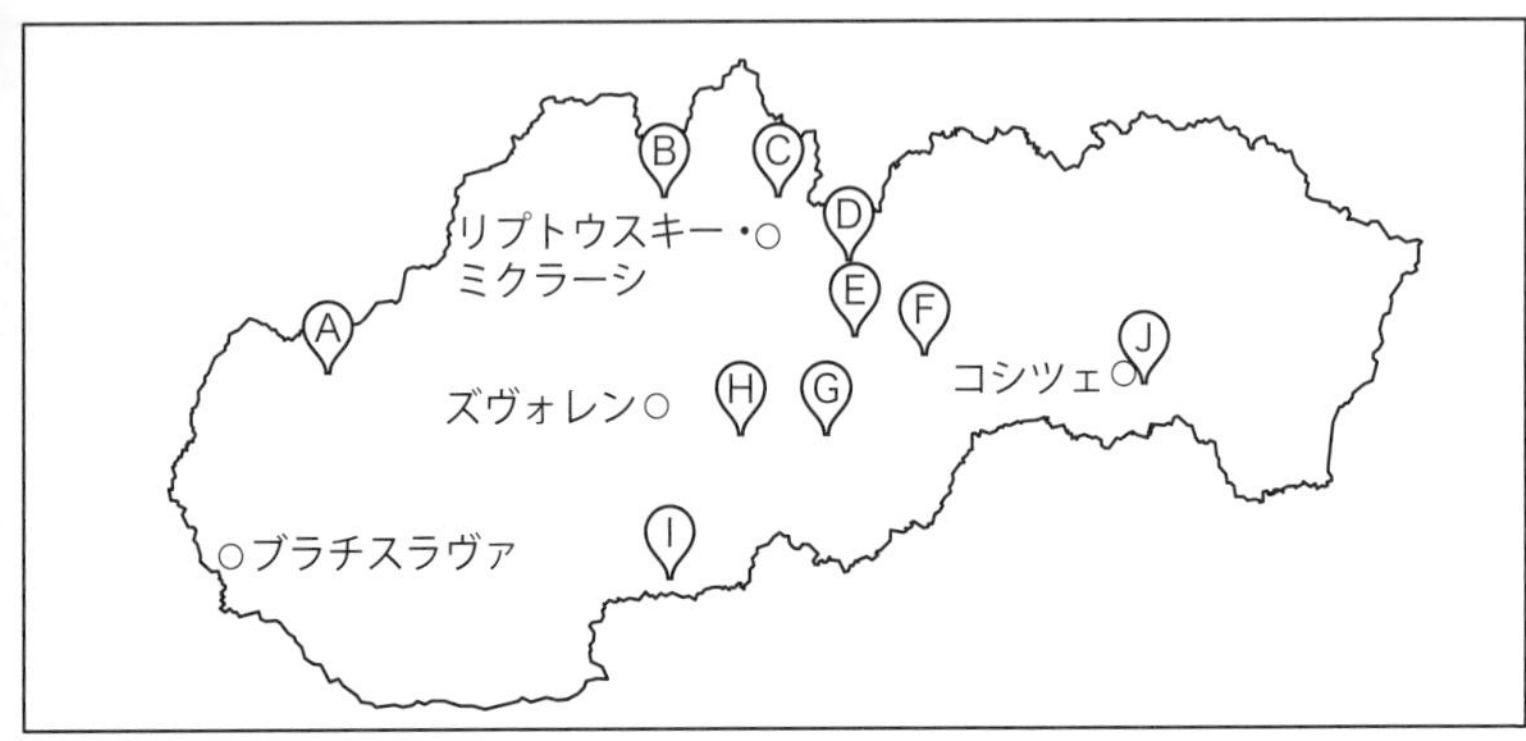

フォークロア・フェスティバル・マップ

表1　スロヴァキア・フォークロア・フェスティバル開催地と日程

地図記号	フェスティバル名	開催地	2023年の開催日程
A	ミヤヴァ国際フォークロア・フェスティバル（Medzinárodný folklórny festival Myjava）	ミヤヴァ　Myjava	6月14日〜18日
B	ヤーノシークの日々（Jánošíkove dni）	チェルホヴァー　Terchová	8月2日〜6日
C	ポドロハーチュのフォークロア祭（Podroháčske folklórne slávnosti）	ズベレツ　Zuberec	8月4日〜6日
D	ヴィーホドナー・フォークロア・フェスティバル（Folklórny festival Východná）	ヴィーホドナー　Východná	6月29日〜7月2日
E	歌と踊りのホレフロニエの日々（Horehronské dni spevu a tanca）	ヘリパ　Heľpa	6月23日〜25日
F	ゲメルのフォークロア・フェスティバル（Gemerský folklórny festival）	レイドヴァー　Rejdová	8月24日〜26日
G	コリエスコ（Koliesko）	コカヴァ・ナド・リマヴィツォウ Kokava nad Rimavicou	8月3日〜6日
H	ポリャナの麓の祭（Folklórne slávnosti pod Poľanou）	ジェトヴァ　Detva	7月7日〜9日
I	ホントのパレード（Hontianska paráda）	フルショウ　Hrušov	8月18日〜19日
J	カッソヴィア・フォークフェスト（Cassovia Folkfest）	コシツェ　Košice	6月22日〜25日

ティバル、ストラージュニツェに出演したことを機に、スロヴァキアでも同様のフェスティバル開催を決め、それがヴィーホドナーで行われることとなった。1954年に建設された野外ステージは、2006年から2007年にかけての改築で、メインステージに屋根が取り付けられ、これまでの野外劇場ではできなかった雨天対策も施された。現在でもヴィーホドナーは、スロヴァキアにおける最大規模のフォークロア・フェスティバルとなっている。

そもそも、このようなフェスティバルが行われるようになった背景には、第二次世界大戦後の時代の変遷が大きく影響している。生活環境の変化に伴い、伝統的な年中行事や祭祀行事への意識が薄れ、また職業や職場環境が変化したことで、仕事場での息抜きとしての踊りや音楽を演奏する機会が減少した。娯楽としての踊りや音楽も、民族舞踊や民族音楽ではない他のジャンルが主流となった。そこで、伝統文化や行事の保存、継承、そして住民の娯楽のため、心身の健康のため、全国でフォークロア舞踊団や保存会が結成されていく。フェスティバルは、そういった団体の発表の場であり、一堂に会する集い、交流の場となった。フェスティバルのプログラムには、しばしばテーマが掲げられることがあり、例えば「結婚式」というテーマであれば、出演するグループ、個人が、それぞれの町村での結婚式の様子を再現し、その中で音楽、歌、踊りを披露する。台詞があれば、それはもちろん、方言で語られる。祭祀や伝統行事自体が減少した今、フェスティバルは、当時の生活や習わしなどを後世に伝えるという役割も担っている。

イベント自体は年数を重ねるごとに、舞台での公演の他にも、屋台や民芸品の出店、特産品の試飲試食と販売、工芸品や踊り、歌、音楽のワークショップ、子ども向けのプログラム等、相互的で参加・

体験的要素も多く含まれるようになった。インターネットでのチケット事前販売、駐車場やキャンプスペースなどを整備する村もあり、サービスの充実や、観光業との連携も見られるようになった。

もうひとつ、フェスティバルの目的として着目したいのは、フェスティバルそのものはもちろん、そこに参加する団体にも、実に様々な背景があるということである。スロヴァキアから他国へ移民した人々によって結成されたグループも、スロヴァキアの踊り、移民先の踊りを自分たちのレパートリーとして、フェスティバル（ポリャナの麓の祭等では、海外へ移民したスロヴァキア人のためのプログラムがある）に参加している。逆に、彼らの国外の居住地で、スロヴァキアのフェスティバルと題してイベントを行うこともある。また、スロヴァキア国内では、ハンガリー系、ルシーン系、ロマ系といった少数民族を中心としたフェスティバルも開催されている。フェスティバルは、出演する側にとっても、観る側にとっても、自分たちのルーツを辿り、再認識するという場でもある。

フェスティバルの演出、運営組織に携わる関係者は、今後の課題として、時代と並行したスマートフォンを使用した参加型プログラムの導入、充電場所の設置や休憩場所の確保といったさらなるサービス、テーマや演出、運営組織の向上、そして環境保護、社会開発、経済発展といった持続可能性を考慮したイベントの実現を挙げている。

こういったフェスティバルの楽しみ方には色々あるが、パレード、ワークショップ、海外からのグループが参加していれば、その公演、そしてガラプログラムは押さえておきたい。欧州は夏でも昼夜の寒暖の差があるため、昼間はTシャツ、半ズボンにサンダルという格好でも、夜の7時、8時以降の演目を鑑賞する際は、パーカー、コート、長ズボンにスニーカーが必要となる。野外なので、雨具

ミヤヴァ国際フォークロア・フェスティバル
出典：2023年、筆者撮影

の準備も欠かせない。プログラムの合間には、屋台の飲み物や食べ物で腹ごしらえをして、民芸品を見て回ると楽しい。そして、その日のプログラム終了後、時間が許せば、屋台の周りに少し残ろう。出演者、観客として訪れた人々が、後夜祭とでもいうが如く、ビールや地酒、グロッグ（温かいラム酒入りの飲み物）等を片手に集まってくる。話に花が咲いた頃、各々に楽器を手に取って演奏したり、歌い出したりする。ダンスパーティーがプログラムとして含まれている場合は、室内であらかじめ楽団の演奏が用意されているが、そうでない場合は夜の星空の下で、意気揚々とした音楽の生演奏に歌声、人々との交流といった、ステージでの公演とはまた一味違った、現代に生きる娯楽としての民族音楽、舞踊を、そこで楽しむことができる。

（樋熊泰奈）

58

スロヴァキア国歌をめぐる選択肢

★「タトラ山上に稲妻光り」が選ばれた理由★

現在のスロヴァキア国歌「タトラ山上に稲妻光り」は、1844年にスロヴァキアの詩人・作家ヤンコ・マトゥーシカによって書かれた詩が元になっている。民族覚醒運動の指導者リュドヴィート・シトゥールがブラチスラヴァでの教職を追われた際、その教え子であったマトゥーシカは、タトラ山をモチーフとしてスロヴァキア人を鼓舞する詩を生み出した。この詩は、当時よく知られていた民謡「彼女が井戸を掘った」のメロディーに乗せて歌われ、それが後の国歌となった。オリジナルの歌詞は6番まであるが、ここでは、現在国歌として指定されている1番と2番の歌詞を訳出しておく。

【1番】
タトラ山上に稲妻光り
雷鳴が荒々しく轟きわたる
兄弟たちよ、雷撃を押しとどめよ
いずれ、その雷撃は消え去り
スロヴァキア人がよみがえるのだ

ドルニー・クビーン（スロヴァキア北部）にある国歌「タトラ山上に稲妻光り」の記念碑（作詞者と歌詞）
出典：Pepo13（CC BY 3.0）

【2番】
我らがスロヴァキアは
これまで深い眠りについていた
だが、雷撃のきらめきが
今こそ目覚めよと
この大地を奮起させるのだ

「タトラ山上に稲妻光り」が作られた19世紀前半は、自らの国家を有するかどうかに関わりなく、民族としての自覚をもった集団が次々と自分たちの歌を作り始めた時だった。スラヴ語圏において、その先駆となったのは「ポーランド未だ滅びず」の名で知られる軍歌、すなわち、後にポーランド国歌となる歌である（詳しくは、梶さやか『ポーランド国歌と近代史』群像社、２０１６年を参照）。この作品は、ポーランドがロシア・オーストリア・プロイセンの三国によって分割された18世紀末に生まれている。故国を失い、亡命したポーランド人たちは、これら三国と敵対関係にあり、当時革命が進行中でもあったフランスに期待を寄せた。彼らはナポレオン率いる仏軍の傘下に入り、イタリアの地でポーランド軍団を結成した。確たる証拠はないようだが、この時に誕生した「ポーランド未だ滅びず」は、フランス革命の最中に生まれた軍歌「ラ・マルセイエーズ」（後のフランス国歌）に影響を受けている可能性が高い。

皮肉なことに「ポーランド未だ滅びず」が広くヨーロッパで知られるようになったのは、1830年の11月蜂起が鎮圧され、改めて多くのポーランド人が国外に逃れる事態となった時である。「ポーランド未だ滅びず」は独仏英など様々な言語で歌われ、亡命者と各国活動家との連帯感を生み出すうえで少なからぬ役割を果たした。だが、この曲が最も伝播したのはスラヴ語圏においてであった。特に有名となったのは、スロヴァキアの詩人サムエル・トマーシクが、プラハ滞在中の1834年にスロヴァキア語で新たに歌詞を付けた「おお、スロヴァキア人よ！」である。この歌詞のチェコ語は「おお、スラヴ人よ！」となり、それが他のスラヴ諸語にも翻訳された。1848年革命の際にプラハで開催された全スラヴ会議では、「おお、スラヴ人よ！」がスラヴ人の賛歌と定められている。ここでは「おお、スロヴァキア人よ！」（スロヴァキア語）の1番の歌詞を以下に示しておこう。

おお、スロヴァキア人よ！　未だ我らスロヴァキアの言葉は生きている
我らの忠実なる心臓が、我らの民族のために脈打つ限り
生きよ、生きよ、スロヴァキアの精神よ、永遠に
雷撃と地獄よ、汝の怒りが我らを打ち負かすことはない

スロヴァキア人の窮状を訴えるべく20世紀初頭にイギリスで刊行された大著『ハンガリーにおける人種問題』（主たる著者は歴史家のR・W・シートン＝ワトソン）では、スロヴァキア民族にとっての代表的

な歌として、この「おお、スロヴァキア人よ！」が挙げられている。だが、国歌となりうる候補としては、これまで紹介してきた「タトラ山上に稲妻光り」や「おお、スロヴァキア人よ！」以外にも、後にチェコ国歌となる「我が故郷はいずこ」が存在した。戯曲のなかの挿入歌として1834年にプラハで初演され、人気を得た作品である。オリジナルの歌詞では、チェコにおける自然の美しさが抽象的に表現されていたのに対し、スロヴァキア語に翻訳されたヴァージョンのなかには、スロヴァキアの具体的な地名が含められたものもあった。

では、第一次世界大戦末期にチェコスロヴァキアが独立国として誕生した際には、どの歌が国歌として採用されたのだろうか？　結果としては一種の折衷的な案が採用され、第1部としてチェコの「我が故郷はいずこ」の1番、第2部としてスロヴァキアの「タトラ山上に稲妻光り」の1番が歌われることとなった。スロヴァキア人側は、おそらく自らの独自性を強調するために、チェコ起源の「我が故郷はいずこ」や、ポーランド起源の旋律を使った「おお、スロヴァキア人よ！」を選択肢から外したのだろう。

ところが、ナチス・ドイツの衛星国家として第二次世界大戦前夜に成立した独立スロヴァキア国では、「おお、スロヴァキア人よ！」が国歌となった。戦間期との違いを強調する意図であったと思われるが、結果としてスラヴ語圏に広く普及していた曲が採用されたのは興味深い。なお、同じ旋律を有する「おお、スラヴ人よ！」は、社会主義時代のユーゴスラヴィアでも国歌として用いられた。第二次世界大戦後に復活したチェコスロヴァキアでは、社会主義期も含めて戦間期の国歌に戻されたが、1993年にチェコとスロヴァキアがそれぞれ別の国になると国歌も分けられ、後者においては「タトラ山上に稲妻光り」のみ（ただし1番と2番）が歌われるようになった。

（福田宏）

59

スロヴァキアの現代音楽

★エウゲン・スホニュほか★

スロヴァキアの作曲家や作品を尋ねられて、すぐに思い浮かぶ人がどれほどいるだろう。スロヴァキアは、スメタナやドヴォルザークを輩出したチェコと、第一次世界大戦末の1918年から1993年まで同じ国を形成していた。地理的、言語的にも似通った国でありながら、スロヴァキアの音楽文化は隣国チェコと比較すると目立たなかった。

1918年のチェコスロヴァキア独立後、スロヴァキア音楽文化のレベルを引き上げたのはチェコの音楽家たちであった。ヨーロッパではアーノルド・シェーンベルグが十二音技法を発表し、前衛音楽が形成され始めた頃、スロヴァキアでは1919年に、後のコンセルヴァトワールとなる初の音楽教育機関が設立されたが、当時まだプロの交響楽団も存在していなかった。ブラチスラヴァは、オーストリアとハンガリーの国境に接しており、ウィーンまでは約60キロという立地、かつ君主制の過去を受け継いでいたこともあり、多くの演奏家が定期的にコンサートを行う多民族都市であった。

第一次世界大戦後、ドヴォルザークの弟子であったチェコの作曲家ヴィーチェスラフ・ノヴァーク（1870～1949年）

がスロヴァキアを訪れ、スロヴァキア音楽学において貢献した証として、コメニウス大学の名誉博士号を授与された。彼はかつてスロヴァキア民謡を編曲することで、作曲家としてのスタートをきったのであった。他にもヨーゼフ・スク、ベーラ・バルトーク、レオシュ・ヤナーチェク、アレクサンダー・ツェムリンスキーやピエトロ・マスカーニなどの作曲家だけでなく、ヴァーツラフ・タリフ率いるチェコ・フィルハーモニー管弦楽団、リヒャルト・シュトラウスやブルーノ・ヴァルター率いるウィーン・フィルハーモニー管弦楽団が、ブラチスラヴァで定期的にコンサートを行っていた。

ヨーロッパ各国では、現代音楽を推し進める動きが盛んになり、作曲家同盟や音楽祭及び音楽講習会、さらには現代音楽のための団体がその大役を担っていた頃である。1922年にザルツブルクで開催された現代音楽祭の後で、出演作曲家たちが発案しロンドンに支部を置いた、当時の団体としては最大の国際現代音楽協会（ISCM）の創立メンバーに、チェコスロヴァキアも加盟したが、そこで功績を上げたのはやはりチェコの作曲家たちであった。両大戦間期、スロヴァキア地域の行政や教育の指導者として、多くのチェコ人が移住して来た一方で、スロヴァキアの優秀な音楽家たちにもチェコの教育機関の門が開かれていたという事実は、スロヴァキア音楽の発展にとっても大きく貢献したと言えるだろう。

1930年代に入り、後にスロヴァキアの現代音楽の創始者と呼ばれる、アレクサンデル・モイゼス（1906～1984年）、ヤーン・ツィケル（1911～1989年）、エウゲン・スホニュ（1908～1993年）の3人が現れる。それぞれプラハのヴィーチェスラフ・ノヴァーク門下であった。

当時プラハでは、ドビュッシー、ラヴェル、ストラヴィンスキー、新ウィーン学派等の現代音楽最

『渦』ジェヴィーン城公演後のスホニュと出演者たち
出典：スホニュの娘、ダニツァ・シュチリホヴァー=スホニョヴァーより写真提供

高峰とも言える作品が、パリを始めとしたヨーロッパ各地の大都市と並行して上演されており、ジャズ等のトレンドも入ってきていた。駆け出しであったモイゼスが、ちょうどジャズソナタや最初の交響曲を書いたこの頃、スロヴァキアにはイヴァン・バロ（1909～1977年）を筆頭とする音楽評論家が活躍し始める。チェコの作曲家オタカル・ズィフ（1879～1934年）は、スロヴァキアの作曲家の定義として、まずスロヴァキア民謡、スロヴァキア語特有の旋律性を熟知していること、スロヴァキア生まれであること、音楽動向に関心を持ち、伝統音楽を大事にしつつ時代に応じた手法でアプローチをすること、つまり、チェコ人でありながらも「最もスロヴァキアらしい作曲家」ヴィーチェスラフ・ノヴァークの作品を参考にするとよい、と提唱している。

チェコの東モラヴィアからスロヴァキアにかけては、ヨーロッパの中でも民族音楽の豊富な地域であり、地方ごとに異なるのはもちろん、旋律性や不規則性かつ自由なリズムで溢れている。それまでも多くのチェコ、スロヴァキアの作曲家が、民謡からのインスピレーションを独自のスタイルへと昇華させていたように、モイゼス、ツィケル、スホニュも民族音楽に重きを置き、模索していた。チェコにおけるスメタナやドヴォルザーク同様の使命が、つまり国際レベルでも受け入れられるスロヴァキアの国民音楽を確立することが、彼ら3人に期待されていたと言っても過言ではないだろう。

父親も作曲家のモイゼスは多くの室内楽、管弦楽曲を残したが、特に交響曲を通じ作曲家としての地位を確実なものとした。師のノヴァーク同様、後進の指導にも尽力し、デズィデル・カルドシュ（1914～1991年）、ティボル・フレショ（1918～1987年）など多くの優秀な作曲家を育成した。

9曲のオペラを残したツィケルは、国民的英雄をモデルとした『ユロ・ヤーノシーク』を筆頭に、国民的かつ普遍的な題材を好んで取り上げていた。ピアノ曲も多くはないが存在し、民族音楽から強い影響を受けているものの、時折フランス風印象派の響きも感じられる。

ナチス・ドイツの庇護下で独立したスロヴァキアは、40年代初頭には閉鎖的な文化状況であったため、スロヴァキア音楽史に痕跡が残ることはほぼなかった。第二次世界大戦後には、反戦や抵抗の作品が多く書かれ、スホニュも丸9年かけて国民オペラ『渦』を、第二次世界大戦後の1948年に完成させる。初演も同年に終えた翌年、スロヴァキア共産党より一通の手紙が届く。音楽は素晴らしいが内容がそぐわないため、書き直すように要請され、難色を示していたスホニュに、要請に合わせるように促したのは、指揮者ズデニェク・ハラバラ（1899～1962年）だった。修正版発表後、スロヴァキア、チェコはもちろんヨーロッパ、アメリカ各地で多く上演され、国外で初めて成功を収めたスロヴァキア・オペラ『渦』の公演は、結果的にスロヴァキアという国の知名度も引き上げることとなった。このオペラは日本では上演されなかったが、スロヴァキアのオルガニストのフェルディナント・

クリンダ（1929〜）が1982年に来日し、スホニュの『B―A―C―Hの主題による交響ファンタジー』を、朝比奈隆率いる大阪フィルハーモニー交響楽団と演奏したのは特筆すべきであろう。

スロヴァキアのみならず、今後の現代音楽はどのような方向をとるのか予測ができないが、ますます多種多様な歩みを見せるだろう。20世紀後半の音楽には、必ずしも評価の定まらないものが多く、歳月、つまりは歴史の審判結果を待つ必要がある。そうした音楽の書法の意義も音楽史の中で認めつつ、スロヴァキア音楽の今後の展開も楽しみにしていこうではないか。

（瀧根真優子）

60

スロヴァキアの映画とアニメーション

――――★のどかな風土と揺れ動く歴史を「編集」する★――――

1918年のチェコスロヴァキア建国から2つの国家に分かれた現在に至るまで、チェコとスロヴァキアの映画業界は常に重なり合い、多くの部分で歴史を共有してきたが、本章では、ブラチスラヴァを中心とした「スロヴァキアの映画とアニメーション」にスポットを当てる。

第一共和国時代においてもスロヴァキア人監督、スロヴァキア語の映画作品は存在したが（『ヤーノシーク』［1921年］、『大地の歌』［1933年］など）、スロヴァキアで長編映画が本格的に製作されるようになったのは、1950年にブラチスラヴァにコリバ撮影所が設置されて以降のことである。草創期の「スロヴァキア映画」の代表格はパリョ・ビエリク（1910〜1983年）であろう。彼はスロヴァキア民族蜂起の様子をカメラに収めたことでも有名で、対独パルチザンが活躍する『狼の隠れ家』（1948年）、脱走兵ダバチと民衆の抵抗を描く『ダバチ大尉』（1959年）など、戦争を題材にした映画を多く残している。

1960年代に入ると、プラハ芸術アカデミー映像学部（FAMU）で教育を受けた次世代の監督が次々と登場し、「チェコスロヴァキア・ヌーヴェルヴァーグ」と評される映画潮流を作る。その先駆として評価されているのがシチェファン・ウヘル（1930～1992年）だ。『捕らわれの太陽』（1962年）は、親世代との軋轢と社会のひずみにいら立つ当時の若者の姿を捉え、彼に続く若い映画人たちに多大な刺激を与えた。「ヌーヴェルヴァーグ」の中心を担ったのが、ユライ・ヤクビスコ（1938～2023年）やドゥシャン・ハナーク（1938年生）である。ヤクビスコの作風は実験的なものが多く、代表作『鳥と孤児とピエロ』（1969年）では、壊れかけの建屋に住まう3人の孤児の半狂乱的生活が、鮮やかな映像とテンポの良いリズムで語られる。一方ハナークは、機械工、鉱夫を経てからFAMUに入学した異色の経歴を持つ。山間部に暮らす老人たちを取材したドキュメンタリー『百年の夢』（1972年）では、老人たちの力強い生を余すことなく映し出している。

1970年代に入ると検閲が厳しくなり、上記の映画作家たちは上映禁止や謹慎などの処分を受けることもあったが、映画界全体でみると、製作本数は毎年10本程度と、60年代よりも微増していた。1989年の民主化を経て表現面での規制はなくなったものの、政府からの補助金が打ち切られたことによって資金面で困難に陥り、90年代後半には製作本数が年1本にまで落ち込んだ。しかしその後徐々に回復し、2010年代には80年代を超える本数が製作されるようになった。

民主化以降は、ブラチスラヴァ音楽大学（VŠMU）の映像学部の卒業生が「スロヴァキア映画」を担っていく。ここでまず名前が挙がるのはマルティン・シュリーク（1962年生）である。ブラチスラヴァの実家を追い出され、亡くなった祖父が所有していた庭付きの小屋で不思議な田舎暮らしを始める『ガーデン』（1995年）、「この国は一度も存在しなかった」というナレーションから始まり、名もなきスロヴァキアの人々のエピソードを、20世紀初頭の建国から年代記的につなぎ合わせる『原風景』（2000年）は、民主化後の新たな「スロヴァキア・アイデンティティ」を模索しているかのようにみえる。

マルティン・シュリーク『ガーデン』（1995年）

2010年代以降、国際的注目を集める監督のひとりがペテル・ベビアク（1970年生）だ。国内ではテレビドラマの監督として活躍する一方で、ウクライナ－スロヴァキア国境間の密輸を描く『境界線』（2017年）とアウシュヴィッツに収監されたスロヴァキア系ユダヤ人が脱走を計画する『アウシュヴィッツ・レポート』（原題は『情報』2021年）は、スロヴァキア代表として米国のアカデミー賞に出品された。そのほか、1990年代の政治事件を元にした『誘拐』（2017年）や、汚職まみれの世界を描く『ブタ』（2020年）といった政治スリラーで評判のマリアナ・チェンゲル＝ソルチャンスカー（1978年生）や、2人組の強盗が愛と金に翻弄される『ラヴ』（原題は『Lóve』2011年）のヤクプ・クロネル（1987年生）などが、2010年代以降のスロヴァキア映画界を盛り上げている。

スロヴァキアでのアニメーション制作は、1965年にブラチスラヴァ・アニメスタジオが設立されたことにさかのぼる。スタジオ設立に関わったひとり、ヴィクトル・クバル（1923〜1997年）は第二次世界大戦中からアニメーションを製作していた人物で、同スタジオの設立以降は精力的に作品を発表した。農村の急激な都市化を皮肉った『大地』（1966年）、都市の汚染をユーモラスに表現した『小人のヤンと細菌』（1974年）など、彼は時々の社会問題を素朴なタッチで描いている。

才能豊かな作家たちが集まったスタジオの中でも、ヤロスラヴァ・ハヴェトヴァー（1942年生）とイヴァン・ポポヴィチ（1944年生）の作品は印象的だ。ハヴェトヴァーの『コンタクト』（1980年）は、色鉛筆とカッターと鉛筆削り、ドレスとハンガー、マッチとヤカンとロウソクが出会う作品であり、モノ同士の出会いの中に、なまめかしいエロティックさと人間社会のグロテスクさが隠喩的に表現されている。ポポヴィチの人形アニメ『衛兵の夢』（1979年）は、子どもに忘れられた人形が積み木づくりの衛兵に導かれて、子どものもとに帰るまでを描く、美しい夢のような作品だ。

1990年代は実写映画と同様に困難な時代を迎えるが、1993年にVŠMU映像学部にアニメーション学科が設立されたことにより、2000年代に入るとその卒業生たちが活躍し始める。カタリーナ・ケレケショヴァー（1974年生）は、世界を聴く少女ミミと世界を見る少女リーザが、日常を飛び出して不思議な世界を旅する「ミミとリーザ」シリーズ（2011年）や、エレベーターの屋根裏に住まうクモ一家の日常を描く「スパイダー・ファミリー」シリーズ（2017年）を手掛け、平凡な日常に潜む面白さを様々な角度から掘り起こしている。イヴァナ・ラウチーコヴァー（1977年生）とマルティン・スノペク（1974年生）の共作『最終バス』（2011年）は、擬人化された怯える動物たちが、バスに乗ってどこかへ向かう不気味なストップモーションアニメで、タンペレ映画祭（フィンランド）でグランプリを受賞した。また、上述のクロネルもアニメーション学科の卒業生であり、実写映画のほかに風刺的なアニメシリーズ「Lokal TV」（2011年）を展開している。

（杉林大毅）

カタリーナ・ケレケショヴァー「ミミとリーザ」シリーズ

切手で見るスロヴァキア絵画

コラム16 市川敏之

スロヴァキア絵画は「ヨーロッパ絵画の知られざる宝庫」であるといえる。日本においてはルネサンス、印象派などは非常に人気があり、これらの作品は何度も来日し、展示されている。一方でスロヴァキア絵画の画家、作品はさほど知られていない。それでも私たちは、今までチェコスロヴァキアとスロヴァキアが発行してきた切手を通じて、スロヴァキア絵画を鑑賞することができる。ここでは男性の肖像画について比較し述べる。

ペテル・ミハル・ボフーニ「義勇兵としてのヤーン・フランツィスツィの肖像」制作年1849年（1968年 チェコスロヴァキア発行）

ボフーニ「義勇兵としてのヤーン・フランツィスツィの肖像」、スロヴァキア国立美術館所蔵
出典：筆者所蔵・撮影

ボフーニ（1822～1879年）は19世紀中盤に活動した画家である。彼はプラハ美術アカデミーに進み、絵画を学んだ。いわゆる「正統派」の画家であり、義勇兵としてのヤーン・フランツィスツィを描いた。フランツィスツィ（1822～1905年）は文化、政治のあらゆる方面で活動した民族主義者であった。切手からわかるように、義勇兵といえども、どことな

く洗練された軍服をまとっており、彼は一定以上の階級にいたことがわかる。

マルティン・ベンカ「頑強」制作年1942年（1973年チェコスロヴァキア発行）

ベンカ（1888〜1971年）は20世紀前半から活躍し、スロヴァキア近代絵画を確立したとされる画家である。彼は絵画を独学し、20世紀絵画最大の特徴のひとつ、キュビスムの影響を受けた。主な題材は民俗であり、一般大衆と風景を描いた。この作品は力強い農民の男性を表現している。キュビスムの影響は認められるものの、それでも写実的である点が特徴といえる。

ベンカ「頑強」、マルティン・ベンカ美術館所蔵
出典：筆者所蔵・撮影

リュドヴィート・フラ「新兵I」制作年1948年（1966年チェコスロヴァキア発行）

フラ（1902〜1980年）はベンカとも親交を持った人物であった。フラもベンカ同様にスロヴァキアの民俗に強い関心を抱き、度々それを絵画の題材とした。フラ作品の特徴は平面的、やや抽象的な表現、直線の多さ、そして赤色とオレンジ色の多用にある。この絵画はかなり抽象化され、庶民的な階級の青年であると推測できる。先述のボフーニ作品制作からほぼ

フラ「新兵Ｉ」、スロヴァキア国立美術館所蔵
出典：筆者所蔵・撮影

100年を経過したこともあって、同じ兵士であっても社会的階級や表現方法の変遷を見て取ることができる。

これらの作品はスロヴァキアの美術館や教会などに点在し、一部は個人蔵であるため鑑賞は容易でない。しかし、スロヴァキア絵画切手は1966年チェコスロヴァキア時代から今に至るまで多くの種類が発行されていて、しかもこれらはスロヴァキアを代表する選りすぐりの作品ばかりである。さらに多くが「凹版印刷（紙幣印刷と同じ技術。触るとザラザラする部分の印刷。繊細な表現が可能）」を利用している。言い換えるとスロヴァキア絵画切手は、常にその当時の最高の印刷技術で生まれる「最小の紙の芸術品」と言い表しても差し支えない。これだけのものであるにもかかわらず、未使用にこだわらなければ、切手の即売会やインターネットなどで割合安く入手できる。気軽に楽しんでみてはいかがだろうか（カバー裏袖に3枚の切手のカラー原図を掲載）。

61

ブラチスラヴァ世界絵本原画展(コンクール)

★設立の経緯と現在の課題★

スロヴァキアの首都ブラチスラヴァで、隔年に開催されているブラチスラヴァ世界絵本原画展（略称ＢＩＢ＝Bienále ilustrácií Bratislava）は、参加国の数、出品数ともに世界屈指の規模を誇る絵本原画のコンクールである。世界各地から応募された絵本原画の審査と展示がＢＩＢのメインイベントで、審査と授賞式、関連事業は隔年の秋の1週間ほどの期間に行われるが、展示はその後2か月ほど続く。ＢＩＢと並ぶ国際的な絵本展として知られるイタリアのボローニャ国際絵本原画展は、ボローニャ絵本見本市の一環として開催される原画コンクールであるが、両者の大きな違いは、ＢＩＢが国ごとの国内審査を経ている点、また、選考対象を実際に刊行された絵本の原画に限っている点である。

ＢＩＢが創設されたのは１９６７年である。国際アンデルセン賞（作家賞、画家賞）が国際児童図書評議会（ＩＢＢＹ）によって１９５６年に創設され、第二次世界大戦後の文化交流における児童図書の重要性が強調される中、ＩＢＢＹの後押しにより、国境や政治的なイデオロギーを超えた、絵本原画による国際展が計画され、ブラチスラヴァが新しい原画コンクールの開催地として選ばれた。西側のウィーンから近いという地理的な利点に加え、ブラチスラヴァではチェコスロヴァキアの作家たちによる絵本の原画展が1965年に開催されており、スロヴァキアの国民的画家アルビーン・ブルノウスキーが開催実現に向けて尽力したことが、背景にあったと考えられる。そして、共産党による締め付けが一時的に緩和されていた1967年、チェコスロヴァキア文化省、ユネスコ国内委員会、スロヴァキア国際児童芸術会館（Bibiana, medzinárodný dom umenia pre deti）が共同で主催し、IBBYとユネスコが協力する形で第1回のBIBが開催された。現在も、BIBはスロヴァキア文化省によって主催され、BIBIANAが事務局を務めている。

東西冷戦の最中に創設されたBIBは、出版された絵本の原画を審査の対象とし、物語を評価から外して政治的なイデオロギーが入りにくくした。また、出版物としてのデザインや造本ではなく、原画を審査の対象とすることで、各国の出版技術の格差による壁をなくしたと考えられる。第1回のBIBにはソ連および東欧を含む25か国から320人の作家が参加し、現在は50に近い国と地域から300人以上の作家がエントリーしている。BIBは今日も、アメリカやイギリスなど英語圏からの積極的な参加が少ないという課題を抱えているが、一方で、設立当初からアジアの参加を重視していた。日本では、1990年代後半から主催者が変わりながらBIBの日本巡回展が行われているほか、1967年の第1回グランプリを瀬川康男が受賞し、出久根育（2003年、グランプリ）、ミロコマチコ（2017年、金牌賞）などもあとに続いており、BIBとのつながりは深い。

実際の審査は、各国から集まった数名の国際審査委員によって、メイン会場に国別に展示される原画を前に行われ、定数となっているグランプリ1人、金のリンゴ賞5人、金牌賞5人のほか、出版社に対して奨励賞が選考される。国際審査員の職業は大学教員、画家、学芸員、図書館関係者など様々である。メイン会場は、２０１９年以降、それまで会場となってきた市内の中心部の文化会館からブラチスラヴァ城へと移ったが、会場における審査の期間は基本的に3日間で、各審査員は会場で作品を見てまわり、意見交換を行ったのち、挙手や無記名投票による審査が行われる。審査委員長が審査の過程を主導するため、委員長の手腕や意見に負う部分も少なくない。ＢＩＢの審査は、ドイツのブックデザイン・コンクールにみられるような、項目ごとの選考過程や採点方式が設けられているわけではなく、また、明文化された方針や細かい規定はない。

2019年までBIBの会場だった市内中心部の文化会館
出典：2007年、筆者撮影

なかでも近年、基準が揺れつつある点のひとつに「原画展示」がある。ＢＩＢは基本的に絵本の「原画」を評価対象としているのだが、ＢＩＢでは、会場に設けられた２×１メートルの同等のスペース内に展示するという物理的な制約に加え、デジタルで絵本制作を行う作家が多くなったことから、原画ではなく複製が展示されるケースが増えてきており、新型コロナ感染症の影響が残る中で行われたＢＩＢ２０２１では、その傾向に拍車がかかった。

世界的な絵本原画コンクールとして定着したＢＩＢは、開催国スロヴァキアの中でも大きな存在意義を有している。ＢＩＢの期間に繰り広げられるレセプションや公式行事の数々、さらに、ＢＩＢの開催に合わせて受賞作品を用いた記念切手が発行されることなどは、それを映す鏡ともいえよう。スロヴァキア文化省やＢＩＢＩＡＮＡが関わる絵本のコンクールとしては「スロヴァキアの春・夏・秋・冬賞」や、その中から選定される「ＢＩＢＩＡＮＡ子どもの本賞」などがあり、これらの国内コンクールでの入賞とＢＩＢへの出展は連動した体系にはなっていないが、受賞者の面々や受賞作を見ても、それらは、ＢＩＢへの前哨戦のようでもある。チェコが、国際的な知名度をもつ絵本作家を多々輩出しながら、児童書やその原画の展示に関しては国家組織によるバックアップ体制が整わないのに比べると、これまでのＢＩＢやＢＩＢＩＡＮＡの活動を見る限り、スロヴァキアではその保護は手厚い。スロヴァキアの人口やスロヴァキア語話者の人口を考えると、いくつかの国内コンクールの上にＢＩＢという国際的な場を設けることは、スロヴァキア語の出版文化を維持する旗振りの意味をもつといえよう。そして、ＢＩＢのポスターなどのデザインにスロヴァキアの作家を起用し、ＢＩＢの会期中に個展や回顧展を開催することは、スロヴァキアの作家にとって大きな励みになっていると同時に、スロ

BIB2007会場内のスロヴァキアのコーナー。原画の展示と同じ仕様のパネルに、出展されている原画が掲載された絵本が並べられている
出典：2007年、筆者撮影

ヴァキアの絵本文化を海外に発信するまたとない機会となっている。

近年、ＢＩＢおよびその母体となっているＢＩＢＩＡＮＡの運営については、人選の不透明性や任期などが、組織の運営方法と共に批判の対象になることがあり、長期にわたって同じスタイルを踏襲してきたＢＩＢＩＡＮＡやＢＩＢが、新しい時代に向けて見直しを図る時期にきているともいえよう。東西の政治的緊張の中で設立され、国家組織の協力のもとで継続してきたＢＩＢの運営形態を刷新していくことは容易ではないであろうが、今後の世界の絵本文化の中で、ひとつの指標であり続けてくれることを願いたい。

（柴田勢津子）

民話絵本作りの旅

コラム17

洞野志保

ブラチスラヴァ美術大学（Vysoká škola výtvarných umení v Bratislave, Academy of Fine Art and Design in Bratislava）の版画・本の挿画科に留学中、スロヴァキア民話の挿画を描くという課題が出たことがある。当時の私のスロヴァキア語のレベルは、ほんの数行の文章を読むことすら苦痛に感じる状況にあり、民話・伝承に興味関心はあったけれど、課題でもなければ民話を読む機会などはなかったと断言できる。

卒業後、スロヴァキア民話絵本『まるきのヤンコ』の再話・挿画ができたのは、あの課題がスロヴァキア民話を知るきっかけを作ってくれたおかげに他ならないと思う。その時読んだいくつかの民話では、登場人物が鼻を削がれたり、皆殺しにされたり、皮膚を剥いだ生首を窓に飾ったりといった描写があり、印象としては本格派ホラー、またはスプラッタというものだった。スロヴァキア人学生たちが目の色を変えて、素早く選んだ民話のテキストの残り物だったからなのかもしれないが、同級生たちや、わからない単語を訳してくれた大学の日本語学科に通うスロヴァキア人の友人も、いくつかのスロヴァキア民話に対して、同様な感想を抱いていた。

そんなホラーな第一印象に反して、『まるきのヤンコ』は、木でできた男の子が悪い魔女にさらわれるものの、困難を切り抜け無事に家に帰りつく、ハッピーエンドで素朴なお話だ。知人がお気に入りの民話『まるきのヤンコ』を紹介してくれたおかげで、労せず絵本にできる民話とめぐり会えた。絵本にできる民話は、そんなに多くはないということをその時の私は知らず、今思うとてもラッキーなことだった。今も暇ができると民話を読んだりするのだが、絵本になりそうな民話は簡単には見つからない。絵本になりそうな民話を探すことは、宝探しの旅のようだと思う。

『まるきのヤンコ』を出版する過程では、絵本としての文章を練るために、類話を探して読む作業が必要となり、なかなかの苦行となった。古い民話の本を借りてみたところ、昔のスロヴァキア語がさっぱりわからず、脳みそが歪んでいくような気がしたものだった。12年もたった今、昔の本を読んで意味がとれることに、自己満足ながら、ホクホクしている自分がいる。これはチェコ語の影響、この綴りはポーランド語の影響を受けているな、これはハンガリー語の単語では……というものが、昔のスロヴァキア語の文章の中には混在しているのだ。

翻って、絵本原画を描くことは、もちろん苦労もあるけれど、民族衣装、伝統建築物、民俗工芸品、スロヴァキアの自然など、どれも心躍るものばかりであった。スロヴァキアの文化人類学者の方が、『まるきのヤンコ』の民話の採集地の情報、写真・資料等を提供してくださり、ご助力を頂けたことは、本当に感謝の念に絶えない。民話が採集されたスロヴァキアのゲメル地方は、私のスロヴァキア語の師である方の出

洞野志保『まるきのヤンコ』(福音館書店、2010年)

身地で、スロヴァキアに来て間もない頃、一月ほどその地域に滞在させて頂き、森や山の中の素晴らしい景色がしっかり頭の中に残っていたことも、原画を描く上でとても良い助けになった。スロヴァキアの人々のホスピタリティと、偶然のおかげで完成した絵本だなと、しみじみと思い起こされる。民話の背景を知り、絵本のイメージを掘り下げ完成させていくことも、またひとつの旅であると思う。

ブラチスラヴァ美術大学の思い出

AGU コラム18

　ブラチスラヴァ美術大学への留学は、海外経験がなかった私にとって、思いもしないことだった。それまでスロヴァキアと言えば、ヨーロッパ版画専門の画廊で見たスロヴァキア人の描いた作品の世界だった。A・ブルノウスキー、V・ガジョヴィッチ、D・カーライ、K・シュタンツロヴァー、K・オンドレイチュカ、K・ヴァヴロヴァーなど、繊細な描写で独特のシュルレアリスムを感じさせる作品が多い。

　カーライ氏は、スロヴァキアの著名なアーティストのひとりである。画廊の人が仕事で彼のもとを訪ねた折に、私の立体作品集を見て「教えてみたい」と言ってくれたと伝え聞いたことで、その国を意識するようになった。状況を理解しないまま2005年、私は作品とともに画廊の人に連れられてスロヴァキアに行き、当時カーライ氏が教えていた大学で面接を受けた。

　大学生活は翌年から始まった。学生は国内からだけではなくチェコ、ウクライナ、日本など、

→面接に持っていった馬と鳥をモチーフにした作品

様々な国から学びに来ていた。カーライ氏のアトリエは、主に版画とイラストレーションの教室であり、いくつかの部屋に分かれ、何人かが机を並べ作品制作をしていた。アトリエのほかに共同で使用する版画制作用の部屋などがあり、管理人によりきちんと管理されていた。制作テーマに沿って使われる版画用の銅板や亜鉛版、版画に使用する紙などは、必要枚数分のみ教授のサインをもらい、管理人から受け取ることができた。

通っていた美術大学では学生たちがそれぞれのテーマを決め、自主的に作品作りをしていたが、週に2日ほど教授が来てくれる日があり、今学期の制作テーマなどについてアドバイスをしてくれた。教授のアドバイスは学生の考えを尊重してくれているようだった。最初はゆっくりと制作が進むが、学期末の展覧会（výstava）の前には追い込みに入り、共同で使う場所も道具も確保が必要になる。必要最低限の紙が足りなくなれば、紙探しへと走るのだが、私の知る限りブラチスラヴァ市内に専門的な画材屋は多くはなく、この国で紙はとても貴重だった。道

大学の教室風景
出典: 2006年、著者撮影

具が思うように揃わない場合であっても、皆工夫して道具を作り出し、独自の方法で表現していた。

展覧会の時は自分の机は作品展示場に変わる。教授の講評の日、国内外の美術商などが来る日、一般の来場者が入れる日と、数日間にわたって行われていた。教授の講評の日は、学生たちの作品についてのプレゼンが行われ、緊張感が漂った。なかでも卒業を控えた最終学年の学生たちには、特別な緊迫感があった。

滞在中の2006~2007年は通貨がユーロになる前で、日常の生活も微妙に変化しつつあり、学生たちの話にも、これからの作品制作についての不安と期待が入り混じっているように感じた。大学では、現代アートを感じさせる作品や、少し明るめで軽やかな表現の作品も目立ち、日本にいるときに目にしていた作品の世界とは違ってきていると感じた。アトリエでも、エッチングのように腐食させる技法より、リノカット技法やあるいは別の方法で作品を表現する学生も目立ってきていたのが、とても印象的だった。

画廊の人が持ち帰ったカーライ氏の言葉がなければ、私は外の世界へ出ることがなかったかもしれない。スロヴァキアに行ったことでアートだけではなく、アートの背後にある文化や歴史も感じることができたと思う。

62

スロヴァキアのユネスコ世界遺産

★ヨーロッパの中のスロヴァキアとしての一面も★

2023年現在、スロヴァキア国内には8つのユネスコ世界遺産が存在する。

これらのうち、6つ（「バンスカー・シチアウニツァ歴史都市と近隣の工業建築物群」「レヴォチャ歴史地区、スピシ城及びその関連する文化財」「ヴルコリニェツ」「バルジェヨウ市街保護区」「カルパチア山脈のスロヴァキア地域の木造教会群」「ローマ帝国の境界線―ドナウ・リーメス」）が文化遺産として、一方で「アグテレク・カルストとスロヴァキア・カルストの洞窟群」と「カルパチア山脈などの欧州各地のブナ原生林群」の2つは自然遺産として登録されている。

このうち文化遺産のドナウ・リーメスはドイツ、オーストリア、スロヴァキアの3か国の、自然遺産のスロヴァキア・カルストの洞窟群はハンガリーとスロヴァキアの、そしてブナ原生林はヨーロッパ18か国での共同登録である。なお、これら8つの世界遺産のうちスピシ城は本書第64章「スロヴァキアの城」、木造教会群は第63章「スロヴァキアの教会」で紹介しているので、そちらを参照されたい。

本章では、スロヴァキアを一周しながら各地の世界遺産を紹

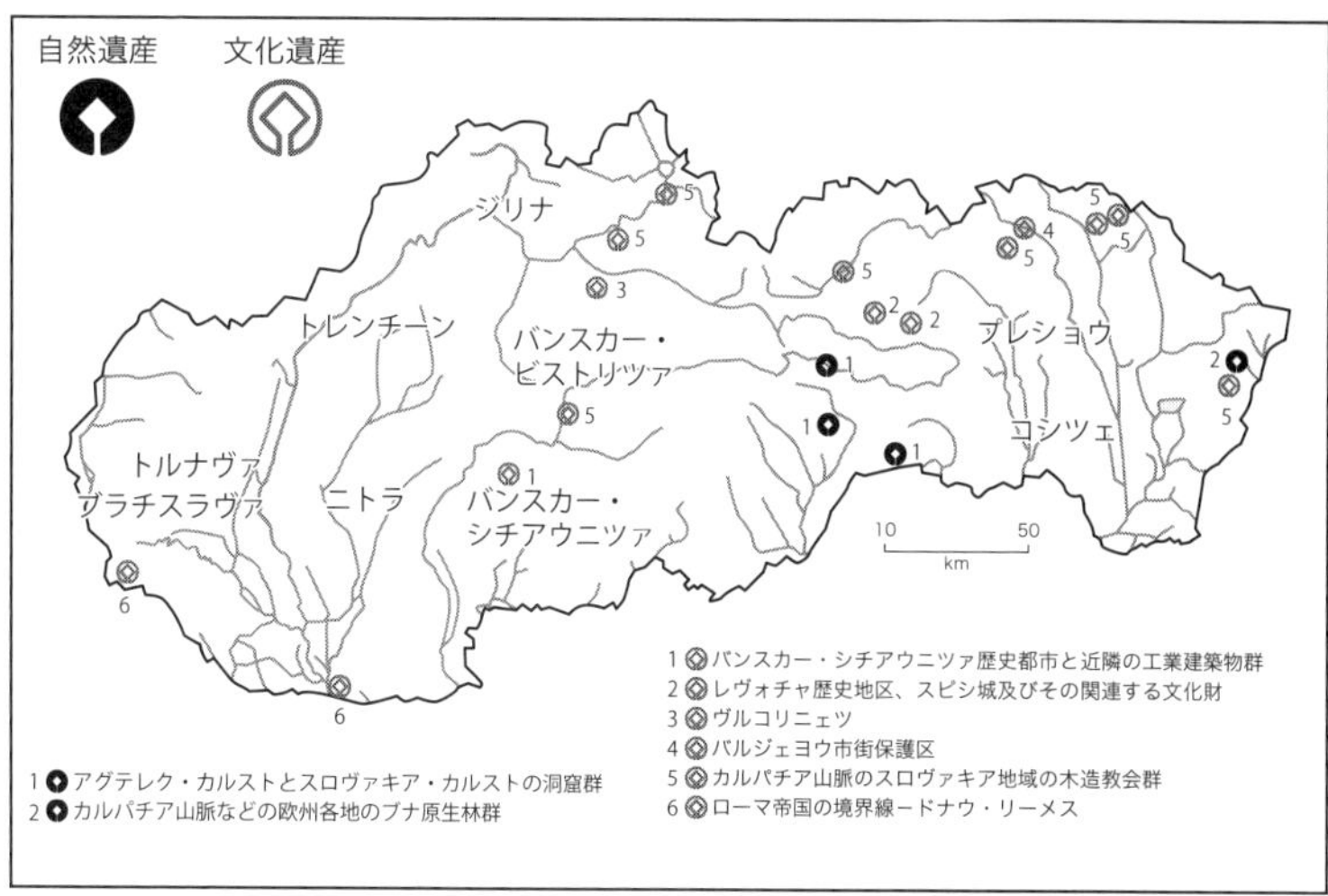

スロヴァキアのユネスコ世界遺産

介しよう。

　バンスカー・シチアウニツァは、ブラチスラヴァから東に向かった中部スロヴァキアの山間地に位置する。13世紀以降に貴金属の採掘で繁栄した鉱山都市であり、当時の先端技術と信仰心が組み合わさる独特の景観が評価され、１９９３年にヴルコリニェツやスピシ城とともに世界遺産に登録された。

　バンスカー・シチアウニツァの旧市街は、三位一体広場を中心に急坂が連続する特徴的な景観をなし、聖カタリーナ教会や被昇天の聖母マリア教会などが現存している。旧市街の近くには、16世紀の対オスマン戦の時期に築かれた要塞であるノヴィー・ザーモク（新城）が残り、方形の塔は市のシンボルとなっている。地下に掘られた27の坑道も遺産の一部であり、鉱山野外博物館の構内に入り口があるバルトロメイ坑道などは、内部の見学もできる。また、坑道に溜まる水を排出する水力ポンプの動力源となった溜め池（タイヒ）も、周辺に多く残され、今では市民の憩いの場となっている。

　バンスカー・シチアウニツァから北のヴルコリニェツに移動しよう。スロヴァキア北西部の標高約７００メートルの山

ヴルコリニェツの風景。山の中腹に昔ながらの木造家屋が立ち並ぶ
出典：2011年、筆者撮影

の中腹に位置する村落だ。ヴルコリニェツの住民は農業や周辺の牧草地を利用した牧畜で生計を立て、15世紀の史料にも登場する。現在でも鮮やかに塗装された木造家屋45棟が残され、周囲に牧草地が広がるいかにも「スロヴァキアらしい」光景に出会える。かつての山地の生活の姿を伝えていることが評価されての登録である。

ヴルコリニェツがあるトゥリエツ地域から東に向かうと、スロヴァキア北東部、歴史的にはスピシと呼ばれた地域に入る。スピシと、次に紹介するバルジェヨウがあるシャリシ地域は、ハンガリー盆地とポーランド、バルト海をつなぐ南北の通商路と、ドイツからウクライナ方面に抜ける東西の通商路が交わる要衝であり、中世から都市が点在していた。レヴォチャもそれらの都市のひとつであり、「天空の城」とも呼ばれるスピシ城はこの地の支配拠点だった。まず1993年に、スピシ城とその周辺の歴史的建造物が世界遺産に登録されたが、その後2009年にレヴォチャを含める形で登録地域が拡大されている。

現在のレヴォチャは小都市であるが、旧市街にはかつての繁栄の名残が残されている。市壁に囲まれた旧市街の中心には方形の広場があり、広場に立つルネサンス様式の旧市庁舎と、15世紀に建設された聖ヤクプ教会が目立つ。聖ヤクプ教会は、聖母マリアを中央に配置した高さ2・5メートルの木製祭壇で知られている。聖母マリアの優しげな顔が印象的な祭壇は、彫刻師パヴォルの作品と伝えられている（パヴォルについては第40章参照）。このマリア像は、ユーロ導入以前の100スロヴァキア・コルナの図柄にも使われていた。

バルジェヨウもスロヴァキア北東部シャリシの小都市であり、レヴォチャなどスピシの諸都市とともに通商で栄えた過去を持つ。今も市壁が残り、レヴォチャと同じく旧市街の中心に方形の大きな広場が位置する。広場の中心には市庁舎が、広場下手にはゴシック様式の聖エギーディウス教会がそびえる。そして三角屋根の町屋が広場を囲む景観もバルジェヨウの魅力だろう。中世都市の景観を今も残すことが評価された登録である。

バルジェヨウ旧市街の市庁舎広場。正面奥にゴシック様式の聖エギーディウス教会が聳え、手前右にはルネサンス様式の旧市庁舎がたたずむ
出典：2011年、筆者撮影

なお、世界遺産の登録対象ではないが、バルジェヨウは19世紀以降に温泉保養地としても著名となった。また、世界遺産に登録された木造教会群のうちヘルヴァルトウの教会は、バルジェヨウの南西約10キロメートルに位置している。

バルジェヨウから東のスロヴァキア北東部は人口も少なく、カルパチア山脈の森林が広がる場所である。この中で4つの地点が自然遺産のブナ原生林として登録されている。氷河期が過ぎた後にヨーロッパ各地を覆っていた原生林は、その後の開発によって切り開かれていくが、カルパチア山脈にはいまだにブナの原生林が残る。その環境的意味が評価された遺産である。当初は２００７年にスロヴァキアとウクライナの両国の森林地帯が登録されたが、その後次第に拡大し、２０２３年時点では近隣のチェコやポーランドから北マケドニアやスペインに至るヨーロッパ18か国94か所が登録されている。自然保護を目的とした登録であるが、一部はトレッキングコースとして開放されている。

もうひとつの自然遺産がスロヴァキア・カルストの洞窟群である。スロヴァキア南東部からハンガリー北東部にかけてはカルスト地形を有し、地下には１０００以上の洞窟が存在し、それらは地質学的にも生物学的にも固有の環境を保持している。多くは保護対象であるが、スロヴァキアでは、ハンガリー側にも続くドミツァの洞窟やドプシナーの氷穴などは一般公開され、観光資源となっている。

最後のドナウ・リーメスは２０２１年に登録された世界遺産である。スロヴァキア国内ではブラチスラヴァ近郊のルソウツェ（ゲルラタ）と南部コマールノ付近のイジャ（ケレマンティア）の2か所6地点が登録されている。古代ローマ帝国がドナウ川に沿って北辺の防御施設を築いた名残、また一方で帝国外の人々と接触していた名残である。

以上の世界遺産もまた、今日のスロヴァキアが、隣接する地域や人々との関わりの中で歴史を刻み、発展したことを伝えているのだろう。

なお、この他に国内各地の牧草地や、高タトリ山地の自然保護区など12か所が暫定リストに登録されている。

（香坂直樹）

63

スロヴァキアの教会

★大聖堂から木造教会まで★

ヨーロッパの他の国々と同様、スロヴァキアの都市や村落においても、その中心には必ずと言っていいほどキリスト教の教会が存在する。ただ、一口に教会といっても、その規模や特徴はじつに様々である。建てられた時期についていえば、初期中世にさかのぼるものから近代以降の比較的新しいものまで、建築様式や規模からみれば、ゴシックやバロックの大聖堂からごく小規模な木造教会まで、そして宗派の点でいえば、スロヴァキアで多数派を占めるローマ・カトリックに加え、中部の一部地域に多いルター派や、ウクライナに近い東部で優勢なギリシャ・カトリックなど、といった具合である。特にコシツェなど東部の都市では、これら3つの宗派以外にも、カルヴァン派、東方正教、そしてユダヤ教の教会が、比較的狭い範囲に集中しているケースがみられる。そこからは、ひとつの地域に複数の宗派が共存してきた歴史が見て取れるのである。このような様々なタイプの教会について、その歴史的背景に触れつつ、いくつか取り上げてみたい。

まず、最も古い時代の教会から見ていこう。現在のスロヴァキアに相当する地域でキリスト教が受け入れられていったの

コプチャニの聖マルガレータ教会（９〜10世紀の建築と推定される）
出典：2018年、筆者撮影

は、ここがモラヴィアと呼ばれる国の領域に含まれていた9世紀半ば頃であるとされる。その住民であったスラヴ系の人々にたいする布教は、主に西方のフランク教会から派遣されてきた聖職者たちによって行われた。一方で東方のコンスタンティノープルからは、８６３年にキュリロスとメトディオスの兄弟が派遣され、グラゴル文字（キリル文字の原型）とスラヴ語典礼の導入が試みられたが、こちらは成功しなかった。このモラヴィア国時代に建てられたと推定される教会建築のひとつに、チェコとの国境に近いコプチャニの聖マルガレータ教会がある。２００４年に行われた考古学調査により、この教会の建物が9〜10世紀にさかのぼるものである可能性が示されたが、正確な建築年代についてはなお未確定である。

スロヴァキアはその後、紀元１０００年にキリスト教国家として成立したハンガリー王国の領域に組み込まれ、そのもとで司教区の設置などの教会機構の整備が進められた。以後中世から近世にかけて、スロヴァキア各地でローマ・カトリックの教会が数多く建設されていったが、そのなかでも最大のものは、王国自由都市であったコシツェ（ハンガリー名カッシャ）に建てられた聖アルジベタ大聖堂である。その建設は１３７８年に開始され、完成までに１３０年を費やした。ゴシック様式の教会としてはヨーロッパで最も東に位置するもののひとつであり、その内部の床面積は１２００平方メートル、最大で５０００人を収容できるという。コシツェ市街の中心部に屹立するその優美な姿は、この都市の豊かな歴史的遺産を象徴する存在といえるだろう。

やがて16世紀に入ると、イスラム国家であるオスマン帝国がヨーロッパに進出し、ハンガリーの南部および中央部はその支配下に置かれた。一方、現在のスロヴァキアを含む北部地方はハンガリー王国の領土として残り、隣接するオーストリアを拠点とするハプスブルク家の世襲領となった。このハプスブルク家をはじめとするハンガリーの支配層は、南部のイスラム勢力や、当時ハンガリーにも影響を及ぼしつつあったプロテスタント勢力に対抗するために、ローマ・カトリック教会を積極的に庇護し、プロテスタントからの再改宗運動を支援した。スロヴァキア西部の都市トルナヴァ（ハンガリー名ナジソンバト）には、この時期に大司教座やイエズス会の大学が設置され、同市はハンガリー王国のローマ・カトリックにとって重要な拠点となった。このトルナヴァに、大貴族エステルハージ家の寄進により17世紀前半に建設された洗礼者ヨハネ大聖堂は、スロヴァキア地域で最初の本格的なバロック教会である。その壮麗な主祭壇はヨーロッパでも最大級のもので、高さ約20メートル・幅約15メートルという規模である。また、現在のスロヴァキアの首都ブラチスラヴァ（ハンガリー名ポジョニ）にある聖マルティン大聖堂も、歴史的に重要な教会である。同市は、16世紀前半から18世紀末までハンガリー王国の事実上の首都であったが、その時期にマリア

コシツェの聖アルジベタ大聖堂：スロヴァキア最大の教会で、ゴシック様式の教会としては、欧州で最も東に位置するもののひとつ
出典：2023年、筆者撮影

ルスカー・ビストラーの聖ニコラオス教会の内部：ウクライナとの国境近くに位置する、1730年に建てられたギリシャ・カトリックの木造教会
出典：2023年、筆者撮影

＝テレジアを含むハプスブルク家の当主は、この教会においてハンガリー国王としての戴冠式を行った。そのバロック様式の塔の先端にはハンガリー王冠のレプリカが据え付けられており、ここがかつて戴冠式の場であったことを示している。

こうしたローマ・カトリックの大聖堂とはかなり趣を異にするのが、スロヴァキアの中部から東部にかけて点在する小規模な木造教会であり、その一部はユネスコの世界遺産にも登録されている。それらの多くは山間の小村に存在し、建物の外部のみならず内装や祭壇も含めて、ほぼ木材のみで造られているのが大きな特徴である。そのなかで最も数が多いのはギリシャ・カトリックの教会で、その大部分が同派の信徒が多いスロヴァキア東北部に集中している。一方、ローマ・カトリックやルター派の木造教会は中部に見られ、なかでもケジマロクおよびフロンセクのルター派教会は比較的規模が大きい。これらルター派の木造教会は、17世紀後半から18世紀初頭にかけてローマ・カトリックの圧力が強まるなか、金属の釘を一切用いずに短期間で完成させなければならないという、厳しい規制のもとで建設された。ゴシックやバロックの大聖堂が、その荘厳さや壮麗さをもって見る者を圧倒するのとは対照的に、木造教会には素朴ながら独特の温もりがあり、ごく親しみやすい雰囲気が備わっている。そのほとんどが山間部にあるので、アプローチが難しいという難点はあるが、機会があればぜひ訪れてみてほしい。

（井出匠）

64

スロヴァキアの城

★境界地域の痕跡★

スロヴァキアは小さな国であるが、その至る所に、大小様々な城が残っている。それらの大部分は、現在のスロヴァキアがハンガリー王国の一部であった中世から近代にかけて、その君主や貴族たちによって築かれたものであるが、なかには古代ローマ時代の砦に起源をもつ城も存在する。この地域は古くから、様々な支配勢力のせめぎあいの場となってきた。すなわち、古代にはローマ帝国とその外部世界との、中世以降はハンガリー王国とオーストリア、チェコ、ポーランドなど周辺諸国との、そして近世にはハプスブルク家の勢力圏とオスマン帝国の支配領域との、それぞれ境界をなしてきたのである。それゆえこの地には、領土の防衛や支配の拠点として、数多くの城砦が築かれた。やがて19世紀に入ると、ナポレオンの侵攻を最後に大きな戦いは行われなくなったものの、いくつかの城は、スロヴァキアに所領を持つハンガリー貴族たちの居館として、20世紀まで使用され続けた。本章では、それらのうち代表的なものを取り上げる。

首都ブラチスラヴァの市街を一望できる丘の上に、ドナウ河に臨んで建つブラチスラヴァ城は、この歴史ある都市のシンボルともいえる存在である。テーブルをひっくり返したようなその特徴的な姿は、遠くからでもよく目立つ。古くからの要衝の地であるブラチスラヴァは、ハンガリー王国時代にはポジョニ（ハンガリー語）またはプレスブルク（ドイツ語）と呼ばれ、国内でも重要な都市のひとつであった。特に、王国の首都であったブダがオスマン帝国に占領された16世紀前半以降には、ブラチスラヴァがこれに代わる役割を果たすようになる。この状況は、オスマン帝国がハンガリーから退いた17世紀末以降もしばらく続いたが、その間に国王や大貴族によるブラチスラヴァ城の改築が繰り返された。そして、18世紀半ばの女王マリア＝テレジア時代の大改築により現在の姿となったが、ナポレオン戦争中の１８１１年に火災に遭い、以後20世紀半ばまで廃墟となっていた。現在では往時の姿が復元され、内部は歴史博物館となっている。

ブラチスラヴァの近郊、オーストリアとの国境をなすドナウ川とモラヴァ川の合流地点に屹立する断崖上に、ジェヴィーン城の廃墟がある。軍事的要衝であるこの地には、すでに古代ローマ時代には境界防衛のための砦が築かれていた。また、9世紀半ばのモラヴィア時代の記録にこの城の名が見られ、城域からは当時の教会堂の跡が発見されている。その後、13世紀には現在の城跡からも確認できるような大規模な城郭となり、何度も城主を変えながら19世紀初頭まで存続したが、ナポレオン戦争中の１８０９年の火災によって廃墟と化した。ジェヴィーン城はその後、リュドヴィート・シトゥールをはじめとするスロヴァキア・ナショナリズム運動の唱道者たちによって、モラヴィア国に代表されるスラヴの歴史と文化を象徴する場所としての位置づけを与えられた。その一方で、東方の遊牧民であったマジャール人が大首長アールパードに率いられ、のちにハンガリー王国を築くこととなるカルパチア盆地に到達してから、ちょうど一千年紀にあたるとされた１８９６年には、それを記念した巨大なアールパード像がジェヴィーン城跡に建てられた（ただしこの像は、チェコスロヴァキア建国後の１９２１年に破壊されている）。

ブラチスラヴァから北東に伸びる小カルパチア山地に沿って40キロメートルほど行くと、なだらかな丘陵上にチェルヴェニー・カメニ城の姿が見えてくる。かつてドイツの豪商フッガー家やハンガリーの大貴族パールフィ家が所有した大規模な城館で、16世紀には現存するようなルネサンス様式の姿となった。第二次世界大戦の時期までパールフィ家によって所有されており、その生活を偲ばせる豪華な内装の居室や、巨大なワイン貯蔵庫を見学することができる。

小カルパチア山麓をさらに北東方面に進んでいくと、やがてかつて王国自由都市として繁栄したトレンチーンに至る。その市街を流れるヴァーフ川に面した切り立った丘の上に建てられているのが、トレンチーン城である。城の最も古い部分は11世紀に建造され、その後繰り返し増築されて、現在見るような大規模な城郭となった。14世紀初頭には、ハンガリー王国北部（現スロヴァキア）一円を支配していたマトゥーシ・チャークの居城となっていた。トレンチーンの町は、13世紀のモンゴル軍や17世紀のオスマン軍による攻撃など、度重なる戦火に見舞われ、トレンチーン城も18世紀末の火災により最終的に放棄された。しかし第二次世界大戦後に中心部分の修復が進められ、現在ではガイドツアーで見学できる。

トレンチーンから東に50キロメートルほど離れたプリエヴィザの近郊にあるボイニツェ城は、20世紀初めまで前述のパールフィ家の居城として実際に使用されており、現在でも往時の姿をほぼ完全

城下より望む中欧最大級の城、スピシ城
出典：2013年、筆者撮影

にとどめている。城の起源は12世紀にまでさかのぼるが、19世紀末から20世紀初頭にかけて大改修が行われ、こんにち見られるような美しい姿となった。建物の内部の部屋や装飾、家具等も保存・復元されており、多くの見学客が訪れるスロヴァキアでも有数の観光地となっている。

スロヴァキアの中央北部、ポーランドとの国境に近い山岳地帯を、ヴァーフ川の支流であるオラヴァ川が流れている。この川に臨む崖の上に建つオラヴァ城は、ドイツ表現主義映画の代表作として名高い『吸血鬼ノスフェラトゥ』（１９２２年）の撮影地として知られている。モンゴル侵攻後の13世紀後半に築かれたこの城は、所有者をたびたび変えた後、16世紀にハンガリーで最も富裕な貴族のひとつであるトゥルゾ家の手に渡った。しかし、１８００年の火災により甚大な被害を受け、城としての機能は失われた。その後、建物の部分的修復を経て、１８６８年にはスロヴァキアで最も古い博物館のひとつがここに開設され、現在でも歴史や考古学、民俗学などに関する展示を見ることができる。

タトラ山麓の町ポプラトから、スロヴァキア東部の都市プレショウに至るハイウェイを進んでいくと、やがて、なだらかな丘の上に覆いかぶさるようにして築かれた巨大な城跡が目に入ってくる。これが、中欧で最大級の城郭として知られ、ユネスコ世界遺産にも登録されているスピシ城である。この城は、12世紀初頭にバルト海と南東欧を結ぶ通商路を防衛するために築かれ、その後も城主となった大貴族たちによって継続的な改築・拡張が加えられていった。13世紀半ばにモンゴル軍に攻撃された際には落城を免れたが、その後ハンガリー貴族層による反ハプスブルク戦争が発生するたびに破壊され、最終的に1780年の火災によって完全に廃墟となった。1970年に開始された修復・整備事業は現在でも続いており、往時の雄大な姿を取り戻しつつある。

（井出匠）

スロヴァキアのアイスホッケー

コラム19　林忠行

スロヴァキアでのアイスホッケーの歴史は1920年代に始まった。1925年にスロヴァキアのヴィソケー・タトリ地域でヨーロッパ選手権が開催され、それがきっかけとなりアイスホッケーはスロヴァキアでも普及することになった。36年のチェコスロヴァキア国内リーグの発足とともに、スロヴァキアのタトラ・ホッケー・クラブがそれに参加した。

1939年にスロヴァキアが一時的に独立国となると、スロヴァキア独自の代表チームが編成され、1940～43年に対外試合を行っている。戦後はチェコスロヴァキアという枠組みで国内リーグが再開し、そのときには、スロヴァキアの4チームが参加した。また、47年にチェコスロヴァキア代表チームは世界選手権で優勝した。そのときのチームにはスロヴァキア出身の選手としてラジスラウ・トロヤークがいたが、彼は翌年に起きた航空機事故で代表チームの仲間5人とともに死亡した。

チェコスロヴァキア国内リーグでスロヴァキアのチームは4度、優勝している。1978～79年のスロヴァン・ブラチスラヴァ、85～86年と87～88年のTJ・VSŽ・コシツェ、そして91～92年のドゥクラ・トレンチーンである。また、スロヴァン・ブラチスラヴァが優勝したときの中心選手、ペテル・シチャストニーは1980年にカナダに活動の場を移し、北米を拠点とするナショナル・ホッケー・リーグ（NHL）で活躍することになる。シチャストニーは1995年に引退するまで、NHLでトップ選手として活躍した。またスロヴァキア独立後の94～95年のシーズンには、スロヴァキアの代表チームにも加わっている。２００４～14年に欧州議会議員を務めた。

チェコスロヴァキアの分裂後、１９９４年からスロヴァキア代表チームは世界選手権に参加した。しかし、それまでのチェコスロヴァキア代表チームに選ばれていた選手の数に差があったため、チェコの代表チームがチェコスロヴァキアの後継チームとされ、Aグループに残ったが、「新チーム」とみなされたスロヴァキアは最下位のCグループからスタートすることになった。スロヴァキアの人々はこれを「屈辱」と感じることになった。同チームはその年にCグループで、翌年にはBグループで全勝優勝し、96年にはAグループに昇格した。この年にチェコが優勝したが、スロヴァキアは決勝トーナメントに進めなかった。２０００年の大会でスロヴァキアは、決勝でチェコと対戦したが3対5で敗れ、銀メダルに終わった。そしてついに２００２年にスロヴァキアは、決勝でロシアを破って初優勝を飾ったが、このときにはチェコとの対戦はなかった。さらに２００３年には、チェコとスロヴァキアは準決勝でともに敗れたが、その結果3位決定戦で対戦することになり、スロヴァキアがチェコを4対2で破った。この

SLOVENSKO
20Sk
3. miesto na MS v ľadovom hokeji. Fínsko 2003

2003年の世界選手権での3位は切手になっている
出典：市川敏之所蔵・撮影

ときスロヴァキアの人々は、２００２年の優勝にもまして大きな歓喜に包まれたと伝えられる。さらに12年にも準決勝でスロヴァキアとチェコは対戦して、スロヴァキアが３対１で勝ったが、決勝ではロシアに敗れている。なお、スロヴァキアは冬季オリンピックでは２０２２年の北京大会で銅メダルを得ている。

２０２３年の世界ランキングで見ると、スロヴァキアは9位で、8位のチェコと並んでいる。この両者のライバル意識をむき出しにした対戦は、これからも世界のアイスホッケー・ファンを楽しませることになろう。

スロヴァキアのサッカー

大平陽一　コラム20

　ある国のサッカーの歴史を代表チームと直結させて考える傾向が強く、チェコスロヴァキア時代にも「チェコ代表」という呼称が使われがちであった日本では、スロヴァキアのサッカーと聞いても、1992年末のビロード離婚後のスロヴァキア代表しか思い浮かべないようだ。セリエAの強豪ナポリの象徴と讃えられたハムシークや、名門リヴァプールでプレーしたシュクルテルの名と、彼らの活躍でベスト16入りしたW杯2010や、2016年の欧州選手権に言及するだけで事足れりとしてしまう。だが、1993年に結成されたスロヴァキア代表についてさえ、その初代監督が後にジェフ市原で指揮を執るヴェングロシュだったこと、ましてやそのスロヴァキア人監督が、長らく世界サッカー連盟のテクニカルスタディーズ・グループの主任であったことを知る人は少ない。このように指導者としてヴェングロシュが高く評価されていたのには、彼が体育学・心理学の学位を持つ研究者であったという事実が無関係ではないにしても、何よりもチェコスロヴァキア代表監督として1980年の欧州選手権で3位に、90年のW杯でベスト8へとチームを導いた実績が大きく寄与していた。いうまでもなかろうが、当時のチェコスロヴァキア代表で監督だけがスロヴァキア人だったわけではない。

　チェコスロヴァキア代表の成功として知られる2つの大会を振り返ってみても、W杯1962の銀メダルチームで守備陣を統率していたのは、スロヴァン・ブラチスラヴァのポプルハールであった。76年欧州選手権においてW

杯74準優勝のオランダを準決勝で、決勝でW杯チャンピオンの西ドイツを破ったチェコスロヴァキア代表の主将も、スロヴァン・ブラチスラヴァのディフェンダー、オンドルシュだった。76年の欧州選手権で大会ベスト11に選ばれたオンドルシュ、ピヴァルニーク、ポラークはみな守備的なポジションのスロヴァキア人選手であった。そのほかにも、私たちオールドファンの間では彼ら3人よりもむしろ有名だったドビアシュ、さらにはチャプコヴィチ、ユルケミクもスロヴァキア人であった。ディフェンダーおよび守備的ミッドフィールダーの中で唯一ゲグだけが、チェコ生まれのハンガリー人という出自だったが、彼にしてもスロヴァン・ブラチスラヴァに所属していた。

　スロヴァキアとハンガリーの複雑な関係となると、一介のサッカーファンに過ぎない筆者の手に余る問題だが、現在のスロヴァキア代表にもラースロー・ベーネシュという選手がいるだけでなく、１９４０年代にもスロヴァキアとゆかりのあるハンガリー人の名選手がいたことは是非とも紹介したい。ラディスラオ・クバラである。ブダペシュト生まれのクバラは、１９４６年から48年まで2シーズンをスロヴァン・ブラチスラヴァでプレーし、その代表歴は46年のチェコスロヴァキア代表への選出に始まる。48年に2月事件（共産党の権力掌握）が

FCバルセロナのユニフォーム姿のクバラ

起きるとクバラはブダペシュトに帰り、ハンガリー代表として3試合に出場したが、その次に彼が代表戦でプレーするのは5年後のこと、それもスペイン代表としてであった。クバラがラースローというハンガリー風の名ではなく、ラディスラオというスペイン風の名で知られているのは、彼が移住先のバルセロナでレジェンドになったから――FCバルセロナ創設100周年を記念して行われたファン投票で、クライフを抑え歴代ナンバーワン選手に選ばれるほどのレジェンドになったからなのである。

スロヴァキアをもっと知るための参考文献

●言　語

菊池正雄『スロバキア語大辞典』（武田書店、２００６）

木村英明『まずはこれだけスロヴァキア語（ＣＤブック）』（国際語学社、２０１２）

近重亜郎『旅の指さし会話帳 スロバキア』（情報センター出版局、２０１１）

長與進『スロヴァキア語文法』（大学書林、２００４）

Dvojjazyčný ilustrovaný slovník: Anglicko-Slovenský, Slovart, Bratislava, 2006.

James Naughton, *Colloquial Slovak*, Routledge, 2015.

●概説、通史

伊東一郎編『スラヴ民族の歴史』（山川出版社、２０２３）

伊東孝之編『東欧政治ハンドブック――議会と政党を中心に』（日本国際問題研究所、１９９５）

薩摩秀登『図説チェコとスロヴァキアの歴史』（河出書房新社、２０２１）

仙石学・林忠行編『ポスト社会主義期の政治と経済――旧ソ連・中東欧の比較』（北海道大学出版会、２０１１）

エミル・ニーデルハウゼル（渡邊昭子他訳）『総覧　東欧ロシア史学史』（北海道大学出版会、２０１３）

萩原直・柴宜弘他（監修）『新版　東欧を知る事典』（平凡社、２０１５）

南塚信吾編『東欧の民族と文化』叢書東欧1（彩流社、１９８９）

南塚信吾編『東欧革命と民衆』（朝日新聞社、１９９２）

南塚信吾編『ドナウ・ヨーロッパ史』世界各国史19（山川出版社、１９９９）

羽場久美子編『ロシア革命と東欧』（彩流社、１９９０）

羽場久美子・溝端佐登史編『ロシア・拡大ＥＵ』（ミネ

ルヴァ書房、2011)
藤本和貴夫・加藤一夫編『ソ連・東欧の体制変動 ドキュメント 1988－1991』(インパクト出版会、1991)
The Encyclopaedia of Slovakia and the Slovaks. A concise encyclopaedia. Encyclopaedeic Institute of the Slovak Academy of Sciences, Bratislava, 2006.

●歴史

石川達夫『チェコ民族再生運動――多様性の擁護、あるいは小民族の存在論』(岩波書店、2010)
ロビン・オーキー(越村勲、田中一生、南塚信吾編訳『東欧近代史』(勁草書房、1987)
篠原琢・中澤達哉編『ハプスブルク帝国政治文化史――継承される正統性』(昭和堂、2012)
P・F・シュガー、I・J・レデラー編(東欧史研究会訳)『東欧のナショナリズム――歴史と現在』(刀水書房、1981)
A・ドプチェク(熊田亨訳)『証言 プラハの春』(岩波書店、1991)
アレクサンドル・ドプチェク(イジー・ホフマン編、森泉淳訳)『希望は死なず――ドプチェク自伝』(講談社、1993)
中澤達哉『近代スロヴァキア国民形成思想史研究――「歴史なき民」の近代国民法人説』(刀水書房、2009)
中澤達哉編『王のいる共和政――ジャコバン再考』(岩波書店、2022)
長與進『チェコスロヴァキア軍団と日本 1918－1920』(教育評論社、2023)
羽場久美子・小森田秋夫・田中素香編『ヨーロッパの東方拡大』(岩波書店、2006)
林忠行『中欧の分裂と統合――マサリクとチェコスロヴァキア建国』(中公新書、1993)
林忠行『チェコスロヴァキア軍団――ある義勇軍をめぐる世界史』(岩波書店、2021)
アントニー・ポロンスキ(越村勲他訳)『小独裁者たち――両大戦間期の東欧における民主主義体制の崩壊』(りぶらりあ選書、1993)
J・ロスチャイルド(大津留厚監訳)『大戦間期の東欧――民族国家の幻影』(刀水書房、1994)
J・ロスチャイルド(羽場久美子、水谷驍訳)『現代東

欧史——多様性への回帰』（共同通信社、１９９９）
ヤーン・ユリーチェク（長與進訳）『彗星と飛行機と幻の祖国と——ミラン・ラスチスラウ・シチェファーニクの生涯』（成文社、２０１５）
Florin Curta, *The Making of the Slavs : History and Archaeology of the Lower Danube Region, c. 500-700*, Cambridge University Press, 2008.
Hudek, Adam, Kopeček, Michal, Mervart, Jan, *Czechoslovakism*, Routledge, 2021.
Stanislav J. Kirschbaum, *A History of Slovakia; The Struggle for Survival*, 2-nd edition, Palgrave Macmillan, 2005
Michal Kšiňan: *Milan Rastislav Štefánik. The Slovak National Hero and Co-Founder of Czechoslovakia*, Routledge, 2021.
M. Mark Stolarik, *The Prague Spring and the Warsaw Pact Invasion of Czechoslovakia, 1968: Forty Years Later*, Bolchazy-Carducci Publishers, 2010
M. Mark Stolarik ed.,*The Czech and Slovak Republics : Twenty Years of Independence, 1993 – 2013*, Central European University Press, Budapest – New York, 2016

●社　会

池本修一・松澤祐介『チェコ・スロバキア経済図説』（東洋書店、２０１５）
石川晃弘ほか編『体制転換と地域社会の変容——スロヴァキア地方小都市定点追跡調査』（中央大学出版部、２０１０）
石川晃弘ほか編『グローバル化と地域社会の変容——スロヴァキア地方小都市定点追跡調査Ⅱ』（中央大学出版部、２０１６）
石川晃弘『スロヴァキア・スイッチ——陽気で愛すべき人々が生きる歴史、文化、そして現在』（22世紀アート、２０２１）
加賀美雅弘・木村汎編『東ヨーロッパ・ロシア（朝倉世界地理講座10）』（朝倉書店、２００７）
川崎嘉元編『エスニック・アイデンティティの研究——流転するスロヴァキアの民』（中央大学出版部、２００７）
神原ゆうこ『デモクラシーという作法——スロヴァキア村落における体制転換後の民族誌』（九州大学出版

会　2015）
小林浩二、小林月子、大関泰宏編『激動するスロヴァキアと日本――家族・暮らし・人口』（二宮書店、2008）
仙石学編『新世界の社会福祉 5 旧ソ連／東欧』（旬報社、2019）
橋本伸也編『せめぎあう中東欧・ロシアの歴史認識問題――ナチズムと社会主義の過去をめぐる葛藤』（ミネルヴァ書房、2017）

●文化、文学

飯島周・小原雅俊編『ポケットのなかの東欧文学――ルネッサンスから現代まで』（成文社、2006）
市川敏之『チェコスロヴァキア美術館――切手で鑑賞至高の絵画コレクション』（えにし書房、2018）
奥彩子・西成彦・沼野充義編『東欧の想像力――現代東欧文学ガイド』（松籟社、2016）
加須屋明子ほか『中欧の現代美術――ポーランド・チェコ・スロヴァキア・ハンガリー』（彩流社、2014）
桑野隆・長與進編『ロシア・中欧・バルカン世界のことばと文化』（成文堂、2010）
小原雅俊編『文学の贈物　東中欧文学アンソロジー』（未知谷、2000）
サムコ・ターレ（木村英明訳）『墓地の書』（松籟社、2012）
高野史緒編『21世紀東欧SF・ファンタスチカ傑作集――時間はだれも待ってくれない』（東京創元社、2011）
つかだみちこ他編訳『現代東欧詩集』（土曜美術社、1989）
P・ドブシンスキー（シュミット＝ファイリック、ロナルド訳）『スロバキア民話』（デジタルパブリッシングサービス、2012）
沼野充義（監修）『中欧――ポーランド・チェコ・スロヴァキア・ハンガリー（世界の歴史と文化）』（新潮社、1996）
沼野充義編『東欧怪談集』（河出文庫、2020）
羽場久美子編『中欧・東欧文化事典』（丸善出版、2021）
アルフォンス・ベドナール（栗栖継訳）『時間と分』（恒文社、1972）
L・ムニャチコ（栗栖継訳）『死の名はエンゲルヒェ

ン』（勁草書房、１９６９）
L・ムニャチコ（栗栖継訳）『遅れたレポート』（岩波同時代ライブラリー、１９９０）
『ブラティスラヴァ世界絵本原画展とスロヴァキア絵本芸術の巨匠たち』（日本国際児童図書評議会、２００２年）
『世界の絵本がやってきた　ブラティスラヴァ世界絵本原画展』（美術館連絡協議会、２００６年）
『ブラティスラヴァ世界絵本原画展――世界の絵本がやってきた』（美術館連絡協議会、２０１０年）
『ブラティスラヴァ世界絵本原画展――ＢＩＢで出会う絵本のいま』（久留米市美術館他、２０１７）
Hronský, Vladimír, *Slovak Wine Guide*, Slovart, Bratislava, 2016.
Peter Petro, *A History of Slovak Literature*. McGill-Queen's University Press, 1997
Pynsent, Robert B, *Modern Slovak Prose: Fiction since 1954*, Palgrave Macmillan,1990

●ウェブサイト

国際児童芸術会館　https://www.bibiana.sk
スロヴァキア統計局　https://slovak.statistics.sk/
ブラチスラヴァ美術大学　https://www.vsvu.sk
降矢ななのおいしいスロバキア（偕成社ウェブマガジン）
https://kaiseiweb.kaiseisha.co.jp/a/furiyanana/

2010年7月8日―2012年4月4日

（第２次）ロベルト・フィツォ　Robert Fico (1964 -)
方向＝社会民主主義
2012年4月4日―2016年3月23日

（第３次）ロベルト・フィツォ　Robert Fico (1964 -)
方向＝社会民主主義＋スロヴァキア国民党＋モスト＝ヒード＋ネットワーク (SIEŤ)
2016年3月23日―2018年3月22日

ペテル・ペレグリニ　Peter Pellegrini (1975 -)
方向＝社会民主主義＋スロヴァキア国民党＋モスト＝ヒード
2018年3月22日―2020年3月21日

イゴル・マトヴィチ　Igor Matovič (1973 -)
普通の人々と独立した人格(OĽaNO)＋我々は家族 (Sme rodina)＋自由と連帯＋人々のために (Za ľudí)
2020年3月21日―2021年4月1日

エドゥアルト・ヘゲル Eduard Heger (1976 -)
普通の人々と独立した人格＋我々は家族＋自由と連帯＋人々のために
2021年4月1日―2023年5月15日

リュドヴィート・オードル　Ľudovít Ódor (1976 -)
無所属
2023年5月15日―10月25日

（第4次）ロベルト・フィツォ　Robert Fico（1964 -)
方向＝社会民主主義＋声＝社会民主主義 (HLAS-SD)＋スロヴァキア国民党
2023年10月25日―

スロヴァキア共和国（SR）首相（1993年—現在)】

(第２次）ヴラジミール・メチアル　Vladimír Mečiar (1942 -)
民主スロヴァキア運動＋スロヴァキア国民党
1993年1月1日—1994年3月14日

ヨゼフ・モラウチーク　Jozef Moravčík (1945 -)
スロヴァキア民主連合 (DEÚS) ＋キリスト教民主運動＋民主左派党 (SDĽ) ＋国民民主党／新オータナティヴ (NDS/NA)
1994年3月16日—1994年12月13日

(第３次）ヴラジミール・メチアル　Vladimír Mečiar (1942 -)
民主スロヴァキア運動＋スロヴァキア国民党＋スロヴァキア労働者連盟 (ZRS)
1994年12月13日—1998年10月29日

(第１次）ミクラーシ・ズリンダ　Mikuláš Dzurinda (1955 -)
スロヴァキア民主連立（SDK)＋民主左派党＋市民合意党 (SOP) ＋マジャール人連立党 (SMK)
1998年10月30日—2002年10月15日

(第２次）ミクラーシ・ズリンダ　Mikuláš Dzurinda (1955 -)
スロヴァキア民主キリスト教同盟（SDKÚ)＋キリスト教民主運動＋マジャール人連立党＋新市民連盟 (ANO)
2002年10月15日—2006年7月4日

(第１次）ロベルト・フィツォ　Robert Fico (1964 -)
方向＝社会民主主義 (SMER-SD) ＋スロヴァキア国民党＋人民党＝民主スロヴァキア運動
2006年7月4日—2010年7月8日

イヴェタ・ラジチョヴァー　Iveta Radičová (1956 -)
スロヴァキア民主キリスト教同盟＝民主党（SDKÚ=DS）＋自由と連帯 (SaS) ＋キリスト教民主運動＋モスト＝ヒード（MOST-HÍD)

大統領代行（首相）ミクラーシ・ズリンダ　Mikuláš Dzurinda (1955 -)
スロヴァキア民主連立 (SDK)、1998年10月30日－1999年6月15日
大統領代行（国民議会議長）ヨゼフ・ミガシ　Jozef Migaš (1954 -)
民主左派党 (SDĽ)、1998年10月30日－1999年6月15日

第2代　ルドルフ・シュステル　Rudolf Schuster (1934 -)
市民合意党 (SOP)、1999年6月15日－2004年6月15日

第3代　イヴァン・ガシパロヴィチ　Ivan Gašparovič (1941 -)
民主運動 (HZD)、2004年6月15日－2014年6月15日（二期）

第4代　アンドレイ・キスカ　Andrej Kiska (1963 -)
無所属、2014年6月15日－2019年6月15日

第5代　ズザナ・チャプトヴァー　Zuzana Čaputová (1973 -)
進歩的スロヴァキア（PS)、2019年6月15日 —

❖　スロヴァキア共和国歴代首相リスト

【チェコ及びスロヴァキア連邦共和国（ČaSFR）内のスロヴァキア共和国（SR）首相（1990—1992 年)】

（第1次）ヴラジミール・メチアル　Vladimír Mečiar (1942 -)
暴力に反対する公衆 (VPN) ＋キリスト教民主運動 (KDH) ＋民主党 (DS)
1990年6月27日—1991年5月6日

ヤーン・チャルノグルスキー　Ján Čarnogurský (1944 -)
キリスト教民主運動＋市民民主連合 (ODÚ) ＋民主党
1991年5月6日—1992年6月24日

（第2次）ヴラジミール・メチアル　Vladimír Mečiar (1942 -)
民主スロヴァキア運動 (HZDS) ＋スロヴァキア国民党 (SNS)
1992年6月24日—1992年12月31日

『スロヴァキアを知るための64章』参考資料

❖ スロヴァキア共和国の国家の祝日

1月1日―スロヴァキア共和国成立の日（1993年）
7月5日―聖キュリロスと聖メトディオスの祝日（863年）
8月29日―スロヴァキア民族／国民蜂起記念日（1944年）
9月１日―スロヴァキア共和国憲法の日（1992年）
10月28日―独立チェコ＝スロヴァキア国成立の日（1918年）（ただし休日ではない）
11月17日―自由と民主主義のための闘いの日（1989年）

❖ スロヴァキア共和国の休日

1月６日―公現祭（三王来朝の日と正教徒のクリスマスの祝日）
３月／4月―大金曜日と復活祭の月曜（復活祭）
５月1日―労働の祝日（メーデー）
５月８日―ファシズムに対する勝利の日
９月15日―悲しみの聖母マリアの祝日
11月１日―諸聖人の日（万聖節）
12月24日―クリスマス・イヴ
12月25日―最初のクリスマスの祝日
12月26日―第二のクリスマスの祝日

❖ スロヴァキア共和国歴代大統領リスト

初代　ミハル・コヴァーチ　Michal Kováč (1930 - 2016)
民主スロヴァキア運動 (HZDS)、1993年3月2日―1998年3月2日

大統領代行（首相）ヴラジミール・メチアル　Vladimír Mečiar (1942 -)
民主スロヴァキア運動、1998年3月2日―1998年10月30日
大統領代行（国民議会議長）イヴァン・ガシパロヴィチ　Ivan Gašparovič (1941 -)
民主スロヴァキア運動、1998年7月14日―1998年10月30日

おわりに

内輪話をご披露することをお許しいただきたい。1年前の2022年7月5日、『チェコとスロヴァキアを知るための56章』（初版2003年、第2版2009年）の編者である畏友、薩摩秀登氏から、同書を全面改訂する計画があるが、執筆者の意向はどうだろうか、というメールを受け取った。私も同書に、何編かの章とコラムを執筆していたので、問い合わせを受けたのである。

私は一晩熟考してから、これを機会にチェコとスロヴァキアを、別の書籍として出すことはできないだろうかという、かねてから念頭にあった問題提起をする決心をした。研究者や専門家の知見を、読みやすいかたちで広く読者に提供することを目的とした「エリア・スタディーズ」シリーズでは、旧社会主義体制下で民族連邦制を取っていた旧ユーゴスラヴィア諸国（北マケドニア、モンテネグロ、コソヴォを除く）、ソ連邦の継承国であるウクライナ、ベラルーシをはじめ、バルト三国、コーカサス三国、中央アジア諸国（カザフスタンとウズベキスタン）も、すでに単独で一冊の本として上梓されている。チェコとスロヴァキアも1992年末に解体してから、すでに30年が経過した。今回の改訂提案をきっかけとして、スロヴァキアもそろそろ「独り立ち」してもよい時期ではないか、と考えたのである。

そういった内容のメールを、薩摩氏に送ったところ、スロヴァキア側がそういうなら、とひじょうに快く「解体」提案に賛成してくださった（1990年半ばから1992年末の解体に至るまで、チェコとスロヴァキア両政府が行った、神経を削るような交渉過程とはまったく対照的である）。明石書店の方からも、「チェコとスロヴァキアを分けた方がよいとお考えなら、それで進めていただいてかまいません」という理解ある返答をいただいた。つまりスロヴァキアの「主権宣言」は、（30年遅れで！）あっさりと認められたわけである。

だが正直なところを打ち明けると、当初からじゅうぶんな見通しと「勝算」があったわけではなかった。『チェコとスロヴァキアを知るための56章』には、章とコラムが全部で65項目収録されていたが、スロヴァキア関係はそのうちの19項目だけだった。スロヴァキアだけで「独り立ち」できるのだろうか、という一抹の不安が胸をよぎった。数十人に及ぶだろう執筆者を「統率」しなければならない編者の「苦労」については、すでに薩摩氏から側聞していた。

そこで氏と相談して、今回はチェコとスロヴァキアが、それぞれ2人の編者からなる共同編集体制を取ることにした。スロヴァキア側では神原ゆうこ氏（北九州市立大学）に共同編者をお願いして、ご快諾いただいた。本書がほぼ当初の構想と計画通りに、刊行に漕ぎつけることができたのは、エネルギッシュで緻密な氏のご尽力のたまものである。クラウドサービスの使用など、技術的な面でサポートしていただけたのも心強かった。

夏休み期間中に、旧版に収録されたスロヴァキア関係の章とコラムを軸として、同書の章立てを参考にしつつ、神原氏と全体の構想を練った。それぞれの章について、最適の執筆者にお願いするという基本姿勢で臨み、若い世代の研究者にも、新鮮な情報を提供していただくことにした（この試みは成功したのではないかと「自己採点」している)。当該のテーマについて、最新の知見と情報に基づくスタンダードな記述をお願いすると同時に、「ステレオタイプ」な認識によりかからないように、とも付言した。もとより「無理筋」の注文であることは承知の上だったが、本書全体に緊張した筋が一本通っているとしたら、この高いハードル設定に応えてくださった執筆者のみなさんのおかげである。

当該のテーマについて最適の執筆者を、という基本姿勢から出た自然な帰結として、日本のスロヴァキア研究者と専門家だけでなく、チェコ研究とハンガリー研究を専門とする同僚たちにも声をかけた。さらにスロヴァキアとチェコの第一線の研究者、日本で教職に就いているスロヴァキア人研究者、長年日本に居住しているスロヴァキアの方々にも、積極的に寄稿を依頼した。本論集では章とコラムをあわせて、そうした方々の11項目の論考を掲載することができた。この人選の際には、これまで我々が培ってきた国際的な学術交流の絆が、いかんなく発揮された。

全体の構想がまとまり、出版社の方から各執筆予定者に、正式の執筆依頼が送られたのが9月30日。出版社への原稿提出期限を2023年3月末日と設定したが、それ以前に、できたら2月末までに、編者宛てに原稿の仮提出をお願いした。事前に原稿に目を通して、全体の調子を整える必要がある、と判断したためである。新年になってから散発的に原稿の提出がはじまったが、編者は提出されたすべての原稿に目を通して、事実関係とデータをチェックした。特にスロヴァキア語の地名と人名の表記については、全体として統一するように努めた(「はじめに」の後の「固有名詞の表記と訳語について」を参照)。一部の原稿については、内容面についても踏み込んだコメントをつけたケースもある。執筆者の方々が、これらのコメントを前向きに受け止めてくださったことに、深く感謝しなければならない。

2023年3月末の締め切り時までに、予定されていた原稿の7〜8割が提出され、「デッドライン」として設定した6月末までには、ほぼすべての原稿を受け取ることができた。多数の執筆者（本書の寄稿者は総勢37人）にお願いした論集としては、模範的な展開ではなかったかと思う。

本書の「出来」については、読者諸氏の判断に委ねるほかはないが、編者としては、スロヴァキアの歴史・社会・文化全般についての「万華鏡」の、最新ヴァージョンを提供できたのではないかと自負している。本書の出版が、日本社会におけるスロヴァキア認識をいっそう広め深めると同時に、これまでのわが国におけるスロヴァキア研究の一里塚となり、今後その研究がさらに活発化、多面化するきっかけになれば、なによりである。

末筆ながら、明石書店の長尾勇仁氏には、この1年間、折にふれて適切な編集・出版上のサポートをしていただいた。心から感謝したい。

長與進

2023年8月

パウロヴィチ・フランチシェク（Paulovič, František）〔43〕
1979年生まれ。コメニウス大学人文学部東アジア学科助教。日本文学。

林忠行（はやし　ただゆき）〔コラム19〕
1950年生まれ。チェコスロヴァキア史、東欧地域研究、国際関係史。

樋熊泰奈（ひぐま　やすな）〔57〕
1976年生まれ。ブラチスラヴァ音楽大学音楽舞踊学部舞踊学科大学院博士課程修了、スロヴァキア民族舞踊。

福田宏（ふくだ　ひろし）〔17, 58〕
1971年生まれ。成城大学法学部准教授。チェコとスロヴァキアの近現代史と政治。

増根正悟（ましね　しょうご）〔31, 32, 47, コラム9〕
1990年生まれ。元在スロバキア日本大使館専門調査員。スロヴァキアの地理、政治、経済。

松澤祐介（まつざわ　ゆうすけ）〔28, 29, コラム8〕
1971年生まれ。西武文理大学サービス経営学部教授。ヨーロッパ経済論、経済政策、金融論。

リフリーク・ヤン（Rychlík, Jan）〔24〕
1954年生まれ。カレル大学芸術学部教授。チェコ＝スロヴァキア現代史、中東欧史。

杉林大毅（すぎばやし　だいき）〔60〕
1993年生まれ。東京大学大学院人文社会系研究科。中東欧映画、特にチェコスロヴァキアのコメディ映画。

瀧根真優子（たきね まゆこ）〔59〕
1978年生まれ。ブラチスラヴァ音楽大学ピアノ科修士課程修了。ピアニスト。芸術学校教員、コンセルヴァトワール伴奏教員。

近重亜郎（ちかしげ　あろう）〔39, 55, 56, コラム12〕
1973年生まれ。元プレショウ大学附置アジア研究所勤務、日本スロバキア協会語学講師。中欧地域社会研究。

デブナール・ミロシュ（Debnár, Miloš）〔44〕
1979年生まれ。龍谷大学国際学部国際文化学科准教授。社会学、移民研究。

洞野志保（どうの　しほ）〔コラム17〕
1977年生まれ。ブラチスラヴァ美術大学版画学科留学。絵本作家。

ドゥデコヴァー＝コヴァーチョヴァー・ガブリエラ（Dudeková-Kováčová, Gabriela）〔コラム3〕
1968年生まれ。スロヴァキア科学アカデミー歴史学研究所。19～20世紀初頭のスロヴァキア社会史。

戸谷浩（とや　ひろし）〔50〕
1962年生まれ。明治学院大学国際学部教授。近世ハンガリー史を中心とした東欧史。

中澤達哉（なかざわ　たつや）〔1, 6, 7, 9, 36, コラム2〕
1971年生まれ。早稲田大学文学学術院教授。中・東欧近世近代史・スロヴァキア史。

中田瑞穂（なかだ　みずほ）〔26, コラム7〕
1968年生まれ。明治学院大学国際学部教授。ヨーロッパ政治史、比較政治。

＊**長與進**（ながよ　すすむ）〔2, 11, 12, 13, 14, 19, 20, 22, 23, 33, コラム1, コラム3, コラム4, コラム5, コラム6, コラム10〕
編著者紹介参照。

倉金順子（くらがね　じゅんこ）〔48〕
1978年生まれ。一橋大学大学院社会学研究科博士後期課程。ハンガリー現代史、フードスタディーズ。

コヴァーチ・ドゥシャン（Kováč, Dušan）〔23〕
1942年生まれ。スロヴァキア科学アカデミー歴史学研究所。19世紀と20世紀前半のスロヴァキア史と中欧史。

香坂直樹（こうさか　なおき）〔15, 16, 18, 21, 62〕
1973年生まれ。跡見学園女子大学他兼任講師。両大戦間期チェコスロヴァキア史。

コンペル・ラドミール（Compel, Radomír）〔5〕
1976年生まれ。長崎大学多文化社会学部准教授。日本政治外交史、沖縄近現代史。

薩摩秀登（さつま　ひでと）〔3〕
1959年生まれ。明治大学教授。東欧中世史。

佐藤ひとみ（さとう　ひとみ）〔24, 54〕
東京外国語大学大学院総合国際学研究科博士後期課程。チェコ＝スロヴァキア近現代史。

シクヴァルナ・ドゥシャン（Škvarna, Dušan）〔コラム2〕
1954年生まれ。マチェイ・ベル大学〔スロヴァキア、バンスカー・ビストリツァ〕人文科学部教授。スロヴァキア近代史、中欧史。

篠原琢（しのはら　たく）〔40〕
1964年生まれ。東京外国語大学教授。チェコを中心とする中央ヨーロッパ近現代史。

柴田勢津子（しばた　せつこ）〔61〕
株式会社イデッフ代表として展覧会の企画・運営を手がける。芸術社会学、ミュゼオロジー。

須川忠輝（すがわ　ただてる）〔27〕
1992年生まれ。三重大学人文学部法律経済学科講師。行政学・地方自治論、比較政治学。

<執筆者一覧および担当章>（＊は編著者）

AGU（あぐ）〔コラム 18〕
ブラチスラヴァ美術大学版画学科留学。造形作家。

飯尾唯紀（いいお　ただき）〔34〕
1970 年生まれ。東海大学文化社会学部ヨーロッパ・アメリカ学科教授。中東欧地域研究、ハンガリー史。

市川敏之（いちかわ　としゆき）〔コラム 16〕
1976 年生まれ。東京外国語大学大学院修了、カレル大学国費留学、学芸員、切手収集家。

井出匠（いで　たくみ）〔8, 10, 38, 43, 63, 64〕
1976 年生まれ。福井大学教育学部社会系教育講座准教授。東欧近現代史、スロヴァキア史。

ヴァイダ・バルナバーシ（Vajda, Barnabás）〔36〕
1970 年生まれ。シェイェ・ヤーノシ大学〔スロヴァキア、コマールノ〕教育学部教授。中・東欧現代史、冷戦史。

大平陽一（おおひら　よういち）〔コラム 20〕
1955 年生まれ。天理大学国際学部教授。戦間期チェコの文化。

＊**神原ゆうこ**（かんばら　ゆうこ）〔25, 30, 37, 41, 42, コラム 11〕
編著者紹介参照。

木村アンナ（きむら　あんな）〔46, 51〕
外務省語学研修所講師。スロヴァキア語教育。

木村英明（きむら　ひであき）〔4, 35, 45, 49, 52, 53, コラム 13, コラム 14, コラム 15〕
1958 年生まれ。中東欧（スロヴァキア、チェコ）・ロシア文学研究者。言語文化研究。

クシニャン・ミハル（Kšiňan, Michal）〔14〕
1983 年生まれ。スロヴァキア科学アカデミー歴史学研究所。中欧史、スロヴァキア・フランス関係、M・R・シチェファーニク。

〈編著者紹介〉

長與進（ながよ　すすむ）
早稲田大学名誉教授。
1948年生まれ。同志社大学文学部卒。早稲田大学大学院文学研究科ロシア
学専修博士課程中退。早稲田大学政治経済学術院教授。主な著作に『スロヴ
キア語文法』（大学書林、2004年）、『チェコスロヴァキア軍団と日本　1918－
1920』（教育評論社、2023年）、〔共編〕『日露文学研究者の対話　安井亮平＝
リス・エゴーロフ往復書簡　1974－2018』（成文社、2023年）などがある。

神原ゆうこ（かんばら　ゆうこ）
北九州市立大学基盤教育センター教授。
1977年生まれ。筑波大学第一学群人文学類卒業、九州大学大学院比較社会文化学府修士課程修了、コメニウス大学（スロヴァキア）留学を経て、東京大学大学院総合文化研究科博士課程修了。博士（学術）。専門は文化人類学、中欧・東欧地域研究。主な著作、論文に『デモクラシーという作法：スロヴァキア村落における体制転換後の民族誌』（九州大学出版会、2015年）、「マイノリティであることと民主主義的価値観の親和性と矛盾：スロヴァキアのハンガリー系にとっての1989年以後」（『ロシア・東欧研究』47号、2019年）などがある。

エリア・スタディーズ　201

スロヴァキアを知るための64章

2023年11月20日　初版第1刷発行

編著者　長　與　進
　　　　神原ゆうこ
発行者　大　江　道　雅
発行所　株式会社 明石書店
〒101-0021 東京都千代田区外神田6-9-5
電　話　03-5818-1171
FAX　03-5818-1174
振　替　00100-7-24505
https://www.akashi.co.jp/

装　幀　明石書店デザイン室
印刷／製本　日経印刷株式会社

（定価はカバーに表示してあります）　ISBN978-4-7503-5663-1

エリア・スタディーズ

1 **現代アメリカ社会を知るための60章**
明石紀雄、川島浩平 編著

2 **イタリアを知るための62章【第2版】**
村上義和 編著

3 **イギリスを旅する35章**
辻野功 編著

4 **モンゴルを知るための65章【第2版】**
金岡秀郎 著

5 **パリ・フランスを知るための44章**
梅本洋一、大里俊晴、木下長宏 編著

6 **現代韓国を知るための60章【第2版】**
石坂浩一、福島みのり 編著

7 **オーストラリアを知るための58章【第3版】**
越智道雄 著

8 **現代中国を知るための52章【第6版】**
藤野彰 編著

9 **ネパールを知るための60章**
日本ネパール協会 編

10 **アメリカの歴史を知るための65章【第4版】**
富田虎男、鵜月裕典、佐藤円 編著

11 **現代フィリピンを知るための61章【第2版】**
大野拓司、寺田勇文 編著

12 **ポルトガルを知るための55章【第2版】**
村上義和、池俊介 編著

13 **北欧を知るための43章**
武田龍夫 著

14 **ブラジルを知るための56章【第2版】**
アンジェロ・イシ 著

15 **ドイツを知るための60章**
早川東三、工藤幹巳 編著

16 **ポーランドを知るための60章**
渡辺克義 編著

17 **シンガポールを知るための65章【第5版】**
田村慶子 編著

18 **現代ドイツを知るための67章【第3版】**
浜本隆志、髙橋憲 編著

19 **ウィーン・オーストリアを知るための57章【第2版】**
広瀬佳一、今井顕 編著

20 **ハンガリーを知るための60章【第2版】** ドナウの宝石
羽場久美子 編著

21 **現代ロシアを知るための60章【第2版】**
下斗米伸夫、島田博 編著

22 **21世紀アメリカ社会を知るための67章**
明石紀雄 監修　赤尾千波、大類久恵、小塩和人、
落合明子、川島浩平、高野泰 編

23 **スペインを知るための60章**
野々山真輝帆 著

24 **キューバを知るための52章**
後藤政子、樋口聡 編著

25 **カナダを知るための60章**
綾部恒雄、飯野正子 編著

26 **中央アジアを知るための60章【第2版】**
宇山智彦 編著

27 **チェコとスロヴァキアを知るための56章【第2版】**
薩摩秀登 編著

28 **現代ドイツの社会・文化を知るための48章**
田村光彰、村上和光、岩淵正明 編著

29 **インドを知るための50章**
重松伸司、三田昌彦 編著

30 **タイを知るための72章【第2版】**
綾部真雄 編著

31 **パキスタンを知るための60章**
広瀬崇子、山根聡、小田尚也 編著

32 **バングラデシュを知るための66章【第3版】**
大橋正明、村山真弓、日下部尚徳、安達淳哉 編著

33 **イギリスを知るための65章【第2版】**
近藤久雄、細川祐子、阿部美春 編著

34 **現代台湾を知るための60章【第2版】**
亜洲奈みづほ 著

35 **ペルーを知るための66章【第2版】**
細谷広美 編著

36 **マラウィを知るための45章【第2版】**
栗田和明 著

37 **コスタリカを知るための60章【第2版】**
国本伊代 編著

38 **チベットを知るための50章**
石濱裕美子 編著

39 **現代ベトナムを知るための63章【第3版】**
岩井美佐紀 編著

40 **インドネシアを知るための50章**
村井吉敬、佐伯奈津子 編著

41 **エルサルバドル、ホンジュラス、ニカラグアを知るための45章**
田中高 編著

エリア・スタディーズ

42 パナマを知るための70章【第2版】
国本伊代 編著

43 イランを知るための65章
岡田恵美子、北原圭一、鈴木珠里 編著

44 アイルランドを知るための70章【第3版】
海老島均、山下理恵子 編著

45 メキシコを知るための60章
吉田栄人 編著

46 中国の暮らしと文化を知るための40章
東洋文化研究会 編

47 現代ブータンを知るための60章【第2版】
平山修一 著

48 バルカンを知るための66章【第2版】
柴宜弘 編著

49 現代イタリアを知るための44章
村上義和 編著

50 アルゼンチンを知るための54章
アルベルト松本 著

51 ミクロネシアを知るための60章【第2版】
印東道子 編著

52 アメリカのヒスパニック=ラティーノ社会を知るための55章
大泉光一、牛島万 編著

53 北朝鮮を知るための55章【第2版】
石坂浩一 編著

54 ボリビアを知るための73章【第2版】
真鍋周三 編著

55 コーカサスを知るための60章
北川誠一、前田弘毅、廣瀬陽子、吉村貴之 編著

56 カンボジアを知るための60章【第3版】
上田広美、岡田知子、福富友子 編著

57 エクアドルを知るための60章【第2版】
新木秀和 編著

58 タンザニアを知るための60章【第2版】
栗田和明、根本利通 編著

59 リビアを知るための60章【第2版】
塩尻和子 編著

60 東ティモールを知るための50章
山田満 編著

61 グアテマラを知るための67章【第2版】
桜井三枝子 編著

62 オランダを知るための60章
長坂寿久 著

63 モロッコを知るための65章
私市正年、佐藤健太郎 編著

64 サウジアラビアを知るための63章【第2版】
中村覚 編著

65 韓国の歴史を知るための66章
金両基 編著

66 ルーマニアを知るための60章
六鹿茂夫 編著

67 現代インドを知るための60章
広瀬崇子、近藤正規、井上恭子、南埜猛 編著

68 エチオピアを知るための50章
岡倉登志 編著

69 フィンランドを知るための44章
百瀬宏、石野裕子 編著

70 ニュージーランドを知るための63章
青柳まちこ 編著

71 ベルギーを知るための52章
小川秀樹 編著

72 ケベックを知るための54章
小畑精和、竹中豊 編著

73 アルジェリアを知るための62章
私市正年 編著

74 アルメニアを知るための65章
中島偉晴、メラニア・バグダサリヤン 編著

75 スウェーデンを知るための60章
村井誠人 編著

76 デンマークを知るための68章
村井誠人 編著

77 最新ドイツ事情を知るための50章
浜本隆志、柳原初樹 著

78 セネガルとカーボベルデを知るための60章
小川了 編著

79 南アフリカを知るための60章
峯陽一 編著

80 エルサルバドルを知るための55章
細野昭雄、田中高 編著

81 チュニジアを知るための60章
鷹木恵子 編著

82 南太平洋を知るための58章 メラネシア ポリネシア
吉岡政德、石森大知 編著

83 現代カナダを知るための60章【第2版】
飯野正子、竹中豊 総監修 日本カナダ学会 編

エリア・スタディーズ

84 **現代フランス社会を知るための62章**
三浦信孝、西山教行 編著

85 **ラオスを知るための60章**
菊池陽子、鈴木玲子、阿部健一 編著

86 **パラグアイを知るための50章**
田島久歳、武田和久 編著

87 **中国の歴史を知るための60章**
並木頼壽、杉山文彦 編著

88 **スペインのガリシアを知るための50章**
坂東省次、桑原真夫、浅香武和 編著

89 **アラブ首長国連邦(UAE)を知るための60章**
細井長 編著

90 **コロンビアを知るための60章**
二村久則 編著

91 **現代メキシコを知るための70章【第2版】**
国本伊代 編著

92 **ガーナを知るための47章**
高根務、山田肖子 編著

93 **ウガンダを知るための53章**
吉田昌夫、白石壮一郎 編著

94 **ケルトを旅する52章** イギリス・アイルランド
永田喜文 著

95 **トルコを知るための53章**
大村幸弘、永田雄三、内藤正典 編著

96 **イタリアを旅する24章**
内田俊秀 編著

97 **大統領選からアメリカを知るための57章**
越智道雄 著

98 **現代バスクを知るための60章【第2版】**
萩尾生、吉田浩美 編著

99 **ボツワナを知るための52章**
池谷和信 編著

100 **ロンドンを旅する60章**
川成洋、石原孝哉 編著

101 **ケニアを知るための55章**
松田素二、津田みわ 編著

102 **ニューヨークからアメリカを知るための76章**
越智道雄 著

103 **カリフォルニアからアメリカを知るための54章**
越智道雄 著

104 **イスラエルを知るための62章【第2版】**
立山良司 編著

105 **グアム・サイパン・マリアナ諸島を知るための54章**
中山京子 編著

106 **中国のムスリムを知るための60章**
中国ムスリム研究会 編

107 **現代エジプトを知るための60章**
鈴木恵美 編著

108 **カーストから現代インドを知るための30章**
金基淑 編著

109 **カナダを旅する37章**
飯野正子、竹中豊 編著

110 **アンダルシアを知るための53章**
立石博高、塩見千加子 編著

111 **エストニアを知るための59章**
小森宏美 編著

112 **韓国の暮らしと文化を知るための70章**
舘野晳 編著

113 **現代インドネシアを知るための60章**
村井吉敬、佐伯奈津子、間瀬朋子 編著

114 **ハワイを知るための60章**
山本真鳥、山田亨 編著

115 **現代イラクを知るための60章**
酒井啓子、吉岡明子、山尾大 編著

116 **現代スペインを知るための60章**
坂東省次 編著

117 **スリランカを知るための58章**
杉本良男、高桑史子、鈴木晋介 編著

118 **マダガスカルを知るための62章**
飯田卓、深澤秀夫、森山工 編著

119 **新時代アメリカ社会を知るための60章**
明石紀雄 監修 大類久恵、落合明子、赤尾千波 編著

120 **現代アラブを知るための56章**
松本弘 編著

121 **クロアチアを知るための60章**
柴宜弘、石田信一 編著

122 **ドミニカ共和国を知るための60章**
国本伊代 編著

123 **シリア・レバノンを知るための64章**
黒木英充 編著

124 **EU(欧州連合)を知るための63章**
羽場久美子 編著

125 **ミャンマーを知るための60章**
田村克己、松田正彦 編著

126 カタルーニャを知るための50章
立石博高、奥野良知 編著

127 ホンジュラスを知るための60章
桜井三枝子、中原篤史 編著

128 スイスを知るための60章
スイス文学研究会 編

129 東南アジアを知るための50章
今井昭夫 編集代表 東京外国語大学東南アジア課程 編

130 メソアメリカを知るための58章
井上幸孝 編著

131 マドリードとカスティーリャを知るための60章
川成洋、下山静香 編著

132 ノルウェーを知るための60章
大島美穂、岡本健志 編著

133 現代モンゴルを知るための50章
小長谷有紀、前川愛 編著

134 カザフスタンを知るための60章
宇山智彦、藤本透子 編著

135 内モンゴルを知るための60章
ボルジギン・ブレンサイン 編著 赤坂恒明 編集協力

136 スコットランドを知るための65章
木村正俊 編著

137 セルビアを知るための60章
柴宜弘、山崎信一 編著

138 マリを知るための58章
竹沢尚一郎 編著

139 ASEANを知るための50章
黒柳米司、金子芳樹、吉野文雄 編著

140 アイスランド・グリーンランド・北極を知るための65章
小澤実、中丸禎子、高橋美野梨 編著

141 ナミビアを知るための53章
水野一晴、永原陽子 編著

142 香港を知るための60章
吉川雅之、倉田徹 編著

143 タスマニアを旅する60章
宮本忠 著

144 パレスチナを知るための60章
臼杵陽、鈴木啓之 編著

145 ラトヴィアを知るための47章
志摩園子 編著

146 ニカラグアを知るための55章
田中高 編著

147 台湾を知るための72章【第2版】
赤松美和子、若松大祐 編著

148 テュルクを知るための61章
小松久男 編著

149 アメリカ先住民を知るための62章
阿部珠理 編著

150 イギリスの歴史を知るための50章
川成洋 編著

151 ドイツの歴史を知るための50章
森井裕一 編著

152 ロシアの歴史を知るための50章
下斗米伸夫 編著

153 スペインの歴史を知るための50章
立石博高、内村俊太 編著

154 フィリピンを知るための64章
大野拓司、鈴木伸隆、日下渉 編著

155 バルト海を旅する40章 7つの島の物語
小柏葉子 著

156 カナダの歴史を知るための50章
細川道久 編著

157 カリブ海世界を知るための70章
国本伊代 編著

158 ベラルーシを知るための50章
服部倫卓、越野剛 編著

159 スロヴェニアを知るための60章
柴宜弘、アンドレイ・ベケシュ、山崎信一 編著

160 北京を知るための52章
櫻井澄夫、人見豊、森田憲司 編著

161 イタリアの歴史を知るための50章
高橋進、村上義和 編著

162 ケルトを知るための65章
木村正俊 編著

163 オマーンを知るための55章
松尾昌樹 編著

164 ウズベキスタンを知るための60章
帯谷知可 編著

165 アゼルバイジャンを知るための67章
廣瀬陽子 編著

166 済州島を知るための55章
梁聖宗、金良淑、伊地知紀子 編著

167 イギリス文学を旅する60章
石原孝哉、市川仁 編著

エリア・スタディーズ

168 フランス文学を旅する60章　野崎歓 編著
169 ウクライナを知るための65章　服部倫卓、原田義也 編著
170 クルド人を知るための55章　山口昭彦 編著
171 ルクセンブルクを知るための50章　田原憲和、木戸紗織 編著
172 地中海を旅する62章　歴史と文化の都市探訪　松原康介 編著
173 ボスニア・ヘルツェゴヴィナを知るための60章　柴宜弘、山崎信一 編著
174 チリを知るための60章　細野昭雄、工藤章、桑山幹夫 編著
175 ウェールズを知るための60章　吉賀憲夫 編著
176 太平洋諸島の歴史を知るための60章　日本とのかかわり　石森大知、丹羽典生 編著
177 リトアニアを知るための60章　櫻井映子 編著
178 現代ネパールを知るための60章　公益社団法人 日本ネパール協会 編
179 フランスの歴史を知るための50章　中野隆生、加藤玄 編著
180 ザンビアを知るための55章　島田周平、大山修一 編著
181 ポーランドの歴史を知るための55章　渡辺克義 編著
182 韓国文学を旅する60章　波田野節子、斎藤真理子、きむ ふな 編著
183 インドを旅する55章　宮本久義、小西公大 編著
184 現代アメリカ社会を知るための63章【2020年代】　明石紀雄 監修　大類久恵、落合明子、赤尾千波 編著
185 アフガニスタンを知るための70章　前田耕作、山内和也 編著
186 モルディブを知るための35章　荒井悦代、今泉慎也 編著
187 ブラジルの歴史を知るための50章　伊藤秋仁、岸和田仁 編著
188 現代ホンジュラスを知るための55章　中原篤史 編著
189 ウルグアイを知るための60章　山口恵美子 編著
190 ベルギーの歴史を知るための50章　松尾秀哉 編著
191 食文化からイギリスを知るための55章　石原孝哉、市川仁、宇野毅 編著
192 東南アジアのイスラームを知るための64章　久志本裕子、野中葉 編著
193 宗教からアメリカ社会を知るための48章　上坂昇 著
194 ベルリンを知るための52章　浜本隆志、希代真理子 著
195 NATO（北大西洋条約機構）を知るための71章　広瀬佳一 編著
196 華僑・華人を知るための52章　山下清海 著
197 カリブ海の旧イギリス領を知るための60章　川分圭子、堀内真由美 編著
198 ニュージーランドを旅する46章　宮本忠、宮本由紀子 著
199 マレーシアを知るための58章　鳥居高 編著
200 ラダックを知るための60章　煎本孝、山田孝子 著
201 スロヴァキアを知るための64章　長與進、神原ゆうこ 編著

――以下続刊

◎各巻2000円（一部1800円）

〈価格は本体価格です〉